La guaracha
del Macho Camacho

Letras Hispánicas

Luis Rafael Sánchez

La guaracha del Macho Camacho

Edición de Arcadio Díaz Quiñones

UNDÉCIMA EDICIÓN

CÁTEDRA

LETRAS HISPÁNICAS

1.ª edición, 2000
11.ª edición, 2022

Ilustración de cubierta: Cartel serigráfico de José Rosa, 1977

PAPEL DE FIBRA
CERTIFICADA

© Luis Rafael Sánchez, 1976
© Ediciones Cátedra (Grupo Anaya, S. A.), 2000, 2022
Juan Ignacio Luca de Tena, 15. 28027 Madrid
Depósito legal: M. 11.486-2010
I.S.B.N.: 978-84-376-1863-0
Printed in Spain

Índice

Introducción

A José F. Buscaglia,
Vanesa Droz y Noel Luna

Luis Rafael Sánchez en Puerto Rico, 1976, en los días de la primera edición
de *La guaracha del Macho Camacho*. Foto de Carmen Vázquez Arce.

> Lo que incomodaba de verdad era la
> ropa, el impermeable entre el mundo in-
> terior y el mundo exterior.
>
> OSWALD DE ANDRADE,
> *Manifiesto Antropófago*

LA NOVELA

Breve historia de un libro

La guaracha del Macho Camacho del puertorriqueño Luis Rafael Sánchez (n. 1936) es un clásico de la literatura hispanoamericana contemporánea. Desde su publicación en 1976 en
Buenos Aires por Ediciones de la Flor, la novela tuvo una extraordinaria acogida. Al cabo de veinticinco años ha llegado a
ser el texto literario puertorriqueño más difundido en el siglo XX,
celebrado por un grupo muy heterogéneo de lectores y críticos. Las reediciones se han sucedido con un ritmo inalterable:
la Flor ha publicado ya cerca de setenta mil ejemplares en sus
diecinueve ediciones[1]. Hay otras dos: una publicada por la
editorial Argos Vergara de Barcelona, en 1982; y otra por
Casa de las Américas en Cuba, de 1985. La novela, además,
ha sido traducida al inglés (1980), al portugués (1981), y al
francés (1991).

---

[1] Según la información proporcionada por Daniel Divinsky, director de la
editorial, y responsable de la publicación de la novela en 1976. La última reim-
presión es de 1999.

Muchos lectores simple y gozosamente se dejan llevar por el placer de los ritmos y las aliteraciones, o por el humor y las burlas procaces que aparecen desde las primeras páginas. *La guaracha* da la impresión de ser tan bailable y tarareable como el género musical que se anuncia en el título y que se glosa continuamente: «la gozadera caribeña y el acabóse de los acabóses» (pág. 255). El crítico Ángel Rama, quien desempeñó un papel decisivo en la publicación de la novela, la asoció inmediatamente con la música entonces ya conocida como *salsa*, que vivía a principios de los setenta una especie de edad de oro y un enorme éxito de mercado. Rama comentaba: «[Sánchez] se entrega a la jocundia del lenguaje popular, a su ritmo de salsa, al placer de las homofonías que desde el título de su novela revelan su proyecto»[2]. El novelista William Kennedy también lo hace notar en su comentario entusiasta a la traducción inglesa de la novela que realizó Gregory Rabassa: «El libro resulta atractivo tanto para los lectores que se inician en la literatura como para los más sofisticados y críticos»[3]. Rabassa mismo, ante el reto que representó para él la traducción al inglés, frecuentemente buscaba —y encontraba— soluciones inspiradas en la variedad de ritmos del jazz. El traductor agregaba algo muy revelador por lo que indica sobre los territorios por donde circula la cultura y el habla puertorriqueñas. Le ayudó mucho, decía Rabassa, «el oído, oír a la gente por la calle, a los puertorriqueños de Nueva York»[4].

---

[2] Véase la introducción de Rama, titulada «Los contestatarios del poder», a *Novísimos narradores hispanoamericanos en Marcha: 1964-1980*, México, Marcha Editores, 1981, pág. 28. Según ha contado el propio Sánchez en varias ocasiones, fue Rama, quien vivió dos años en Puerto desde 1969 hasta 1971 y con quien Sánchez entabló amistad, quien le propuso al editor Divinsky la publicación de *La guaracha*.

[3] En el artículo «U. S. People Are Tapping their Feet to P. R.'s *Macho Camacho's Beat*», *San Juan Star, Magazine*, Puerto Rico, 5 de abril de 1981, págs. 14-15.

[4] En la entrevista que le hizo Rabassa a Sánchez, «Luis Rafael Sánchez: de la guaracha al beat», *Espejo de escritores*, Hanover, New Hampshire, Ediciones del Norte, 1985, págs. 193-194. Para una crítica de la traducción de Rabassa, véase Gerald Guinness, *«La guaracha* in English: *Traduttore, Traditore?*», *Here and Elsewhere: Essays on Caribbean Literature*, Río Piedras, Editorial de la Universidad de Puerto Rico, 1993, págs. 59-84.

Cubierta de la traducción al inglés de *La guaracha del Macho Camacho*, hecha por Gregory Rabassa, publicada en Nueva York, Pantheon Books, 1980.

No obstante, y a juzgar por las decenas de ensayos que se le han dedicado, *La guaracha* tocó zonas muy diversas de los debates contemporáneos, y se convirtió en un punto de referencia esencial. En primer lugar, la más obvia: la novela abrió para muchos el examen de los vínculos entre tradiciones musicales e identidades nacionales o culturales. En segundo término, ha llevado a pensar críticamente las relaciones entre literatura, cultura popular y cultura de masas. En tercer lugar, *La guaracha* ha sido objeto de estudio de la crítica académica que ha debatido cuestiones como la oralidad en la narrativa, la intertextualidad, los roles sexuales, las identidades femeninas y masculinas, el fetichismo, la parodia y lo carnavalesco[5].

Entre puertorriqueños, *La guaracha* tuvo inmediata repercusión. Desbordó los habituales círculos letrados del mundo insular o de las comunidades residentes en los Estados Unidos y de los debates académicos. Con la perspectiva que da una relativa lejanía, hoy vemos claramente que es un texto que divide aguas: una obra provocadora que marcaba un nuevo comienzo e incitaba a fijar posiciones literarias y políticas. El hecho de que se publicara en Buenos Aires rompía con el circuito de consagración más limitado de los textos nacionales, en un país de precaria tradición editorial y muy pocas librerías. La novela fue leída con gran entusiasmo por una nueva comunidad de lectores, una generación que ingresaba en la literatura en los años sesenta y setenta. Le permitió a un nú-

---

[5] El lector puede consultar la bibliografía sobre *La guaracha* que he preparado para esta edición, aunque no pretende ser completa. El volumen editado por Nélida Hernández Vargas y Daisy Caraballo Abréu, *Luis Rafael Sánchez: crítica y bibliografía*, Río Piedras, Editorial de la Universidad de Puerto Rico, 1985 es de gran utilidad; incluye estudios sobre toda la obra de Sánchez. Estoy en deuda con los estudiosos de la obra de Sánchez, particularmente con quienes abrieron el camino con sus investigaciones y aportaciones críticas: Efraín Barradas, *Para leer en puertorriqueño: acercamiento a la obra de Luis Rafael Sánchez*, Río Piedras, Puerto Rico, Editorial Cultural, 1981; Eliseo R. Colón Zayas, *El teatro de Luis Rafael Sánchez: códigos, ideología y lenguaje*, San Juan, Puerto Rico, Editorial Playor, 1985; Gloria F. Waldman, *Luis Rafael Sánchez: pasión teatral*, San Juan, Instituto de Cultura Puertorriqueña, 1988; Alvin Joaquín Figueroa, *La prosa de Luis Rafael Sánchez: texto y contexto*, Nueva York, Peter Lang, 1989; y Carmen Vázquez Arce, *Por la vereda tropical: notas sobre la cuentística de Luis Rafael Sánchez*, Buenos Aires, Ediciones de la Flor, 1994.

mero considerable de puertorriqueños intervenir, desde la literatura y la crítica, en los debates culturales.

Tal vez la novela expresaba una nueva cultura que reconciliaba el goce y el humor con la crítica. El entusiasmo no podía ser, desde luego, unánime. En algunos sectores la novela causó indignación por la forma en que trataba la sexualidad y porque exhibía un lenguaje callejero considerado vulgar. Pero, por lo visto, la mayoría se identificó con la ironía feroz y la voluntad experimental de la escritura de Sánchez. La visión satírica, los vínculos entre literatura y ciudad, así como la exploración del habla puertorriqueña, resultaron muy atractivos. El artista puertorriqueño José Rosa usó motivos y frases de *La guaracha* en un cartel serigráfico de 1977, sólo un año después de la aparición del libro (es la obra que se reproduce en la portada de esta edición). Rubén Ríos Ávila lo ha formulado con claridad: «En Luis Rafael Sánchez Puerto Rico encuentra a su gran ventrílocuo, al autor capaz de conjurar el conjunto de sus acentos para internalizarlos en textos que se proponen como rapsodias polifónicas de la voz popular»[6]. Quizá habría que agregar que para lograrlo el autor incorporó neologismos y construcciones lingüísticas de su propia invención.

Algunos de los aspectos mencionados orientan la lectura, necesariamente parcial, que se ofrece en esta introducción. Aquí me limitaré a cuatro zonas de reflexión, que constituyen las partes de este trabajo. En la primera sección se centra la atención en la novela misma, en sus estrategias narrativas, la relación con la *guaracha* histórica, los usos del lenguaje, la representación de la ciudad y, sobre todo, la función del Narrador. En segundo lugar, examino la tradición narrativa puertorriqueña y las filiaciones y genealogías posibles de la novela. La tercera parte explora los vínculos entre la novela y el contexto de los años de escritura y publicación de la novela, años de gran efervescencia intelectual, artística y política, tanto en la isla como en las comunidades puertorriqueñas de los Estados Unidos. En la última sección se examina brevemente la formación del escritor.

[6] Véase su ensayo «La invención de un autor: escritura y poder en Edgardo Rodríguez Juliá», *Revista Iberoamericana*, Pittsburgh, LIX-162-163, 1993, pág. 205.

La sátira, el trabajo literario en torno a lo obsceno y el personaje del Narrador son probablemente las marcas que le confieren a la novela de Sánchez una singularidad especial en la narrativa contemporánea. *La guaracha* levantó el telón isleño para mostrar los cuerpos y el cuerpo político. Teatralizó zonas prohibidas del lenguaje oral, y narró con humor cáustico el poder del deseo. Puso en escena lo que literalmente debía estar fuera de la escena, lo *ob-sceno,* lo indecente que no debe decirse ni mostrarse. Desde el comienzo de la ficción, el Narrador establece una de las estrategias características. El lector mira como a través de una ventana —uno de los espacios clásicos de la narrativa— y termina observando a personajes que a su vez miran y espían a través de la ventanilla o del parabrisas de su carro en medio del «tapón», o desde el interior de un apartamento. Los personajes son, simultáneamente, objetos y sujetos de la mirada y del deseo. Toda la novela es una puesta en escena, como si se tratara de biombos de cartón que van abriéndose y cerrándose para que el lector pueda ver y oír.

El «tapón» que paraliza la ciudad y la *guaracha* que moviliza a la gente son los ejes del relato. La ficción consiste en «documentar» el éxito de una *guaracha,* de ritmos caribeños muy populares, una canción bailable cuya letra se le atribuye a un falso autor. *La vida es una cosa fenomenal:* el ambiguo «lema» del texto es asimismo el título de la *guaracha* que arrastra y seduce al país. Al enunciar el nombre del Macho Camacho en el título, se nombra la repetición como origen del ritmo y se abren perspectivas sobre los imaginarios sexuales que serán centrales en la narración. Cuando el movimiento se detiene, «escuchamos» la *guaracha,* y podemos oír historias sentimentales, risibles y patéticas. A la vez, el público en la ciudad *guarachea* colectivamente obsesionado, repitiendo su estribillo. Es como un rito masivo que infunde nueva vitalidad. La gran ironía es que esa *guaracha* sea el primer motor, el *primum mobile* que mueve un mundo estancado, el único mito de integración social y el principal modo de experimentar la realidad.

16

Sánchez se apoya en dos tradiciones que de cierta manera ya eran historia en los años setenta, pero que pertenecen a sus años formativos: la radionovela y la *guaracha*. La novela radiofónica («radial» es la palabra que se emplea en la novela y en Puerto Rico) le sirve de «modelo» para las historias que se cuentan, la estructura de la narración y, como veremos, para la figura del Narrador. El género popular de la *guaracha* proporciona otro modo de contar, con letras de doble sentido, comentarios humorísticos y el uso del chisme y del *bembeteo*. Sánchez, por supuesto, no intentó ocupar el lugar de la tradición popular creando una «verdadera» *guaracha*, ni quiso escribir una radionovela «auténtica». Lo que vio en ellos fue el potencial ficticio y narrativo, el lenguaje idiomático y el gestual, y los usó, manipulando libremente su registro imaginario, buscando en esos modelos efectos humorísticos y posibilidades satíricas.

La guaracha podría leerse como una fiesta de máscaras minada secretamente por la tragedia. A pesar de la alegría *guarachera*, la ciudad que emerge de la novela aparece como una utopía frustrada: no un cuerpo orgánico, sino una compleja pluralidad de conflictos. De la carcajada se pasa a un tiempo lúgubre, a un mundo de soledad y de desdicha. Al final de la ficción, e intensificándola, se reitera la letra apócrifa —y ya «verdadera»— de esa *guaracha* tan peculiar que con imperioso dominio ha «invadido» el país y el texto. Se trata de una obra cómica, trágicamente cómica, que alimenta su capacidad crítica de esa misma ambigüedad.

La novela hace visible y audible la violencia política de la ciudad moderna. Esa violencia está expuesta con los sinuosos componentes de la parodia, y con la yuxtaposición del habla callejera y el lenguaje «culto», en una promiscuidad posible en la vida cotidiana, pero por lo general vedada en la letra impresa. Así, el jolgorio y el *vacilón* asociados al *guaracheo* crean una apertura a lo soez que no encontraríamos en las letras más solapadas y difusas de las *guarachas* históricas. Todo ello se hace sin proponer resistencias heroicas que sirvan de contrapeso. En cualquier caso, el verdadero héroe sería el Narrador, la voz narrativa, ese actor insolente y huraño que entra por todas partes, atravesando lo público y lo privado, y hace creer que dirige un absurdo gran teatro del mundo.

17

Contar en voz alta

«Los grandes textos son los que hacen cambiar el modo de leer», según la aguda observación del novelista argentino Ricardo Piglia[7]. Un cambio así supone, desde luego, formas de rechazo y de afirmación, nuevas genealogías y posiciones sobre el papel de la literatura. *La guaracha*, efectivamente, ocupa un lugar central en el campo literario puertorriqueño. En *Literatura y paternalismo* (1993), libro que a su vez ha cambiado el modo de leer la tradición literaria puertorriqueña, Juan G. Gelpí ha estudiado con imaginación crítica y muchos matices lo que la novela de Sánchez contradice y lo que continúa[8].

Contar historias como quien canta y baila *guarachas,* o leer un relato como quien escucha novelas radiofónicas. *La guaracha* invita a ser leída en voz alta, a distinguir entre las diferentes voces, a gozar los chistes, y a descubrir las citas ocultas. La narración está dirigida tanto al oído como al ojo, a la letra impresa y a los manejos del tiempo escénico. De una parte, llama la atención a los usos orales del lenguaje y emplea las formas del género radionovela y de las letras cantadas de las *guarachas,* sus entonaciones y su fonética. De otra parte, hace un uso poco convencional de los espacios en blanco en la página impresa, y sobre todo de la puntuación. Con ello se resalta la tensión, persistente en la literatura moderna, entre la lectura y la audición, una tensión olvidada demasiado a menudo por la historia literaria clásica que pone el énfasis en la

---

[7] Véase su libro *Crítica y ficción*, reedición ampliada y revisada, Buenos Aires, Seix Barral, 2000, pág. 63. «Una escritura también produce lectores», dice Piglia, «y es así como evoluciona la literatura.»

[8] El libro de Gelpí, publicado por la Editorial de la Universidad de Puerto Rico, contiene, a mi juicio, uno de los trabajos más notables sobre *La guaracha*. Es también un riguroso análisis de la tradición que arranca con un texto fundacional, el ensayo *Insularismo* (1934) de Antonio S. Pedreira, y de las maneras en que los escritores asumen o se enfrentan con el *paternalismo* que sustenta ese texto. Lo he tenido muy en cuenta para esta introducción.

materialidad del libro[9]. Piglia lo ha señalado, por ejemplo, como algo central a la obra de Borges, un autor a primera vista tan alejado de la poética de Sánchez. Pero Borges, como es sabido, estuvo siempre tan atento a los nuevos géneros narrativos «comerciales» como a las tradiciones de la poesía oral y del tango. Escribe Piglia: «Una obra vista como el éxtasis de la lectura que teje sin embargo su trama en el revés de una mitología sobre la oralidad y sobre el *decir* un relato. El arte de Borges gira sobre ese doble vínculo. Oír un relato que se pueda escribir, escribir un relato que se pueda contar en voz alta»[10].

La apuesta de Sánchez consistió en colocar la *guaracha* histórica como referente central, y en transformar literariamente su legado, trasladando a la escritura lo que ella tiene de humor y de farsa. En la novela, como ha sido señalado por la crítica, el uso del lenguaje oscila entre una hilvanada colección de lo «prestigioso» y «culto» de la literatura, es decir, de la letra impresa, y una suerte de «contracanto» en el que irrumpen vertiginosamente los lenguajes marginales, el léxico y los refranes de viejas tradiciones orales. Pero se le ha prestado menos atención a las proliferantes expresiones obscenas —verbales y sexuales— que figuran de manera prominente en la novela.

¿Cómo entender lo *obsceno* y su uso en la literatura? A pesar de que plantea cuestiones culturales, epistemológicas y morales decisivas, es una de las zonas del lenguaje menos estudiadas y conocidas. El temor a las palabras obscenas en la oratoria es tan antiguo, por lo visto, como lo es su uso en ciertos géneros[11]. En la tradición de la lengua española hay clásicos

---

[9] Para nuevos planteamientos sobre la historia del libro y las comunidades de lectores, véase el libro de Roger Chartier, *El orden de los libros,* trad. de Viviana Ackerman, Barcelona, Gedisa, 1992, en particular las págs. 25-40.

[10] En su libro *Formas breves,* Buenos Aires, Tema Grupo Editorial, 1999, pág. 111.

[11] Sigo de cerca la excelente compilación de trabajos en torno a lo obsceno de Jan M. Ziolkowski, *Obscenity: Social Control and Artistic Creation in the European Middle Ages,* Leiden, Nueva York, Brill, 1998. Contiene, entre otros, los siguientes ensayos: Leslie Dunton-Dower, «Poetic Language and the Obscene»; Jan Ziolkowski, «Obscenity in the Latin Grammatical and Rhetorical Tradition»; y Francisco Márquez Villanueva, «Spanish *Cazurro* Poetry». Véase también el volumen editado por Sylvain Floch, *L'obscène,* Pau, Université de Pau, 1983.

obscenos de distintas épocas, como lo son, por ejemplo, el Arcipreste de Hita y Quevedo, y tradiciones orales muy antiguas como la de la poesía cazurra. En *La guaracha* hay un repertorio muy amplio de obscenidades propias del habla puertorriqueña. Pero lo obsceno es muy difícil de definir, como se ve en los infinitos debates jurídicos. Se suele asociar con la suciedad y la fealdad, y por tanto con los insultos y agravios. Con frecuencia alude a las funciones del cuerpo. Aunque esas funciones no se consideren todas necesariamente obscenas, sí lo es el vocabulario. La antigua retórica aconsejaba evitarlo. El vocabulario referente a la sexualidad y a los órganos sexuales cae bajo esa categoría, mucho más en la Europa moderna que en la Edad Media[12]. Lo obsceno se refiere también a la cultura visual, a las imágenes o a los hechos. La categoría es muy vaga y sus orígenes son remotos; en la modernidad tiende a confundirse con la de pornografía. Por otra parte, como el lenguaje obsceno es tabú, resulta lingüísticamente muy productivo, pues obliga a toda clase de rodeos y eufemismos. Su uso, y su estudio, permiten destapar lo oculto, que puede producir un efecto cómico o chocante. Son funciones que se observan en la novela de Sánchez, como veremos más adelante.

Literatura, lenguaje obsceno y lenguaje publicitario forman en *La guaracha* una tríada. La novela juega con lo inventado y lo real, mezclando personajes ficticios junto a figuras y lugares históricos que se incluyen con su nombre verdadero. Todo parece entrar en la narración. Se traen a la luz las «malas» palabras del habla puertorriqueña junto a una red de alusiones a figuras del mundo de la política, a actrices de cine y de televisión, a personajes de novelas canónicas y a calles y a barrios de la ciudad de San Juan. Muchas de las alusiones eran perfectamente reconocibles para los lectores de los años setenta: se trataba de iconos de la cultura popular y la cultura de masas, del cine o la televisión, de mitos creados por el *star system* y sus efectos carismáticos.

En el mundo que se representa en la novela, el lenguaje publicitario y sus componentes sonoros y visuales son ya una di-

---

[12] Véase la introducción de Ziolkowski, págs. 11-13.

mensión central de la cultura. Hay un minucioso inventario de anuncios y marcas de productos comerciales, marcas de automóviles, de perfumes y de cosméticos, y de la industria de la moda. Sánchez ficcionaliza lo que Renato Ortiz ha llamado la *mundialización* de la cultura: un universo simbólico específico en el que una visión del mundo establece jerarquías, conflictos y acomodaciones con otras[13]. Lo mismo sucede con el vasto tramado de alusiones literarias. Hay decenas de referencias explícitas o enmascaradas a figuras o textos literarios como Lope de Vega, San Juan de la Cruz, Simone de Beauvoir, Carlos Fuentes, García Márquez o René Marqués, a un catálogo de títulos cinematográficos (Buñuel y Fellini, significativamente, y muchos otros), y a pintores y artistas gráficos puertorriqueños como Francisco Rodón, Lorenzo Homar, Myrna Báez y Antonio Martorell.

Contar en voz alta. *La guaracha* se mueve con tanta libertad entre los géneros y los procedimientos habituales de la representación como entre los espacios y los tiempos contrapuestos que habitan sus personajes. En primer lugar, se encuentra el género «radionovela». Pero con frecuencia se alude explícitamente a otras formas teatrales. En un momento se refiere ambiguamente a la canción, y quizá a la novela misma, como una «ópera en tiempo de guaracha» (pág. 265). Sánchez juega con esas ambivalencias y con otras referencias al teatro. Por ejemplo al guiñol: «las caras destornilladas como muñecones de guiñol» (pág. 282); o al «reparto de papeles del gran teatro del mundo» (pág. 283). La tradición cómica del cine es otra clave. El descomunal desorden en la autopista, por ejemplo, recuerda imágenes hilarantes del cine de Chaplin o Toto; el jardín burgués de la familia rica y el caos automovilístico evocan las películas de Jacques Tati; el político donjuanesco y grandilocuente parece inspirado en las películas de Buñuel. Los cuatro, por cierto, se mencionan en *La guaracha*. Por otra parte, la alusión al cuento «La autopista del Sur» de Julio Cortázar hace explícita otra tradición. Al mismo tiempo, la novela de Sánchez se inscribe en la tradición teatral de la farsa vio-

[13] Véase su libro *Mundialización y cultura*, trad. de Elsa Noya, Buenos Aires, Alianza, 1997.

lenta, al estilo de Valle-Inclán y de García Lorca, o la burla sofisticada, dura y divertida del *Ulysses* de Joyce, con todas sus lecciones sobre el uso del monólogo.

La heterogeneidad de estilos y de voces, y la mezcla de lo cómico y lo serio, remiten a la antigua sátira menipea. Esa vieja tradición nos permite leer aspectos muy llamativos de la novela de Sánchez. Se trata de un género de larga duración en la literatura, desde las obras latinas de Varrón y *El satiricón* de Petronio, y las sátiras de Luciano y Apuleyo, hasta Rabelais, Molière, Swift, o las parodias barrocas de Quevedo y Valle-Inclán. Lo singular de la sátira menipea es que permite *poner a prueba* la verdad, bien sea en el mundo o en el Olimpo[14]. El género cuenta las aventuras de la verdad en la tierra, que «tienen lugar en los caminos reales, en los lupanares, en antros de ladrones, en cantinas, en plazas de mercado, en las cárceles, en las orgías eróticas de los cultos secretos. La idea aquí no se intimida frente a ningún bajo fondo ni a ninguna suciedad de la vida»[15]. Lejos de la integridad de la épica y de la tragedia, la sátira menipea lo mezcla todo con un naturalismo de bajos fondos y poniendo en práctica «las obscenidades relacionadas con la fuerza generadora de la tierra y del cuerpo»[16]. Para Bajtín es el género que funda la novela moderna.

Letras para bailar

Tiene razón Carlos Monsiváis cuando al hablar de *La guaracha* comienza con las siguientes preguntas: «¿A qué "suena" una sociedad? ¿Cómo se oye?»[17].

La novela construye una ficción: un país hecho de músicas, de canciones y de baile. De entrada, la palabra *guaracha* prolifera como verbo, como sustantivo y adjetivo: *guarachóma-*

---

[14] Véase Mijaíl Bajtín, *Problemas de la poética de Dostoievski*, trad. de Tatiana Bubnova, México, Fondo de Cultura Económica, 1986, págs. 161-162.

[15] *Ibíd.*, pág. 162.

[16] *Ibíd.*, pág. 174.

[17] Véase *Aires de familia: cultura y sociedad en América Latina*, Barcelona, Anagrama, 2000, pág. 37.

no (pág. 126), *guarachosa* (pág. 137), *guarachizado* (pág. 146). En el proceso, las palabras adquieren otra sonoridad y otra sintaxis. En ese sentido, podría decirse de *La guaracha* algo parecido a lo que perspicazmente Beckett escribió a propósito de *Finnegans Wake* de James Joyce: «Aquí la forma *es* el contenido, y el contenido *es* la forma [...] Es un texto para ver y oír. Su escritura no es *sobre* algo; *es la cosa misma*»[18].

Para el lector no familiarizado con la riqueza rítmica de la *guaracha* del siglo XX y de sus letras, lo mejor sería escuchar interpretaciones clásicas de algunas de ellas: *Ofelia la trigueñita*, letra muy popular en Puerto Rico, o quizá *María Cristina me quiere gobernar* del *guarachero* cubano Nico Saquito. También podemos referirnos a clásicos del género como la memorable interpretación de la puertorriqueña Myrta Silva de *Camina como Chencha*, o su grabación de 1949 de *Para que sufran los pollos*, con la Sonora Matancera. Los cubanos Orlando Guerra, *Cascarita*, y Benny Moré fueron voces definitorias, así como el Trío Matamoros, que grabó en los años treinta su interpretación de la famosa *guaracha* del puertorriqueño Rafael Hernández (1891-1965) *Buchipluma na má*.

No es casualidad que las *guarachas* se encuentren entre las primeras grabaciones comerciales de la música puertorriqueña que se hicieron en Nueva York en la década de 1930[19]. La *guaracha* que podemos estudiar hoy, y que le sirvió de referencia a Sánchez, tuvo como soporte el disco, la radio, los espectáculos de los cabarets, y luego la televisión. Como la radionovela, es un género «popular» indisociable de la cultura de masas y del mercado, y del desarrollo tecnológico que transformó las orquestas y las grabaciones en las primeras décadas del siglo XX.

Pero el género *guaracha* tiene su propia historicidad, desde remotos orígenes caribeños hasta su modernización en los

---

[18] Cito de su ensayo «Dante...Bruno...Vico...Joyce», en *A Samuel Beckett Reader*, ed. de Richard W. Seaver, Nueva York, Grove Press, 1976, pág 117. La traducción es mía. Cursivas en el texto original.

[19] Como demuestra el documentadísimo estudio de Ruth Glasser, *My Music Is My Flag: Puerto Rican Musicians and Their New York Communities, 1917-1940*, Berkeley, University of California Press, 1995.

conjuntos y orquestas del siglo XX, vinculada al desarrollo de la radio y de la industria del disco. Su historiografía está mediada por las intervenciones de la cultura letrada. Se ha visto como parte de la hibridación de los instrumentos, bailes y cantos de tres mundos que coexisten en el Caribe. Como ha señalado el estudioso Ángel Quintero Rivera, hay modos de hacer música que se repiten y tienen una rica pervivencia en la región caribeña. Las tradiciones hispánicas, africanas e indígenas se encontraron y se mezclaron, favorecidas por la circulación de los esclavos fugitivos y los libertos, los marineros, los soldados desertores y los sucesivos inmigrantes europeos[20]. Quintero Rivera postula que los distintos géneros intercambian ritmos y a menudo la polirritmia consiste en aprovechar y citar géneros anteriores. Desde ese punto de vista, la *guaracha* es un género que tiene analogías con otros del pasado y del presente, aunque se haya convenido en identificarla por una sonoridad específica. Las fronteras musicales son más amplias que las diseñadas en los mapas políticos o nacionales.

Entre los historiadores cubanos, el énfasis se ha puesto en el carácter «nacional» de la *guaracha*. Según Helio Orovio, la *guaracha* está presente ya en el teatro bufo habanero del siglo XIX. Es una «forma musical deudora de la tonadilla escénica hispánica, aunque permeada por la rumba antillana», acompañada de guitarra y de la particular sonoridad de las maracas[21]. Las letras se caracterizan por la picardía y el doble sentido, político o sexual. En la *guaracha*, las voces son muy importantes: la de un «solista», y las de un coro que reitera el estribillo de espíritu festivo o satírico. Los instrumentos de percusión (las claves, el bongó y las maracas) desempeñaron un pa-

[20] El libro de Quintero Rivera es indispensable: *¡Salsa, sabor y control!: sociología de la música tropical*, México, Siglo XXI, 1998. Con una visión no nacionalista de la música y las culturas del Caribe, ha puesto el énfasis en los comienzos *cimarrones* de muchas tradiciones que se repiten bajo distintos nombres. Véanse especialmente los capítulos 3, «El tambor camuflado», págs. 201-251, y el 6, «Polirritmo, soneo y descargas», págs. 311-341.

[21] Véase de Helio Orovio, *Música por el Caribe*, Santiago de Cuba, Editorial Oriente, 1994, págs. 121-122.

pel decisivo junto a la guitarra, y más tarde las trompetas[22]. María Teresa Linares subraya los orígenes en el teatro bufo cubano, que creó personajes fijos, como la *mulata del rumbo*, que bailaba con mantón de Manila. La *guaracha* «como estilo de canción, de ritmo rápido y texto jocoso, siempre relató algún hecho político o social»[23]. Es interesante que no aparecieran publicadas debido a su lenguaje «rufianesco», aunque se transmitían oralmente. Pero ya en 1867 se publicó un libro en Cuba con las *guarachas* más conocidas[24]. Desde luego, los grupos musicales del siglo XX fueron introduciendo toda clase de transformaciones, pero algunos rasgos son característicos: la letra pícara, el relato, la teatralidad del baile.

El riesgo literario asumido por Sánchez era grande. Al tomar como metáfora central un género musical de extraordinario arraigo, la novela podía convertirse en una celebración de lo popular como algo incorrupto, o, por el contrario, en una fácil condena de la cultura de masas. Por otra parte, la cultura popular está ya muy mediada por los materiales de la cultura de masas, y tiene sus propios mecanismos de reconocimiento y prestigio. ¿Cómo diferenciarse, pues, de los defensores conservadores de la cultura popular que terminan por querer congelarla? ¿O cómo olvidar el autoritarismo y la violencia frecuentes en las propias tradiciones populares? Sánchez quiso narrar la memoria social sin escamotear esas complejidades.

---

[22] El género tuvo un gran desarrollo desde los años treinta, sobre todo con los tríos y los conjuntos, cuando la *guaracha* bailable conoce su apogeo. Habría que destacar algunas compuestas y cantadas por puertorriqueños que llegaron a ser clásicas: *El gato y el ratón*, de Pedro Flores; *El negro bembón*, de Bobby Capó (1922-1989), interpretada por Ismael Rivera con Rafael Cortijo (1928-1982) y su Combo; *Jugando, mamá, jugando*, de Rafael Hernández, interpretada por Daniel Santos. El notable documental fílmico realizado por Enrique Trigo Tió, *Ismael Rivera: retrato en boricua*, San Juan, Puerto Rico, Maga Films, 1988, contiene interpretaciones históricas de la época de la televisión y testimonios de su familia y de otros músicos.

[23] Cito del ensayo «La guaracha cubana, imagen del humor criollo», *Catauro, Revista Cubana de Antropología*, La Habana, Fundación Fernando Ortiz, 1, núm. 0, 1999, pág. 95.

[24] *Ibíd.*, pág. 96. Véase también la sección dedicada al género en el libro de María Teresa Linares y Faustino Núñez, *La música entre Cuba y España*, Madrid, Fundación Autor, 1998.

Por otra parte, el *soneo* sugerido por el lenguaje de *La guaracha* se asemeja más a los soneos salseros que se escuchaban durante los años setenta —que son los años de escritura de la novela— que a los de las *guarachas* de los años cuarenta o cincuenta. Basta pensar en las voces de grandes cantantes populares como Celia Cruz, o escuchar, por ejemplo, las grabaciones de Ismael Rivera (1931-1987) sus barroquizaciones vertiginosas de sonidos, ritmos y sílabas en *Maquinolandera*, y sobre todo las de Héctor Lavoe (1946-1993) para ver la distancia que hay entre las *guarachas* tradicionales y los nuevos estilos de la época dorada de la *salsa*[25]. En *La guaracha* hay referencias concretas. Ya en la primera secuencia del personaje Benny, el Narrador cuenta que en medio del alboroto del «tapón», puede escucharse cómo «culebrea el guaracheo que libertan las trescientas estaciones radiales, grito de purísima salsería: *la vida es una cosa fenomenal*» (pág. 155).

¿Cómo leyó el propio Sánchez la *guaracha* histórica? Es evidente que la tomó como uno de sus modelos narrativos, una forma de relato breve y humorístico. Y, ante todo, como ritmos que fluyen desde un pasado: baile, memoria y saber del cuerpo. Es muy significativo que Sánchez subrayara el carácter bailable y representacional. En un texto en el que el autor rectificó la definición de *guaracha* que ofrece el diccionario, escribe: «La guaracha conversa con las manos y compromete el movimiento del cuerpo todo. Y la gracia guarachera se pasea desde el zapato hasta la cabeza, aunque en la cintura y las caderas monte tribuna ...Salero y jaibería. Placimiento jodedor y remeneo de hombros»[26].

---

[25] O recordar que el gran compositor Tite Curet Alonso, quien se inició en 1968 con canciones la excepcional cantante La Lupe hizo famosas, colaboró estrechamente con el productor discográfico Jerry Masucci, quien tuvo un papel clave en la canonización de la *salsa* en los años setenta. Véase del propio Curet Alonso, *La vida misma*, Caracas, M. J. Córdova Producciones, 1993.

[26] Cito de un texto en que el autor reflexiona sobre *La guaracha*, «Reencuentro con un texto propio», incluido en *No llores por nosotros, Puerto Rico*, Hanover, New Hampshire, Ediciones del Norte, 1997, pág. 121. Es pertinente lo que añade Sánchez: «La apoteosis de la guaracha, tanto en el orden de la composición como de la interpretación, se centra en los mundos caribeños —los puertorriqueños Rafael Hernández y Myrta Silva, los cubanos Celia Cruz y Benny Moré guarachizan con escuela insuperable.»

Para el autor, el desarrollo histórico de la *guaracha* pasa por compositores e intérpretes canónicos. En un texto posterior, *La importancia de llamarse Daniel Santos* (1988), Sánchez trabajó, por contraste, el *bolero,* otro género popular. En él reflexiona sobre las diferencias entre uno y otro. Retrospectivamente, el autor insiste en algo que resulta pertinente: la *guaracha* es baile que abre, muestra, incita al deseo:

> [...] La guaracha es la alegría trepidante. El bolero es el festín del cazador y la presa. La guaracha abre el cuerpo, autoriza el desplazamiento, muestra en diligentes remeneos las partes más deseables, los tramos a humedecer, los estrechos a despulpar. El bolero cierra el cuerpo, prohíbe el desplazamiento, reduce la rotación a la tentativa de una muerte vivificante. En la guaracha se extravierten las felicidades [...][27].

Pero la *guaracha* envolvente del «Macho Camacho» tiene tanto de indicio como de pista falsa. Por una parte, no permite esas felicidades, ni tampoco ningún bucólico regreso a los orígenes; expresa una violencia idéntica a la de algunas letras de salsa[28]. Por otra, y por contradictorio que parezca, la *guaracha* de la novela no deja de tener el potencial de negar el caos generado por el «tapón», aun cuando esa meta sea persistentemente elusiva. El género *guaracha* es, después de todo, un lugar de la memoria: está formado por un lenguaje pleno de significaciones y por la memoria del cuerpo danzante[29].

Lo cómico de la novela, por ejemplo, no corresponde siempre a la comicidad que se encuentra en la tradición musical. Las *guarachas* «dicen encanto, tienen gracia», reflexiona retrospectivamente Sánchez, mientras que la de la novela «es a propósito estúpida», es decir, una exacerbación paródica de

---

[27] *La importancia de llamarse Daniel Santos,* Hanover, New Hampshire, Ediciones del Norte, 1988, pág. 104.

[28] Véase el trabajo de José Arteaga Rodríguez, «Salsa y violencia: una aproximación sonoro-histórica», *Revista Musical Puertorriqueña,* 4, julio-diciembre de 1988, págs. 20-32.

[29] Desde esta perspectiva es muy interesante el trabajo de Joseph Chadwick, quien pone de relieve el alcance del *vacilón:* «"Repito para consumo de los radioyentes": Repetition and Fetishism in *La guaracha del Macho Camacho*», *Revista de Estudios Hispánicos,* Vassar College, 21, 1987, págs. 61-83.

la *guaracha* histórica. Es una invención creada «para que cuando termine la novela el lector piense que ese texto tan vulgar, tan empobrecido, tan mediano, es capaz de enajenar a todo un sector de la sociedad; así que parte de la crítica en la novela está propuesta en el texto mismo de la guaracha»[30].

En *La guaracha* de Sánchez no hay fin de fiesta, ni siquiera el atisbo de un nuevo orden. En todo caso, es posible que la misma vitalidad desesperada del goce fascine, ayudando así a sobrepasar el cerco creado por la racionalidad fracasada de la avenida. En clave irónica, se afirma y a la vez se niega, sugiriendo que quizá la «verdad» no puede ser dicha en su totalidad. El personaje del travesti, desde esta perspectiva, es central: «Lola no es Lola, Lola no es Lolo, Lola es Lole: un mariconazo hormónico y depilado» (pág. 285). Quizá la maestría de *La guaracha* es la maestría de esa ambigüedad e ironía. Como ha señalado el novelista Juan José Saer: «La paradoja propia de la ficción es que, si recurre a lo falso, lo hace para aumentar su credibilidad... La ficción se mantiene a distancia tanto de los profetas de lo verdadero como de los eufóricos de lo falso»[31]. *La guaracha* implícitamente defiende esa ambigua verdad. Su visión se presenta a través de una farsa que sólo existe mientras dure la «radionovela».

La ciudad, el tapón

La ciudad, el emblema por excelencia de la modernidad, es el espacio principal de la novela. Pero lejos de caracterizarse por el movimiento, la vida en la ciudad aparece paradójicamente inmovilizada. Mientras dura el «tapón», se escuchan las diversas historias y voces de los personajes, y van cambiando los escenarios. El embotellamiento ocurre un miércoles

---

[30] En la entrevista de Rabassa, cit., pág. 178.
[31] Véase su libro *El concepto de ficción*, Buenos Aires, Ariel, 1997, págs. 14-15. Como observó sagazmente Carlos Alonso, la ambigüedad o paradoja está en el título mismo de *La guaracha*, puesto que es el título de la novela y también de la canción del Macho Camacho. Véase su excelente ensayo *«La guaracha del Macho Camacho:* The Novel as Dirge», *Modern Language Notes*, Baltimore, Maryland, 100-1, 1985, págs. 348-360.

cualquiera a las cinco de la tarde, un tiempo y un espacio ficcional que querría reunirlo todo. En efecto, se cuenta la verdadera conmoción que causa la *guaracha*. A la vez, ese nuevo éxito comercial es la copia del país y de la ciudad: un irónico juego de espejos en el que la copia y el original se confunden y se desestabilizan mutuamente. En un texto en el que abundan las repeticiones y los desdoblamientos, la ficción empieza por esa duplicación.

¿Cómo se representa la ciudad? En la novela, la ciudad no se «describe», pero está ahí, nombrada y desplegada en un mapa muy selectivo, incitando a pensarla. Aparece como una suma de relatos que se van contando y contradiciendo unos a otros. Ante todo, está constituida por el habla, por relaciones de poder y fuerza, y por relaciones imaginarias entre los cuerpos. En contrapunto con la magia de los clichés turísticos habituales y con los modelos celebrados por los ideólogos del progreso, la novela fija una visión esperpéntica, y a ratos espectral. No es extraño que la categoría de *carnaval* postulada por Bajtín, es decir, un mundo violentamente «puesto al revés», haya sido punto de partida para algunas lecturas de *La guaracha*[32].

Es una concepción metonímica: en la parte está el todo. San Juan es un pequeño universo que contiene diversos tiempos históricos, y un espacio penetrado por la nueva cultura de masas, pero lleno de reminiscencias de un mundo anterior, rural y cimarrón. El espacio urbano sirve para presentar una visión del Puerto Rico contemporáneo, con múltiples referencias geográficas, y con una identidad basada en los ritmos populares así como en las jerarquías existentes entre hombres y mujeres de distintos sectores sociales.

En esa ciudad todo se comercializa y se consume: el sexo, la imagen de los políticos, la terapia que ofrece el psiquiatra, la respetabilidad del matrimonio, la apariencia de justicia. El *Adcult*, el lenguaje de la publicidad, ha triunfado[33]. Lo central

---

[32] Uno de los primeros fue el inteligente trabajo de Julio Ramos, «*La guaracha del Macho Camacho:* texto de la cultura puertorriqueña», *Texto Crítico*, California, 8-24 y 25, 1982, págs. 171-183.

[33] Sigo aquí el libro de James B. Twitchell, *Adcult: The Triumph of Advertising in American Culture*, Nueva York, Columbia University Press, 1985, que ofrece abundantes ejemplos del proceso.

es la circulación de palabras y de mercancías. El automóvil es un nuevo fetiche que ha transformado los usos de esa ciudad que se extiende y se difumina, y que sobre todo se fragmenta en espacios socialmente definidos. Es una ciudad sin centro. Sus espacios y temporalidades sólo pueden ser atravesados por el imaginario de la música y las novelas radiofónicas.

La novela representa una ciudad cuyo diseño se gestó entre los años cuarenta y sesenta del siglo XX: los supermercados y los flamantes nuevos espacios comerciales, los *shopping centers,* como Plaza las Américas o *Bargain Town* que competían ya con los anteriores, como la Plaza de Mercado de Río Piedras. La Avenida Roosevelt se convertía en el eje del mundo comercial y de los espectáculos de masas, con el estadio Hiram Bithorn y el Coliseo Roberto Clemente, que ocupaban, junto a la nueva zona bancaria de Hato Rey, una buena porción del suelo urbano. Los nuevos modelos de urbanización fueron promovidos comercialmente[34]. Pero en la novela también se destacan los barrios de sectores marginados como La Cantera y el Caño de Martín Peña, llenos de marcas propias de la clase, o las nuevas y elegantes zonas residenciales como Garden Hills. Asimismo figuran los hoteles del nuevo turismo, el Caribe Hilton y el Cerromar, y los hoteles y moteles que modificaban el paisaje urbano y abrían nuevos espacios para la vida sexual. Se nombran los Hogares Crea, centros de rehabilitación para drogadictos que ya eran una presencia importante en la isla. Del viejo San Juan se destacan lugares que desempeñaron un papel importante para la nueva música y el nuevo teatro, como lo fueron los cafés La Tea y La Tahona. Paralelamente, hay espacios domésticos y de intimidad que son signos de formas nuevas de habitar la ciudad: el apartamento en el que espera la China Hereje, la casa con «marquesina» para guardar el automóvil. La construcción de condominios marca una nueva escala para la ciudad y el rumbo de una arquitectura masiva.

A pesar de esos referentes tan precisos, el lector se enfrenta a un tiempo estático: viajes frustrados que no llegan a ningún

---

[34] Véase el volumen editado por Enrique Vivoni, *San Juan siempre nuevo: arquitectura y modernización en el siglo XX,* San Juan, Archivo de Arquitectura y Construcción de la Universidad de Puerto Rico, 2000.

sitio. No es, sin embargo, un mundo vacío. El «tapón» es signo de tensión, pero también lugar de la ficción y de la memoria. Desencadena una serie de historias y maneras de hablar. Con gran versatilidad de registros, el Narrador en *La guaracha* elabora un complejo juego de voces. Cada uno de los personajes se constituye mediante una narración propia. Algunos a su vez se desdoblan; la China Hereje es la Madre; el Viejo es al mismo tiempo el Senador Vicente Reinosa. El travesti es Lola, Lolo y Lole. Esa «repetición» es central: supone cambios de lenguaje que van constituyendo alternativamente la identidad de cada uno de los personajes como en un gran baile de máscaras.

La ciudad no se mueve, pero las pasiones se traman y se consumen a una velocidad de vértigo. Ello ocurre siempre en ambientes cerrados que llegan a ser opresivos: el auto, la habitación, la oficina del psiquiatra. Como los personajes de Kafka, o más bien como los de Beckett, los de *La guaracha* esperan, una espera siempre diferida por algo que nunca acaba de ocurrir. Encierro, espera y dispersión: los personajes parecen destinados a existir constreñidos en enclaves fragmentados de la ciudad, empeñados inútilmente en fijar una identidad elusiva[35]. Todos hablan y nombran sus fantasmas, juegan con el límite de lo prohibido y lo permitido, lo sexual y lo racial. Y no dejan de hablar del cuerpo y de las funciones corporales.

Las secuencias protagonizadas por la China Hereje ilustran bien esa estrategia narrativa. Al igual que Molly Bloom en la novela de Joyce, la China Hereje monologa mientras espera echada en la cama. La pauta se establece al comienzo: la China Hereje «espera sentada en su sofá» (pág. 105). En sus monólogos se entrega a sus fantasías eróticas, entablando una rela-

---

[35] Es uno de los posibles sentidos sugeridos por lo «fenomenal», como fue señalado con lucidez por Roberto González Echevarría; «La vida es una cosa fenomenal porque la percibimos como fragmentos, nunca como totalidad; porque en el presente que vivimos no podemos aspirar más que a esa visión parcial y fugitiva de lo que nos rodea. Postular la identidad ...es una ilusión que la novela destruye al insistir en el aspecto fenomenal de la vida». «La vida es una cosa *phenomenal: La guaracha del Macho Camacho* y la estética de la novela actual», *Isla a su vuelo fugitiva*, Madrid, José Porrúa Turanzas, 1983, pág. 97.

ción imaginaria con el pasado, con otra sexualidad que es también otra geografía, lejos del «tapón». Su travesía está marcada por la formación racial y las líneas divisorias de la sociedad. El universo de los prejuicios raciales puertorriqueños —tan escrupulosamente negado en la sociedad, y por ello mismo tan presente— se insinúa de muchas maneras en el lenguaje del Narrador y en el de los personajes.

Veamos, y oigamos, las escenas de masturbación de la China Hereje. En ellas se crea un espacio de placer en el que también es posible hablar sin doblez de lo racial. El cuerpo mulato y negro se sitúa en una geografía alejada, en las Medianías de Loíza Aldea, un pueblo negro, una sociedad «anterior» a la ciudad moderna. La China Hereje recuerda haber oído relatar lo que otros han oído. En sus fantasías suenan las voces de los ancestros, e irrumpe inesperadamente el rumor de otra historia. Su monólogo se abre a la memoria personal y a los fantasmas colectivos, a otras formas del espejo y del doble. La «raja» del Abuelo, esa palabra puertorriqueña que puede ser tan racista, inicia la rememoración. Según la acertada observación de Fernando Ortiz, la «raja» expresa «la blancura que está rajada o quebrada por una línea oscura». En la intimidad de la China Hereje empieza a decir mucho más:

> [...] De muslos anda bien, bien también las caderas de pespunte dinga o mandinga: raja de Abuelo cangrejero vendedor de cocos de agua por los rumbos almendrados de Medianía Alta; Abuelo Monche deificado en las sagas familiares ansiosas de explicar, épica la vía narrativa, las ansias y ansiedades desatadas en el alma blanca y el cuerpo blanco de Abuela Moncha por el alma negra y el cuerpo negro de Abuelo Monche: negro puestú, negro pechú, negro de comer en mesa, negro de usted y tenga; Mother decía que Abuela Moncha decía que Abuelo Monche decía: la carne blanca es la perdición del negro y la risa se oía en Medianía Baja y la risa se me enredaba en el cuerpo como bejuco y enredada como bejuco me hacía los muchachos de dos en dos [...] (pág. 167).

El pasaje ilustra que hay un tiempo «histórico» en *La guaracha*, y que es inseparable del deseo y de su poderoso imaginario, de sus fantasmas[36]. Lo reprimido retorna históricamente como lenguaje y como una cadena de dobles especulares.

Las tensiones raciales tejen historias e irrumpen continuamente con las palabras más duras: «negras como el carbón» (pág. 123), «la negrada cangrejera» (pág. 255), «alto al negro» (pág. 261). Quizás ese lenguaje tan imbuido de racismo sea una de las razones por las que el jolgorio no puede ocultar la melancolía de algunos de los personajes. Siguiendo la metáfora de la memoria como «excavación» casi arqueológica desarrollada por Walter Benjamin, se podría postular que Sánchez excava entre las ruinas de un pasado del cual no quedan sino restos, fragmentos de la oralidad, historias perdidas del pasado remoto de la esclavitud y de la vida cimarrona[37]. Con esos residuos, su Narrador levanta el telón y escenifica otra interpretación del mestizaje, pero dejando ver a la vez, como sugiere Benjamin, las capas de falsedad que se han ido acumulando. De forma imperceptible, se van deslizando experiencias que subvierten la alegría, como poniendo en duda el poder conjurador del baile.

En medio del «tapón», se pasa también, y de manera más agresiva, a lo obsceno sexual. Tomemos una de las secuencias dedicadas al Senador Vicente Reinosa, permanentemente atraído por el cuerpo de sus «cortejas», por las «hembras de color». Ahí lo obsceno estaría tanto en el lenguaje «bajo» —«rufianesco» lo llama el Narrador— como en la representación del acto sexual. La novela entra de forma irónica en un terreno profundamente politizado: la memoria histórica y racial. En la tradición puertorriqueña, al igual que en otras americanas, el mestizaje se invoca a menudo para ocultar la violencia de la esclavitud o de la discriminación racial. Ese discurso por lo general pasa por el filtro patriótico de la *armonía* racial, con énfasis en las virtudes de la mezcla, minimizando

---

[36] Giorgio Agamben replantea la relación entre deseos y fantasmas en su bello libro *Estancias: la palabra y el fantasma en la cultura occidental*, trad. de Tomás Segovia, Valencia, Pre-Textos, 1995.

[37] Cito del texto «Excavation and Memory», *Selected Writings*, vol. 1, 1913-1926, Michael Jennings, Howard Eiland y Gary Smith (eds.), Cambridge, Massachusetts, Harvard University Press, 1996; vol. 2, 1927-1934, 1999, pág. 576.

el racismo y las jerarquías raciales que persisten. El mestizaje se convirtió en definitorio de lo «nacional», en un relato de consenso fácilmente manipulable por el poder que también jerarquizaba las clases sociales[38]. El Narrador se burla del conciliador mito político. Lo hace colocando en primer plano el lenguaje obsceno. Es una entrada jocosa en las zonas prohibidas del habla. Literalmente, el Narrador desviste los arquetipos del «mito de las tres razas», los desmantela, *poniendo a prueba* la verdad de un mestizaje armonioso que permite hablar de la inclusión mientras se practica la exclusión[39]. Lo cuenta, además, como se cuenta un secreto o una confidencia privada. He aquí la escena *primaria* de esa transculturación:

> BARTOLOMÉ LAS CASAS, reclutador de la negrada de Tombuctú y Fernando Po, negrada que culea, que daguea, que abre las patas a la blanquería de Extremadura y Galicia, blanquería que culea, que daguea, que abre las patas a la tainería de Manatuabón y Otoao, tainería de Manatuabón y Otoao que culea, que daguea, que abre las patas a la negrada de Tombuctú y Fernando Po: chingueteo y metemaneo y el que no tiene dinga tiene porquero de Trujillo y tiene naborí: todas las leches la leche: el trigueño subido de aquí (pág. 177).

El soporte impreso de esas palabras en un libro, es decir público, equivalía a destapar los secretos de la sociedad. Con raras excepciones, la crítica, más interesada en celebrar una noción abstracta del «lenguaje» en la novela, no pareció aquilatar el verdadero alcance de esa desacralización. Al releer los pasajes citados, sobresalen, precisamente, porque demuestran

---

[38] Su más importante expresión fue quizá *El prejuicio racial en Puerto Rico* (1937), de Tomás Blanco. En ese texto, el discurso histórico deja la violencia constantemente en la sombra, escondida o suprimida. En realidad el mito ya se esboza en los textos de Salvador Brau (1842-1912), sobre todo en su ensayo «Las clases jornaleras en Puerto Rico» (1882). Para una crítica del mito desde el feminismo, véase el inteligente libro de Frances R. Aparicio, *Listening to Salsa: Gender, Latin Popular Music, and Puerto Rican Cultures*, Hanover, New Hampshire, Wesleyan University Press, 1998, págs. 38-44.

[39] Puede compararse con un discurso análogo en Brasil. Véase Renato Ortiz, *Cultura brasileira e identidade nacional*, 4.ª ed., São Paulo, Editorial Brasiliense, 1994, págs. 132-133.

que los fantasmas siempre se hacen presentes. Más aún: como ha dicho Giorgio Agamben, los fantasmas son la condición necesaria de la inteligencia[40].

Hay otras obscenidades. En esa ciudad ataponada, la música y el baile son indicios de que hay un «afuera», una línea de fuga, de carnaval, que no es necesariamente liberadora. Detengámonos por un momento en una escena clave. En la *guagua* (el autobús), la *guaracha* (la compuesta por el «Macho Camacho») desencadena una guerra. Es un microrrelato sobre la intolerancia, en clave caricaturesca. Los alaridos y berridos que se escuchan y las imágenes hiperbólicas recuerdan el rito de coronación y destronamiento descrito por Bajtín. En el reverso grotesco del «himno nacional», los portavoces clamorosos de la *guaracha* entran verdaderamente en trance. Con acompañamiento de percusión sobre el cuerpo del chofer convertido en tambor, logran aplastar a los disidentes a «guarachazo limpio». El pasaje sería un ejemplo clásico de lo que Bajtín destaca como la función cumplida por coronación del bufón que inaugura el mundo al revés:

> [...] el país no funciona. Los pasajeros inscribieron dos partidos contendientes: uno minoritario de asintientes tímidos y otro mayoritario vociferante que procedió a entonar, con brío reservado a los himnos nacionales, la irreprimible guaracha del Macho Camacho *La vida es una cosa fenomenal*, el chofer facilitó los tonos graves: un flaco alámbrico, guarachómano desahuciado; la guagua incendiada por los alaridos y berridos del partido mayoritario, la guagua incendiada por los hachones de felicidad sostenidos por los pasajeros del partido mayoritario vociferante: felices porque a guarachazo limpio sepultaron el conato de la disidencia, la guagua incendiada por las palmadas y las figuras que rompieron a bailar y bailotear en el pasillo estrecho, sobre los asientos, sobre el torno, la espalda del chofer hecha tumbadora por un técnico de refrigeración que se reveló como arreglista musical [...] (pág. 113).

¿Qué dicen esas expresiones? La *guaracha*, la del ausente «Macho Camacho», subyuga y nivela, pero no hay ninguna «sín-

---

[40] En el libro *Estancias, op. cit.*, pág. 137.

tesis» tranquilizadora[41]. En última instancia, lo que se sugiere en ese pasaje es una utopía invertida, un viraje en dirección a la obediencia. La *guaracha* engendra un contra-mundo en miniatura y se politiza, con resultados ambivalentes. No participar en el himno, en la vida festiva de la comunidad, significa convertirse en traidor, y supone, por tanto, quedar fuera de la escena, pasar a formar parte de lo obsceno. Se apela al miedo, lo que lleva a pensar en la censura, y quizá en la autocensura de los escritores.

La represión y los tabúes son núcleos centrales de la novela. La literatura aquí es un campo de batalla: todo lo contrario de lo «refinado» que tanto desea el personaje de Graciela Alcántara, quien sueña con un arte cortesano, decorativo y liberado de toda preocupación por la moral o la verdad. A ella, por ejemplo, le resultan tan obscenas las imágenes del «Vietnam napalmizado» que aparecen en las revistas como el doble sentido y la chabacanería de la letra y el baile de la *guaracha*. «El lenguaje no es corrupto porque sea soez, sintetiza con sagacidad Sánchez, también es corrupto cuando engaña y disfraza la realidad»[42]. A pesar de la fiesta y del baile, hay algo innombrable, aquello de lo que por fin se habla. Más adelante volveré sobre ello.

Una familia de textos

El diálogo que *La guaracha* entabla con obras contemporáneas nos permite leer otros aspectos. Desde el primer momento, se destacaron las afinidades que el texto de Sánchez ofrecía con la nueva y experimental literatura que producían en

---

[41] Hay otras lecturas. Gabriela Tineo, en un lúcido ensayo, escribe: «Ahí como el tiempo parece detenerse en las calles céntricas de San Juan por un breve lapso, los mundos interiores, en apariencia irreconciliables, encuentran una zona de acercamiento en la captación de esa música que no deja de sonar. El ritmo transgrede los límites sociales, reconcilia momentáneamente las distancias de todo orden» («La memoria que convoca: en torno a "lo popular" en la narrativa de Luis Rafael Sánchez», *Bulletin Hispanique*, 96-1, 1994, pág. 238).

[42] En Helen Calaf de Agüera, «Entrevista: Luis Rafael Sánchez», *Hispamérica*, VIII, 23-24, 1979, pág. 77.

aquellos años Manuel Puig, Guillermo Cabrera Infante o los escritores mexicanos de La Onda, José Agustín y Gustavo Sáinz. Margo Glantz resume la narrativa nueva en México con las siguientes palabras: «antisolemnidad obtenida mediante formas coloquiales de lenguaje, una burla reiterada a costa de sí mismos, el acercamiento a los temas sexuales con gran naturalidad pero dentro de una actitud puramente epidérmica»[43]. Ángel Rama se refería, como hemos visto antes, a esa poética atenta a las «peculiares modulaciones del habla» practicada por los mexicanos, por ejemplo, e incluía la novela de Sánchez en esa línea.

Por otra parte, en su apropiación de las formas narrativas de la radio y del cine, es evidente la deuda que Sánchez tiene con el camino abierto por Manuel Puig en novelas como *La traición de Rita Hayworth* (1968), y más aún con *Boquitas pintadas* (1969), en la que las letras de tangos y boleros tienen un papel central. «El gran tema de Puig», escribe Ricardo Piglia, «es el bovarismo. El modo en que la cultura de masas educa los sentimientos»[44]. *La guaracha* también se relaciona con el lenguaje y las fantasías eróticas de otra novela de Puig, *The Buenos Aires Affair* (1973). Asimismo, la pasión por explorar la riqueza sonora y mítica de la música, la heterogeneidad de voces y la parodia, aproximan *La guaracha* a la literatura experimental de *Tres tristes tigres* (1968), de Guillermo Cabrera Infante, y a *De donde son los cantantes* (1967), de Severo Sarduy. Y, como en *Tres tristes tigres,* la novela de Guillermo Cabrera Infante, *La guaracha* crea la ilusión de que la grabación discográfica o la escritura puedan captar y preservar la voz «auténti-

---

[43] Son indispensables los ensayos de Margo Glantz, ahora reunidos en *Esguince de cintura: ensayos sobre narrativa mexicana del siglo XX*, México, Consejo Nacional para la Cultura, 1994. Cito del titulado «Nueva narrativa mexicana», pág. 202. Carlos Monsiváis observó muy pronto la importancia del lenguaje fronterizo en esa narrativa: «No es casual que el lenguaje de la Onda deba tanto al habla de la frontera y al habla de los delincuentes de los cuarenta. En la frontera y en la cárcel, en la corrupción de un idioma y en el idioma de la corrupción se elabora con penuria y terquedad la renovación» (*Días de guardar,* México, Era, 1970, pág. 103).

[44] Cito de su ensayo «Manuel Puig y la magia del relato», en *La Argentina en pedazos,* Buenos Aires, Ediciones de la Urraca, 1993, pág. 114.

ca»[45]. Esos textos forman un tejido en el que se inscribe la obra de Sánchez[46].

Hay otra trama de afiliaciones que puede ser igualmente significativa. Es preciso recordar que Sánchez es un escritor formado por la experiencia del trabajo colectivo en la radio y en el teatro, primero como actor de novelas radiofónicas y luego como actor y autor de teatro. Cuando se publicó *La guaracha,* ya era reconocido como dramaturgo, desde *La farsa del amor compradito* (1960) hasta *La pasión según Antígona Pérez* (1968). En esa larga experiencia se acercó a la gran tradición teatral de la farsa. Poco después de la publicación de la novela, Sánchez dirá: «Mi mirada como escritor es siempre estridente y distorsionadora [...] La farsa es una de las mejores opciones para abordar nuestra realidad»[47]. En ese sentido, es también iluminadora la lectura crítica que Sánchez llevó a cabo de la obra del puertorriqueño Emilio S. Belaval en los años en que iba escribiendo *La guaracha.* Sánchez marca su distancia postulando una poética de la parodia y la farsa. En una nota de ese trabajo se encuentra, condensado, el canon que sostiene la poética que trasladó a *La guaracha:*

> Que un escritor como Emilio S. Belaval, entusiasta del esperpento y del humor negro y cultivador avezado de ambas modalidades en su cuentística no parodie en su teatro los extremos grotescos de la realidad colonial puertorriqueña es lamentable. *El rey Ubú* de Alfred Jarry, *Divinas palabras* de Valle-Inclán, *La piel de nuestros dientes* de Thorton Wilder, *Tartufo* y *Las mujeres sabias* de Molière, *El matrimonio del señor Missisu* de

---

[45] Es la lectura que a propósito de *Tres tristes tigres* desarrolla Michael Wood en su brillante ensayo «Politics in Paradise» del libro *Children of Silence: On Contemporary Fiction,* Nueva York, Columbia University Press, 1998, en particular las págs. 53-54.

[46] Podrían señalarse otras afinidades. Por ejemplo, con el infierno de *El lugar sin límites* (1966), de José Donoso, y con la lectura de los códigos machistas y el desdoblamiento de los personajes de esa novela. O con *La tía Julia y el escribidor* (1977), de Mario Vargas Llosa, en la que también se explotan las estrategias narrativas de la radionovela. En su ensayo «Vargas Llosa o el arte de leer» ahora incluido en *La guagua aérea,* Sánchez habla del «oficio impúdico» y del «exhibicionismo paródico» de *La tía Julia.* Véase pág. 147 de *La guagua aérea.*

[47] En la entrevista realizada por Arcadio Díaz Quiñones, «El oficio y la memoria: Luis Rafael Sánchez», *Sin Nombre,* XII, 1, abril-junio de 1981, págs. 27-38. Cito de la pág. 27.

Durrenmatt, qué otra cosa son sino parodias exultantes de hipocresías y costumbres, de fingimientos dislocadores, de inútiles vanidades. La pantomima *Juan Bobo y la dama de Occidente* de René Marqués, el drama *Asia y el lejano Oriente* de Isaac Chocrón, el poema *Lagarto verde* de Luis Palés Matos, qué otra cosa son sino parodias admirables de la mojiganga espiritual a que se reduce toda impostura de ser[48].

Habría que destacar también las maneras en que la novela de Sánchez se aparta de los textos con los que tiene obvias afinidades. Al igual que las narraciones de Manuel Puig y otros textos vanguardistas de los años sesenta y setenta, *La guaracha* ponía en cuestión la categoría de *novela* y la noción de autoría. Sánchez recogió el desafío e intervino con un texto muy peculiar que se diferenciaba de los mencionados. Ya desde el título se introducía una ambigüedad muy grande en torno a la singularidad del «autor» y su nombre propio. Y, desde el punto de vista narrativo, como veremos, es con la figura del Narrador con la que *La guaracha* adquiere su singularidad. A diferencia del *collage* de voces que encontramos en *Tres tristes tigres*, de Cabrera Infante, por ejemplo, en *La guaracha* el Narrador siempre controla o quiere controlar las voces y lo narrado. En el modo de narrar, la novela de Sánchez también se diferencia de las de Manuel Puig, en las que el narrador está ausente. De hecho, el Narrador en *La guaracha* es otro personaje[49]. Todo ello merece un análisis más detenido.

El poder del Narrador

¿Quién narra? Pueden identificarse por lo menos dos voces narrativas que no tienen nombre ni rostro. En primer lugar, está el disc-jockey, voz que se identifica con la programación

---

[48] Cito de su libro *Fabulación e ideología en la cuentística de Emilio S. Belaval*, San Juan, Instituto de Cultura Puertorriqueña, 1979, pág. 68.

[49] Tomás Escajadillo, en uno de los primeros comentarios del texto, lo identificaba acertadamente: «Hace mucho tiempo que no se oía una voz narrativa tan polivalente en la novela hispanoamericana; una *persona narrativa* que puede por igual recrear el habla popular [...] y parodiar un registro muy amplio [...]» («Sobre *La guaracha del Macho Camacho*», *Revista de Crítica Literaria Latinoamericana*, Lima, Perú, III, 5, 1977, págs. 121-124).

musical de la radio. Esa voz abre y cierra las partes en las que está dividida la novela. Está marcada gráficamente por la autonomía de las páginas en las que aparecen sus diecinueve intervenciones, y por los espacios que las rodean: después de sus palabras se intercala una página en blanco. Es una voz experta en llenar y «rellenar» los espacios radiofónicos. Narra el éxito de la *guaracha,* la «vende» al público radioyente, repitiendo siempre los clichés propios de la programación musical. El disc-jockey hace reír mediante su lenguaje hiperbólico y la combinación de estereotipos y frases trilladas del mundo publicitario. Es él quien interpreta la letra de la *guaracha* y la parafrasea con toda clase de expresiones blasfemas: se refiere a ella como si fuera un poema sacro: «esa letra de religiosa inspiración» (pág. 193). O celebra al «autor», el Macho Camacho, quien «es como decir el cura o el pastor o el evangelista de la cosa» (pág. 235).

La continuidad de lo narrado es sostenida por la letra de la *guaracha* y por los comentarios del disc-jockey, quien va puntuando las escenas sucesivas. Pero sus intervenciones producen también discontinuidades, grietas e intervalos que exigen que el lector vuelva atrás para reconocer la voz que habla o para comprender en qué momento preciso se retoma el relato, como si se tratara de un «capítulo» pendiente en una radionovela. Es el lector quien debe ir ensamblando el relato y descifrando las referencias.

Ese locutor-narrador se desdobla muy pronto, produciendo una segunda voz que es preciso diferenciar[50]. Esa voz es la que aquí llamaré propiamente el Narrador. Tiene el doble estatuto de participante y observador. En su caso, la frontera entre actor y personaje es tan delgada que no se puede apreciar a simple vista. Asume su papel en una *performance* extraordina-

---

[50] Gabriela Tineo, en el trabajo ya citado, plantea de otro modo esa dualidad: «Dos líneas de sentido transitan el discurso de *La guaracha:* una constituida por la voz del locutor radial y otra, la que recupera desde el sujeto del enunciado, las distintas situaciones vividas por los cinco personajes básicos», pág. 238. Para la historia, las convenciones de la radionovela en Cuba y el impulso que recibió de las firmas comerciales de los Estados Unidos, véase el libro de Reynaldo González, *Llorar es un placer,* La Habana, Editorial Letras Cubanas, 1988.

ria. Gracias a sus intervenciones, *La guaracha* se acerca a las obsesiones dominantes en el género radionovela —las necesidades afectivas de distintos estratos sociales, las relaciones familiares, las formas de sociabilidad. Al mismo tiempo se aleja de ellas, elaborando una visión más de acuerdo con la farsa teatral y la narración satírica. El Narrador inventa palabras, las altera, las redobla, está atento a las poses y al artificio. Mira desde fuera y recrea a los personajes, los nombra y comenta sus nombres y apodos, describe su vestimenta, hace hablar a cada personaje en función de su papel, y logra que el lector se acerque a verlos y a oír sus monólogos y sus diálogos. Hace oír y ver en detalle lo obsceno de modo tal que el lector no puede apartarse de esas escenas.

Las historias avanzan paralelas y alternadas: la interferencia y la contaminación recíprocas son principios de la narración. El modelo de la radionovela se asume en la estructura misma, como se sugiere en la disposición tipográfico-visual de la página. Son veinte «capítulos», subdivididos en secciones en las que van apareciendo los cinco personajes principales, siempre en el mismo orden. Esas partes están marcadas mediante espacios en blanco y el uso de las mayúsculas. El Narrador maneja las convenciones del melodrama: el triángulo Marido, Amante, Esposa, y la dualidad Ricos y Pobres, el mundo femenino y las mitologías de la masculinidad. Establece el orden de aparición de los personajes principales, que se repite y se amplía: la China Hereje, el Senador Vicente Reinosa, Graciela Alcántara, Benny, doña Chon, la Madre, y su hijo llamado simplemente el Nene. La narración da la impresión de que está siempre recomenzando, al igual que ocurre en las radionovelas.

A menudo es como una voz en *off* que simula un guión, y que a su vez le permite darles voz a otros personajes. Hay momentos en que el relato se presenta como un espectáculo que se está montando y sobre el cual el Narrador va ofreciendo indicaciones técnicas. En otros pasajes su voz parece acompañar la cámara, que mira de cerca. Es lo que se observa en la primera escena, que sirve de introducción a la novela. El Narrador se dirige al lector-espectador, invitándolo a la contemplación del personaje y del espacio en que se desenvuelve:

41

«Si se vuelven ahora, recatadas la vuelta y la mirada, la verán esperar sentada, una calma o la sombra de una calma atravesándola» (pág. 105). Muy pronto la China Hereje repite el gesto, mira a través de la ventana del apartamento, junto a la cortina, como en el teatro. Desde allí contempla el objeto de su deseo, «la posta de carne con la que mea un albañil» que trabaja en la construcción de un condominio (pág. 112).

El Narrador es un chismoso, lo menos parecido a un testigo competente y confiable. El tipo de narrador chismoso, según un incisivo estudio de Sylvia Molloy, explota el potencial agresivo que tiene el chisme, y «reclama a su interlocutor una respuesta que colabore con ese discurso»[51]. Es lo que precisamente le interesa al Narrador de *La guaracha:* tanto describir lo visto como anticipar los efectos que lo dicho tiene sobre el lector-espectador. Así ocurre con las escenas en que cuenta las relaciones de la China Hereje con sus primos, la noche de bodas de Graciela Alcántara, o la experiencia de Benny con la Mamá de Sheila. El Narrador cultiva una relación íntima con los oyentes: es una de las tácticas de la seducción. Muestra la naturaleza teatral de la seducción mediante el ocultamiento y la revelación[52]. Chisme y seducción son inseparables.

En este juego entre lo que «realmente» ocurre y lo que el lector llegará a «ver», el Narrador se esfuerza por sacarle el máximo rendimiento narrativo al lenguaje obsceno, colocando al lector en un lugar incómodo. Elijo uno de los pasajes del personaje Benny, en el que una serie de eufemismos se opone a la palabra que puede servir para maldecir o para insultar, dos de las funciones de lo obsceno. Oigamos: «Benny defeca, exonera el cuerpo, depone, evacua, obra, ensucia y demás sinónimos procedentes del bajuno, soez, grosero infinitivo *cagar* en los gentilicios, apelativos y patronímicos de la gente honorable que ganó para nos la opción de la gloria y el infierno» (pág. 156).

---

[51] Véase el trabajo de Sylvia Molloy, «El relato como mercancía: *Los adioses* de Juan Carlos Onetti», *Hispamérica*, VIII, 23-24, 1979, pág. 8.

[52] Que ha sido estudiado con agudeza en el caso de Manuel Puig por Alan Pauls, *Manuel Puig: la traición de Rita Hayworth*, Buenos Aires, Librería Hachette, 1986, pág. 29.

El Narrador maneja el chiste, el doble sentido, la escatología. Camaleónicamente, imita sus varios personajes. Repite sus lenguajes y sus gestos, bien sea la artificialidad retórica del Senador Vicente, o el vernáculo «vulgar» de la impulsiva China Hereje y su ilusión de ser vedette: «Y las dos veces que me he perdido el show de Iris Chacón en la televisión me han comentado que Iris Chacón ha mapeado, ha barrido, ha acabado» (pág. 110). Cuando incesantemente reitera los pequeños spots publicitarios de la campaña política del Senador Vicente Reinosa, «Vicente es decente y nunca miente [...], Vicente es decente y nació inteligente» (pág. 284), la misma monotonía se burla de la banalidad de la política. A menudo un solo rasgo se transforma en clave absoluta de sentido y en caricatura, por ejemplo, la agobiante repetición del fetichismo de Benny: «Ferrari nuestro que estás en la marquesina, santificado sea Tu Nombre» (pág. 212). Podemos también oír a Graciela Alcántara haciendo todos los esfuerzos por prescindir del cuerpo. Ella, además, sólo quiere ser rozada por la literatura, como tema de conversación y como prestigioso elemento decorativo: «hace tiempo que quiere meterle el diente a algo de Enrique Laguerre o algo de René Marqués: también los del patio son hijos de Dios: objetiva, democrática, bien maquillada: si los del patio no fueran pesimistas y dramosos: dale con el arrabal, dale con la independencia de Puerto Rico, dale con los personajes que sudan...» (pág. 190).

Al mismo tiempo, el Narrador juega con corrientes narrativas «documentalistas». *La guaracha* es un texto impregnado de memoria cultural y literaria, una mezcla de lo imaginario y lo empírico. Hay mucho en ella de lo que Juan José Saer ha llamado *antropología especulativa*, propia de la ficción, en el doble sentido de especulación intelectual y también de «especular», de *espejo* colocado en el camino[53]. Resulta interesante que una de las primeras referencias en el texto sea al libro de viajes del etnógrafo Claude Lévi-Strauss, *Tristes trópicos*, con todo lo que los *tropos*, retóricamente, tienen de viaje, de vueltas, y de desviaciones que definen una manera de ha-

---

[53] En su libro, *op. cit.*, págs. 16-17.

blar[54]. Efectivamente, el Narrador da la impresión de estar tan acostumbrado a vagabundear por la ciudad de San Juan como por la ciudad de la memoria lingüística. Hay, de hecho, un extenso inventario de fascinantes palabras clave de la cultura puertorriqueña: *parejería, tener raja, realengo, bembeteo, tener guille, grajeo, amapuchar* y otras[55]. Habría que agregar que los ejemplos no están tomados al azar: hay un «método» en la selección.

Más escurridizo que el disc-jockey, el Narrador pone en escena las mismas tácticas, pero su archivo es más variado. Conoce las calles y los bares, los actores del teatro, los lugares de reunión de la izquierda política y sus publicaciones. Se ha paseado por los territorios de las clases sociales, y convoca a un recorrido por los lugares de producción cultural. Sabe de los platos populares y de los restaurantes elegantes, y ha leído todos los libros. En realidad, todo acaba por descarrilarse. Hay momentos en que se pierde el hilo de lo que está diciendo. La abundancia de citas literarias termina por burlarse del arte de citar, logrando que el lector no siempre pueda juntar las piezas diseminadas del rompecabezas. Los versos de la gran elegía de García Lorca a Ignacio Sánchez Mejías, por ejemplo, o las referencias al teatro filosófico de Sartre, aparecen totalmente fuera de contexto, en yuxtaposiciones descabelladas con todo tipo de refranes y dichos, como ocurre con el lenguaje de Sancho en el *Quijote*.

El prolijo inventario lingüístico va cubriendo el territorio, al igual que el congestionamiento del tránsito. Las muletillas coloquiales, los saltos bruscos que supone el traslado de la oralidad a la escritura, hacen que *La guaracha* sea una novela locuaz y de sintaxis muy sinuosa. La variedad es tan amplia

---

[54] Sigo aquí la conceptualización del tropo como viaje que hace Michel de Certeau en su libro *La fábula mística: siglos XVI-XVII,* trad. de Jorge López Moctezuma, México, Universidad Iberoamericana, 1993, págs. 172-174.

[55] Sánchez hace una declaración significativa sobre sus viajes por el país a la escucha del lenguaje que luego transformaría: «Yo soy un viajero continuo de mi país, sobre todo de esas zonas donde se produce una lengua poética asombrosa, como son los sitios bajomundistas. Muchas de las cosas que se dicen en la novela realmente fueron oídas» (Helen Calaf de Agüera, «Entrevista: Luis Rafael Sánchez», *Hispamérica,* VIII, 23-24, 1979, pág. 72).

que se va creando una especie de galimatías, una progresiva extrañeza que apunta a lo indecible. *La guaracha* activa la risa y el malestar que, según Foucault, produce lo *heteróclito,* las series que están dispuestas sin que sea posible definirlas. Las utopías, agrega Foucault, consuelan; las *heterotopías,* en cambio, inquietan porque «minan secretamente el lenguaje, impiden nombrar esto y aquello, rompen los nombres comunes y los enmarañan»[56].

En la novela, en efecto, las contigüidades más inesperadas terminan por escamotear el referente y por convertir el lenguaje en un enigma. Los personajes casi siempre están solos, con su lenguaje delirante y sus pequeños gestos, como en el teatro de Ionesco. Las historias se desarticulan en una serie de planos cuyo rendimiento final es una ironía muy sesgada, en la que la alegría de la *guaracha* pasa a ser otra cosa. Es curioso que en una novela en la que se habla continuamente, todas las relaciones están ausentes, o fracasan, como si las palabras contuvieran cada vez menos verdad, o como si en realidad se apuntara a lo incomunicable. El lenguaje resulta al final tan enigmático como el único personaje que no tiene voz en la novela, el Nene, un ser deforme y desamparado, objeto de toda clase de humillaciones y torturas. En un relato poblado de nombres llamativos, resulta peculiar que se aluda a él de manera tan elíptica. Es tratado como un juguete, despersonalizado y fetichizado por los demás niños, y asociado a un bestiario. Aún más: el Narrador lo describe como una excrecencia nauseabunda que produce asco o como un animal acorralado y herido.

Con el Nene volvemos, de otro modo, al interrogante sobre lo obsceno. Etimológicamente, el latín *obscenus* contenía otro sentido: era lo monstruoso, resultado de algún maleficio. Hay referencias antiguas a las *obscenae aves,* cuyo canto era un signo de mal agüero. Sería equivalente al término *ominoso*[57]. En efecto, así se presenta el Nene en la novela, un signo ro-

---

[56] *Las palabras y las cosas. Una arqueología de las ciencias humanas,* trad. de Elsa Cecilia Frost, México, Siglo XXI, 1968, pág. 3.

[57] Véase el ensayo de Jacques L. Merceron, «Obscenity and Hagiography» en el volumen editado por Jan M. Ziolkowski, *op. cit.,* págs. 331-344.

deado de sustancias —y connotaciones— excrementicias: «Fue un salamiento que me hicieron a mí mas lo cogió El Nene», dice la Madre, un salamiento «con batata mameya y churra de cabro» (pág. 147). El Nene permanece mudo, al margen de lo conocido: la amenaza invisible de un fantasma, acaso un presagio ominoso[58]. Algo en él y en su mutismo escapa y trasciende la sociedad en que vive. ¿Qué dice ese paradójico silencio? ¿Cómo leer su muerte que corta tan drásticamente el relato e impide el fin de fiesta?

Es tal vez una manera distinta de describir el sinsentido, o de inquirir sobre el enigma del mundo oculto tras el telón, de poner en crisis los lugares comunes antes de empezar a develar un país secreto. Un secreto a voces, audible y visible en la calle, pero suprimido en la literatura y en los discursos oficiales. Las estrategias de la farsa, con sus ironías y equívocos, ofrecen una historia inconclusa que pone en movimiento un delirio interpretativo. Una de las alusiones más o menos veladas que ofrece la novela sugiere la filiación del procedimiento: es el tríptico *El jardín de las delicias* (1503-1504), de Jerónimo Bosco, que se encuentra en el Museo del Prado. Según la lectura que hace Michel de Certeau, la pintura del Bosco es un gran aparato de signos que hace creer que oculta un sentido. El pintor juega con nuestra necesidad de descifrar, desencadenando un delirio interpretativo[59]. Para De Certeau, el cuadro es «una realidad hecha de aristas, de picos, de flechas y de puntas agudas: una poética anal y bucal, una maravillosa animalidad de culos y de bocas, una floración ávida de amores»[60]. En *La guaracha* ocurre algo parecido. Se incita a la interpretación, pero al mismo tiempo se practica una hermenéutica de la sospecha, sin que se llegue a respuestas estables o tranquilizadoras. Una de las funciones de lo obsceno es central en el proceso: es un enigma que invita a ser interroga-

---

[58] Otra es la lectura del Nene que propone Juan G. Gelpí, centrada en el cuestionamiento de la infantilización, discurso dominante en el ensayo de Pedreira. Gelpí, sin embargo, sí asocia la *baba* del Nene con la desconstrucción de la verdad de la historia. Véase el libro citado antes, págs. 31-37.

[59] Michel de Certeau, *op. cit.*, págs. 65-89.

[60] *Ibíd.*, pág. 88.

do, pero no entrega nunca su «verdad». Por ello, en *La guaracha* el malestar acompaña siempre a la carcajada.

La tradición puertorriqueña

En el interior de la cultura puertorriqueña, el diálogo de *La guaracha* es extraordinariamente rico, no sólo con la música popular, sino también con la literatura, las artes gráficas y la antropología. Habría que mencionar, en primer lugar, que la novela de Sánchez es la culminación de la tradición que arrancó con José Luis González (1926-1996) y los cuentos de su libro *El hombre en la calle* (1948), que iniciaron la moderna narrativa del país. González practicó una gran economía narrativa basada en los silencios y las reticencias, muy en la línea de Hemingway, una poética que también se encuentra en *Spiks* (1957), el memorable libro de Pedro Juan Soto. La crudeza de las desigualdades sociales que se representaba en esos cuentos resultó un proyecto atractivo para Sánchez. Por otro lado, en la formación de Sánchez otro escritor fundamental fue el dramaturgo y narrador René Marqués (1919-1979), sobre todo los cuentos de sus libros *Otro día nuestro* (1955) y *En una ciudad llamada San Juan* (1960). En esos relatos existencialistas había una crítica al presente urbano, aunque desde una posición melancólica. González, Marqués y Soto anteceden en la mirada a la ciudad y en la concepción ética de la literatura. Un lugar igualmente importante lo ocupa un escritor de una generación anterior, Emilio S. Belaval (1903-1972), de quien hemos hablado antes. Sánchez fue definiendo su propia poética mientras escribía sobre el lenguaje irónico y paródico de los *Cuentos para fomentar el turismo* (1946), de Belaval. Su minuciosa tesis doctoral, escrita mientras avanzaba el manuscrito de *La guaracha*, muestra el modo intenso en que Sánchez venía trabajando críticamente la tradición narrativa contemporánea[61].

---

[61] Para insistir en este núcleo de filiaciones, bastaría con leer el antológico número que dedicó la revista *Asomante* (1945-1970) en 1956 al cuento puer-

Es preciso aclarar, sin embargo, que aunque Sánchez aprendió a ver el país a través de sus libros, la escritura de esos narradores no es el modelo de *La guaracha*. La risa sarcástica, el tono y el trabajo sobre la oralidad marcaban una clara diferencia de poética con la narrativa inmediatamente anterior. El propio José Luis González reconoció muy pronto que Sánchez iba mucho más lejos que sus maestros. En 1979, en una de las lecturas más iluminadoras que se han hecho de *La guaracha*, González destacaba la especificidad de la novela frente a la tradición inmediata: «Sánchez ha renunciado al contrapunto ideológico para asumir una realidad que los narradores puertorriqueños anteriores habíamos explorado —y denunciado, en la mayor parte de los casos— *a través* de la escritura y no *dentro* de ella»[62].

En el marco más amplio de la cultura moderna puertorriqueña, entraron en juego otras «fuentes» no literarias. En la medida que *La guaracha* se propone hacer oír las voces y los ritmos, habría que señalar un antecedente artístico que es un clásico: el *Portafolio de Plenas* que realizaron Lorenzo Homar y Rafael Tufiño en 1954. Los doce grabados en linóleo celebran el género musical de tradición puertorriqueña que es la *plena*. Esos grabados abrieron las artes plásticas a la lengua cantada y a las letras de tradición popular. El portafolio, que también incluía un ensayo de Tomás Blanco, es un trabajo gráfico sobre la música popular análogo a la hibridación verbal que había realizado Luis Palés Matos en los textos que culminaron en su libro *Tuntún de pasa y grifería* (1937). El artista Antonio Martorell, heredero él también de la estética del *Portafolio de Plenas*, sintetiza acertadamente su significación histórica, y su poética, en palabras que pueden servir para describir la de *La guaracha*: «Las *plenas* de Homar y Tufiño son música, chisme,

---

torriqueño, que incluye relatos de Emilio S. Belaval, Abelardo Díaz Alfaro, Emilio Díaz Valcárcel, Edwin Figueroa y Salvador M. de Jesús, para tener una idea más clara de la tradición narrativa inmediata, en la que también pueden leerse los primeros cuentos que Sánchez reunió en su libro *En cuerpo de camisa* (1966).

[62] Véase «Plebeyismo y arte en el Puerto Rico de hoy», *El país de cuatro pisos y otros ensayos*, Río Piedras, Puerto Rico, Huracán, 1980, pág. 102.

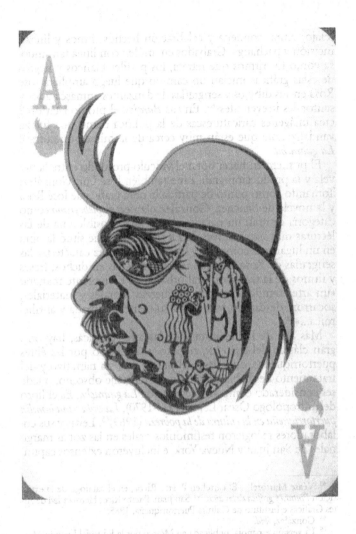

«As de la pava» de las *Barajas Alacrán*, serie serigráfica de Antonio Martorell, 1968. Son caricaturas de personajes de la política puertorriqueña. Esta, caricaturiza a Luis Muñoz Marín y lo identifica con la «pava» (el sombrero campesino) que su Partido adoptó como emblema.

relajo, sátira, condena y celebración hechos ritmos y líneas, incisión y pachanga. Grabados en linóleo con línea tan sinuosa como los ritmos que retrata, los perfiles blancos y negros de estas gráficas inician un camino que luego ampliará José Rosa en sus dibujos y serigrafías de danzantes enmascarados y santorales irreverentes»[63]. En sus *Barajas,* el propio Martorell crea imágenes caricaturescas de la política como una fuerza vandalizadora que están muy cerca de la mirada que ofrece *La guaracha.*

El primero en hacer notar el vínculo profundo entre la novela y la producción gráfica fue también José Luis González. Tomando como punto de partida la obra gráfica de José Rosa y la novela de Sánchez, González planteó el *plebeyismo* como categoría central: un paradigma que hizo posible una de las lecturas más significativas de *La guaracha,* y que situó la obra en un lugar más complejo y literario. González caracteriza las serigrafías de Rosa, basadas muchas de ellas en dichos, frases y ritmos de la tradición oral urbana, de la siguiente manera: «un arte atenido a sus propias fuerzas morales y materiales, socarrón, descarado, valeroso a su manera taimada y antiheroica...»[64].

Más allá de la literatura y de las artes plásticas, hay otro gran clásico del siglo xx, negado y silenciado por las élites puertorriqueñas, que, desde el punto de vista narrativo y del tratamiento del habla popular y del lenguaje obsceno, puede ser considerado como antecedente de *La guaracha.* Es el libro del antropólogo Oscar Lewis (1914-1970), *La vida: una familia puertorriqueña en la cultura de la pobreza* (1969)[65]. Lewis y sus colaboradores recogieron testimonios orales en las zonas marginales de San Juan y Nueva York, e incluyeron extensos capítu-

---

[63] Véase Martorell, «El cartel en Puerto Rico», en el catálogo de la exposición *Pintura y gráfica de los años 50,* San Juan, Puerto Rico, Hermandad de Artes Gráficas e Instituto de Cultura Puertorriqueña, 1985.

[64] González, *ibíd.*

[65] La versión española, publicada en México por la Editorial Joaquín Mortiz, fue revisada por el escritor José Luis González. Lewis también publicó un interesantísimo libro en el que cuenta cómo se llevó a cabo el estudio y la grabación de los testimonios: *A Study of Slum Culture: Backgrounds to La Vida,* Nueva York, Random House, 1968.

los sobre la «vida», en el sentido prostibulario del término, con el propósito de sustentar su discutible y discutida tesis sobre la «cultura de la pobreza». El libro, publicado primero en inglés en 1965, suscitó un enérgico rechazo por parte de los intelectuales y políticos puertorriqueños. Muchos lo sintieron como doblemente atentatorio: un agravio a la dignidad del país, y sobre todo a sus mujeres. Además, el estudio ponía en tela de juicio el «milagro económico» puertorriqueño, lo cual fue visto con sumo recelo en los círculos del poder[66].

El libro fue leído, un tanto clandestinamente, por escritores y estudiantes universitarios. Como ocurrió después con *La guaracha*, la versión española de *La vida* ofrecía el testimonio de un lenguaje insólito, sobre todo por la obscenidad del habla y por las prácticas sexuales que narraba, imposible de encontrar entonces en ningún otro texto impreso que no fuese «pornografía». Lo más chocante era que casi todo aparecía en boca de mujeres que, al igual que la China Hereje, narraban su vida sexual en primera persona.

Veamos, a modo de ejemplo, dos fragmentos de capítulos que en *La vida* reproducen el testimonio del personaje llamado *Soledad*, la voz, casi secreta, de una cultura oral femenina:

> Ya yo no quiero cariño, ninguna clase de amor. Pa mí nada más el dinero. Yo tengo tres hijas y con amor yo no voy a vivir, ni con cariño. Sí lo he buscao, el amor, y cuando lo he conseguido me ha salío mal. Tú sabes, que uno al principio cree todo lo que le dice la gente, los hombres [...] como uno está tan ignorante. Un hombre viene: «te adoro», me promete villas y castillos, me chicha dos o tres veces y después al carajo. Cuando yo tuve a Sarita, cuando dejé a Arturo, yo era coque-

[66] La *Revista de Ciencias Sociales* de la Universidad de Puerto Rico, XI, 2, junio de 1967, dedicó casi todo el número al libro. Contiene comentarios de Ismael Rodríguez Bou, Rosa Celeste Marín y Manuel Maldonado Denis, entre otros. El número siguiente contiene una reseña del libro escrita por Gordon Lewis. Por otra parte, en esos años hay una amplia bibliografía sociológica sobre la pobreza en Puerto Rico, en contraste con la parquedad de trabajos sobre los sectores pudientes. Véase el informativo trabajo de Ángel Quintero Rivera, «La investigación urbana en Puerto Rico: breves comentarios sobre su trayectoria», en *La investigación urbana en América Latina*, ed. de Fernando Carrión, Quito, Ciudad, 1989, págs. 57-83.

ta. Era peor que cualquiera. Cuando venía un americano yo me volvía loca. «*Honey, honey*», él me chichaba, me clavaba y al otro día ni me conocía[67].

[...] Benedicto tenía mujer y la mujer se la pegó, pero fue por lo mismo que él hizo conmigo: a él le gusta mucho el vacilón; ha tenido un montón de cortejas. Tiene siete, ocho hijos con diferentes mujeres. Él tenía una mujer que se las buscaba pa él. Si buscaba sesenta pesos se los daba a él y después él le daba unas pelas tos los días. A Benedicto le gusta vivir de las putas[68].

El libro de Lewis le brindó estatuto antropológico a un lenguaje obsceno que a su vez remitía a tradiciones orales muy antiguas. No hay nada semejante en toda la literatura puertorriqueña anterior. El antropólogo buscaba provocar un efecto de verdad con la grabación de los «testimonios». Ponía en escena —a pesar de todos los problemas de «autenticidad» planteados por el género— lo que debía estar fuera de la escena, lo que no podía decirse o mostrarse. *La vida* es un antecedente en un aspecto importante: la sintaxis, los tonos, el habla de los sectores marginados. Ese archivo, muy alejado del lenguaje que tan estereotipadamente la literatura le atribuía a los «marginales», prepara o anuncia el camino que habrá de seguir Sánchez: una violación del decoro.

Una canción festiva para ser llorada

Sánchez contaba con un precursor excepcional para su visión satírica del gran teatro del mundo caribeño. Es precisamente Luis Palés Matos (1898-1959), el mayor escritor de la literatura puertorriqueña. Si hubiera que definir *La guaracha*, podría decirse —citando el título de uno de los poemas de Palés Matos— que es una *Canción festiva para ser llorada*. Palés Matos ya había autorizado la entrada del lenguaje callejero y sexual en la poesía, sobre todo en los poemas afroantillanos

---

[67] *La vida*, pág. 147.
[68] *Ibíd.*, pág. 209.

del *Tuntún de pasa y grifería*. A Sánchez le interesó justamente la capacidad satírica de Palés Matos, la ferocidad de sus ataques a la voracidad imperial, y también a sus compatriotas. Se identificó con la forma en que el poeta trabajó la tradición oral y atacó la excesiva visibilidad de lo hispánico frente a la escasa visibilidad de lo afroantillano. Tanto en el uso que hace de la africanía de los ritmos musicales propios de las tradiciones caribeñas como en la voluntad de romper con el tabú que rodea al lenguaje «bajo», *La guaracha* se inscribía en la poética del *Tuntún de pasa y grifería*.

Por supuesto hay diferencias entre ambos escritores. La ciudad, por ejemplo, casi no existe para Palés, salvo como metáfora de un talante o escenario para la melancolía. En cambio, el mar, tan central para el poeta, está prácticamente ausente de la obra de Sánchez. En Palés hay un deseo de alcanzar esa *armonía prolífica del sexo* de la que se habla en uno de sus poemas, una especie de utopía racial y cultural. En la visión de Sánchez, como hemos visto, ya no hay utopías, sólo algunos recuerdos de ello. No obstante, la afinidad literaria es grande. Para Palés Matos y para Sánchez, la música y el lenguaje son el fondo simbólico del cual brota una energía especial en la sociedad. Ambos necesitan ir a la oralidad para pensar la cultura, y ambos se detienen en las buenas y las «malas» palabras heredadas de las culturas fragmentadas que se han mezclado en el Caribe. Ambos exploran no sólo los significados, sino las tonalidades y registros del habla. Desde luego que, por sí solo, ello podría llevar a una obligatoria celebración de la cultura nacional o popular. Pero tanto *La guaracha* como el *Tuntún* asumen un mundo justamente con el propósito de criticarlo, e ironizan las fuentes orales y escritas que implícitamente homenajean. La parodia es definitoria de esa poética: es homenaje y violencia al mismo tiempo[69].

---

[69] Susana Rotker lo plantea persuasivamente: «La parodia puede entenderse como una suerte de espejo deformante que, como todo juego especular, produce una imagen que es homenaje y violencia al objeto original; homenaje porque, al nombrar fuentes e influencias, las reconoce; violencia porque en la operación de nombrarlas se las apropia, las modifica y las convierte en otra cosa» («Claves paródicas de una literatura nacional. *La guaracha del Macho Camacho*», *Hispamérica*, XX, 60, 1991, pág. 25).

Palés Matos levantó el «telón isleño» en su libro, y lo hizo en versos y registros que prefiguran el distanciamiento sardónico de *La guaracha*:

> Con cacareo de maraca
> y sordo gruñido de gongo,
> el telón isleño destaca
> una aristocracia macaca
> a base de funche y mondongo.

La guaracha y el *Tuntún* son dos clásicos nacionales. Clásicos incómodos y molestos para un cierto patriotismo que gusta de vigilar y castigar a quienes levantan el «telón isleño», exponen los fantasmas del racismo interno o la subordinación colonial, y exhiben lo obsceno del lenguaje y la cultura.

CONTEXTOS

Modernidad, colonia, emigración

La guaracha nació en la polémica. Se inscribe en un debate que viene de mucho antes, y que, por supuesto, ni es exclusivamente puertorriqueño ni puede reducirse a formulaciones demasiado unívocas. Como en otros lugares de América, Asia y África, en el caso puertorriqueño modernidad, colonia y emigración son experiencias contradictorias pero indisociables que se dieron en el marco específico de la subordinación colonial a los Estados Unidos. La exclusión de cualquiera de los tres términos lleva a una inaceptable simplificación. Ese proceso, confuso y violento, ha sido vivido de distintas maneras por las diversas clases sociales, y al mismo tiempo ha sido culturalmente muy productivo. Intensificó algo que venía desde el siglo XIX y la época de la colonia española: el debate persistente en torno a la identidad.

Muchos lectores del ámbito hispanoamericano descubrían en la novela de Sánchez una sociedad ininteligible en el marco de los estados nacionales modernos. Lo definitorio de Puerto Rico parece ser la indefinición: la «doble ciudadanía», lo norteamericano y lo latinoamericano, el bilingüismo y, desde 1952, las ambigüedades políticas del Estado Libre Asociado. Ese espacio nebuloso, que tanto recuerda la figura del agente doble, se llena con toda clase de lugares comunes. En los Estados Unidos, por ejemplo, donde casi nunca se admite la noción de *imperio* en el discurso —— al menos no para referirse a la historia propia— Puerto Rico no ha sido una «colonia» sino un «pueblo», un «territorio», en todo caso «inferior». Para la historiografía española, Puerto Rico ha sido un sujeto borroso. Las voces puertorriqueñas que han elaborado discursos en torno a la identidad, escritores de distintas generaciones como Eugenio María de Hostos, Salvador Brau o Julia de Burgos, Antonio S. Pedreira, Margot Arce de Vázquez, Jesús Colón, Pedro Pietri o Rosario Ferré, son por lo general ignoradas en España, poco conocidas en los Estados Unidos, y sólo fragmentariamente difundidas en el ámbito hispanoamericano.

El resultado ha sido que las interpretaciones generalizadas en torno al «caso» puertorriqueño han servido más para posicionarse frente a la «cuestión nacional» o frente al imperialismo que para comprender la compleja realidad del país caribeño. En la tradición de la izquierda latinoamericana, y en la norteamericana, predominó una imagen cerradamente negativa, que también ha sido postulada por algunos puertorriqueños. Para esa mirada, Puerto Rico era uno de varios estereotipos, o todos a la vez: un país «americanizado» en el que ya no se hablaba español, sino una lengua mezclada e incomprensible, y que había pasado a ser paradigma de la «pérdida» de identidad debido a la subordinación a los Estados Unidos. En otros medios se pensaba que era un lugar totalmente domesticado por el imaginario turístico. O se construía como el aberrante polo opuesto de Cuba, país que se presentaba como la «verdadera» y heroica nación, mientras que Puerto Rico era un burdo simulacro. A la inversa, entre puertorriqueños se generaban versiones igualmente estereotipadas y burdas. Típico de la propaganda de la Guerra Fría, por ejemplo, era hablar de Puerto Rico como la «vitrina de la democracia». Con esa frase se postulaba jactanciosamente la superioridad del modelo capitalista. Esas contraposiciones, y el contraste con las crueles dictaduras contemporáneas —como la de Trujillo en la República Dominicana—, también les permitían a muchos puertorriqueños mofarse de las «repúblicas latinoamericanas». Por otra parte, aún es frecuente oír el término «puertorriqueñización», con toda la carga negativa, para referirse al destino que les espera a los estados latinoamericanos bajo el «nuevo orden» dominado por los Estados Unidos. Menos característica es la visión celebratoria del escritor Mario Vargas Llosa quien en 1993 declaraba que «Puerto Rico no es una anomalía, sino un espejo del futuro»[70].

El paisaje alucinado de la «verdadera» ciudad que presenta *La guaracha* es mucho más perturbador que cualquiera de esas simplificaciones. La novela trabaja literariamente con esos estereotipos, y a la vez se mofa de ellos, revelando lo inútil de las imágenes positivas o negativas que no pueden dar cuenta de la multiplicidad de experiencias. La «isla del encanto» puede ser, a la vez, un mundo claustrofóbico, un universo cerrado que da vueltas en torno de sí mismo. Pero la «colonia yanki» es también un país moderno, cualitativamente heterogéneo y complejo. Debido a ello, Puerto Rico puede ser, simultáneamente, paradigma de lo colonial y lo postcolonial: «para (post) colonial», ha escrito Carlos Rincón[71]. Los ritmos de los procesos culturales, como se sabe, no coinciden siempre con los políticos.

Por otro lado, la emigración, tan decisiva en la modernización y en las culturas de los países caribeños en el siglo XX, exacerbó los debates en torno a la identidad. Mucho antes de que el paradigma de la «diáspora» se trasladara al centro de la teoría cultural, los desplazamientos a los Estados Unidos habían marcado todos los aspectos de la vida puertorriqueña, creando un «adentro» y un «afuera» que variaba según el lugar desde donde se tomara la palabra. Ya el proceso se había iniciado en el siglo XIX, pero en el siglo XX cobró una magnitud

---

[70] Citado por Miriam Muñiz Varela en su iluminador ensayo «Más allá de *Puerto Rico 936, Puerto Rico USA y Puerto Rico Inc:* notas para una crítica al discurso del desarrollo», *Bordes*, 1, 1995, págs. 41-53.

[71] Cito de su libro *La no simultaneidad de lo simultáneo: postmodernidad, globalización y culturas en América Latina,* Bogotá, Editorial Universidad Nacional, 1995, pág. 199.

extraordinaria. Entre 1940 y 1970, de una población de alrededor de tres millones de personas radicadas en la isla, cerca de un millón emigró a los Estados Unidos. La mayoría se estableció entonces en Nueva York, que desde principios del siglo se fue convirtiendo para los puertorriqueños, a pesar de la dureza discriminatoria, en la ciudad moderna por excelencia. Se comprueba en libros fundamentales, como las *Memorias* de Bernardo Vega (1977) o *A Puerto Rican in New York and Other Sketches* de Jesús Colón (1961), y en el papel que ha desempeñado esa ciudad en el desarrollo de la política, la música, la literatura, la danza y las artes plásticas en la propia isla. A principios del siglo XXI se estima que hay más de tres millones de puertorriqueños en comunidades que incluyen ciudades como Chicago, Filadelfia, Newark, Hartford, Boston y muchas otras, mientras que hay cerca de cuatro millones en la isla[72]. El ensayista puertorriqueño Juan Duchesne-Winter plantea, a la luz de la extensión y la magnitud demográficas, algunas preguntas fundamentales: «¿Cuál es el exterior del territorio, cuál su interior? ¿Existe un "afuera" nacional cuando en cualquier momento dado casi todos están afuera?»[73].

Una de las consecuencias de la emigración fue la activación de la capacidad para generar nuevas relaciones entre la alta cultura y la cultura popular en una sociedad en la que hasta entonces predominaban tradiciones muy locales e identidades barriales. Los desplazamientos también fueron dejando huellas muy claras en las ciudades norteamericanas en las que se establecieron barrios puertorriqueños. Otra consecuencia fue el poderoso papel que —al igual que ha ocurrido en otros exilios— ha tenido la nostalgia de los emigrantes en la cons-

---

[72] Para una visión general y bien documentada de esos desplazamientos, véase el volumen *«Adiós Borinquen querida»: la diáspora puertorriqueña, su historia y sus aportaciones*, Albany, Nueva York, Center for Latino, Latin American, and Caribbean Studies, 2000, preparado por Edna Acosta Belén, Margarita Benítez, José E. Cruz, y otros. Hay una producción cuantitativa y cualitativamente importante sobre el tema, sobre todo en inglés. He incluido algunas de las publicaciones más recientes en la bibliografía de esta edición.

[73] Cito de su penetrante ensayo «El mundo sera Tlön: ciudadanía literaria caribeña y globalización, Édouard Glissant y Luis Rafael Sánchez», *Nómada*, Puerto Rico, 4, mayo de 1999, pág. 44.

trucción de identidades populares y en la resemantización del territorio de origen. El propio Sánchez le dio nombre a esa larga experiencia, empleando la palabra puertorriqueña y cubana para referirse al autobús, *La guagua aérea* (1983). Es una ficción clave para la reflexión sobre las relaciones entre identidad nacional y «territorio», y sobre la transformación de los valores culturales que tiene lugar en el pasaje entre la metrópoli y la colonia: «una nación flotante entre dos puertos de contrabandear esperanzas»[74].

El contexto político

¿Cómo construir un contexto que permita pensar el mundo en que se formó el escritor y las posiciones que tácita o explícitamente asume en sus textos? En una necesaria simplificación, el marco político puertorriqueño podría condensarse en torno a unas cuantas fechas. En 1898, al final de la guerra hispano-cubano-norteamericana, Puerto Rico pasó a ser territorio de los Estados Unidos. Muy pronto se convirtió en una moderna y explotada colonia azucarera, un país fundamentalmente agrícola, cuyo gobernador, hasta 1948, era designado por el Presidente de los Estados Unidos. Los debates en torno a la ciudadanía, la propiedad de la tierra, los derechos de los trabajadores y las relaciones con el gobierno metropolitano definirían la vida política en la isla. En 1917, a los puertorriqueños se les otorgó la ciudadanía norteamericana, lo cual facilitó la circulación en los Estados Unidos y tuvo toda clase de consecuencias jurídicas, militares y políticas que perduran en el presente[75]. En 1940, triunfó en la isla el Partido Popular Democrático, heredero de la tradición autonomista y dirigido por Luis Muñoz Marín. Dicho partido representó un

---

[74] Incluido en el libro al cual también le da título *La guagua aérea*, San Juan, Puerto Rico, Editorial Cultural, 1994.

[75] Efrén Rivera Ramos somete a un riguroso examen la laberíntica historia, el discurso y los dispositivos jurídicos de la ciudadanía en el marco colonial en su excelente trabajo *The Legal Construction of American Colonialism, Revista Jurídica de la Universidad de Puerto Rico*, 6, 2, 1996, págs. 225-328.

amplio espectro de grupos sociales que gobernó hasta 1968, refrendado por sucesivos éxitos electorales.

De 1940 a 1968 el pequeño país se modernizó a un ritmo acelerado, enfrentándose con energía a lo que se consideraba la caducidad del orden rural tradicional. Esos años, determinados en gran medida por la Segunda Guerra Mundial y luego por la Guerra Fría, representan en Puerto Rico el apogeo del populismo desarrollista, del crecimiento urbano, de las grandes migraciones de campesinos a las ciudades, sobre todo a San Juan, y a Nueva York o Chicago. Son también años de una vigorosa oposición independentista: el Partido Independentista Puertorriqueño se fundó en 1946 y aglutinó sectores importantes contrarios al nuevo proyecto colonial. En 1952, en pleno macartismo, y después de la insurrección nacionalista que en 1950 sacudió al país, se creó el Estado Libre Asociado de Puerto Rico. Se representó como un nuevo «pacto», legitimado por una Asamblea Constituyente puertorriqueña y por el Congreso de los Estados Unidos. Era la «solución» a la situación colonial, una «solución» ligada a la política maniquea de la Guerra Fría y al equilibrio militar entre la ex Unión Soviética y los Estados Unidos[76].

La relación colonial continuó apenas cubierta por el nuevo marco constitucional. Los nacionalistas, seguidores de Pedro Albizu Campos (1891-1965), y los independentistas que optaron por la participación electoral, denunciaron vigorosamente el nuevo pacto. No debe minimizarse esa oposición: era minoritaria pero no marginal, y ha estado presente siempre bajo diversos partidos y con una variedad de posiciones políticas. En el campo intelectual ha sido una tradición fuerte. En ella se inscribieron los escritores y artistas más destacados del país y de las emigraciones: Bernardo Vega, Julia de Burgos, Nilita Vientós Gastón, César Andreu Iglesias, Margot Arce, René Marqués, Lorenzo Homar, José Antonio Torres Martinó y José Luis González, entre otros. Pero lo cierto es que

---

[76] Uno de los análisis más notables de ese periodo, atento al marco caribeño e internacional de la Guerra Fría, fue el libro de Gordon K. Lewis, cuya versión española puede leerse en *Puerto Rico: libertad y poder en el Caribe*, Río Piedras, Edil, 1970.

el gobierno de Luis Muñoz Marín, en una astuta operación política, logró neutralizar algunos de los reclamos centrales del independentismo mediante un discurso de «afirmación» de las tradiciones propias y la creación de una burocracia cultural «puertorriqueñista».

Triunfó el proyecto *autonomista* que postulaba el fortalecimiento de la cultura propia, pero sin Estado independiente. El poder imperial era enorme y el precio fue alto: el Estado imperial retenía su papel hegemónico y definía los límites en que podía moverse internacionalmente el gobierno puertorriqueño. La isla era, y es, un puesto militar fronterizo de los Estados Unidos. Además, los sucesivos gobernantes del Estado Libre Asociado han tenido que respaldar la política bélica de la metrópoli. Así ocurrió durante las guerras de Corea (1950-1953) y de Vietnam (1961-1975), que son los años de juventud y de iniciación literaria de Sánchez. Otro hecho tuvo consecuencias muy claras: en 1947 se creó en los Estados Unidos el Consejo de Seguridad Nacional y la Agencia Central de Inteligencia (CIA), dos poderosos instrumentos, que junto al FBI quedaron a cargo de la lucha contra los comunistas. Los independentistas y los socialistas puertorriqueños fueron perseguidos por las fuerzas macartistas y mantenidos cuidadosamente a distancia por los mecanismos represores del Estado Libre Asociado. En Nueva York, la persecución logró romper la continuidad de una cultura de alianzas políticas de izquierda que venía desde los años treinta y cuarenta, en las que desempeñó un papel destacado el congresista Vito Marcantonio[77], junto al líder independentista Jilberto Concepción de Gracia (1909-1968).

---

[77] Para el papel que tuvo Vito Marcantonio en la política puertorriqueña, hay información en las *Memorias* de Bernardo Vega, editadas por César Andreu Iglesias, Río Piedras, Huracán, 1977. En el libro *Vito Marcantonio y Puerto Rico*, Río Piedras, Huracán, 1978, Félix Ojeda Reyes fecha y sitúa una muestra de documentos que ilustran la participación de Marcantonio en las luchas independentistas. Sobre la represión macartista, véase de Ivonne Acosta, *La mordaza: Puerto Rico, 1948-1957*, Río Piedras, Edil, 1989. La biografía del intelectual comunista César Andreu Iglesias, quien fue detenido en varias ocasiones en los años cincuenta y sometido a un proceso judicial que se prolongó de 1954 a 1958, ha sido cuidadosamente documentada por Georg H. Fromm, *César Andreu Iglesias: aproximación a su vida y obra*, Río Piedras, Huracán, 1977.

Igualmente revelador es que la controversia en torno a la anexión como estado a los Estados Unidos, la independencia, o la continuación del Estado Libre Asociado, haya continuado obsesivamente. Incluso ha determinado la definición de los tres partidos políticos principales del país: el Partido Popular Democrático, autonomista y defensor del Estado Libre Asociado, el Partido Nuevo Progresista, anexionista, y el minoritario Partido Independentista Puertorriqueño. Si hay un rasgo constitutivo del horizonte político durante la segunda mitad del siglo XX, es esa agotadora disputa. Tal vez se podría leer el «tapón» que narra *La guaracha* como una alegoría de los desvaríos a que conducen las posturas inamovibles que durante décadas han monopolizado el espacio público.

El progreso, y no la construcción del Estado nacional, era la ideología rectora del poder entre 1940 y 1968. Se convirtió en una ortodoxia expresada en consignas muy difundidas sobre el «milagro» puertorriqueño y la «revolución pacífica» del país. Pero no era sólo un mito mediático, ni una mera imposición colonial. El gobierno puertorriqueño tuvo un papel decisivo en las iniciativas principales, tanto en los proyectos económicos como en los educativos. Durante esas tres décadas el cambio fue asombroso. Se constata en la transformación de la sociedad a través de la educación secundaria y universitaria, el desarrollo del sistema de salud pública, los proyectos de vivienda social, la pavimentación de las calles, la apertura de carreteras y la electrificación del país. En gran medida ese progreso dependía de la emigración masiva, cuyo fomento fue política pública central del Estado Libre Asociado.

Como era de esperar, el Estado puertorriqueño intervino también en la construcción de la identidad cultural del país. Las medidas económicas y políticas tomadas entre 1946 y 1968 intensificaron la anexión real de Puerto Rico al mundo norteamericano. Pero al mismo tiempo se fijaron con claridad las bases de una política del lenguaje que reconoció el español como la lengua principal de la enseñanza. El inglés sería la segunda lengua, salvo en los colegios privados donde por regla general la enseñanza se lleva a cabo en inglés. Por otra parte, los sectores profesionales, muchos de ellos formados en las universidades norteamericanas y afincados en el inglés como

lengua profesional, regresaban a la isla e ingresaban en la burocracia, la banca, los negocios y el sistema educativo. El bilingüismo de las élites puertorriqueñas es signo de *distinción*, en
el sentido que Pierre Bourdieu usa el término.

Otros cambios originados por las políticas estatales dejaron
una huella muy clara en el campo cultural en el que Sánchez
intervino. Se renovó considerablemente la Universidad del
Estado y el sistema público de educación. Se crearon otras
instituciones, como la División de Educación de la Comunidad (1948) y el Instituto de Cultura Puertorriqueña (1955)
que gozaron de un amplio apoyo estatal. El programa cultural contó, conviene subrayarlo, con la participación activa de des-
tacadas figuras del exilio español, entre los que se encontraban el
violonchelista Pablo Casals, los poetas Pedro Salinas y Juan
Ramón Jiménez, el escultor Francisco Vázquez, *Compostela*,
el grabador y escenógrafo Carlos Marichal, el filósofo Jorge
Enjuto y la escritora Aurora de Albornoz[78]. El joven Sánchez
se formó en contacto con algunas de esas figuras, estudió en
las escuelas públicas del país y en la Universidad, se inició como
dramaturgo en el teatro universitario y en los festivales de teatro del Instituto de Cultura, e hizo sus primeros y determi-
nantes viajes a Nueva York como alumno becado.

La modernización produjo, a la vez, la ciudad que sirve de
escenario en *La guaracha*, y un acceso más democrático a la
lectura. Es lo que se comprueba en algunas de las crónicas ur-
banas que le sucedieron, como la de Edgardo Rodríguez Juliá,
*Puertorriqueños: álbum de la Sagrada Familia puertorriqueña a par-
tir de 1898* (1988). A partir del nuevo proyecto de industriali-
zación iniciado a finales de los años cuarenta, las ciudades del
país crecieron de forma vertiginosa. La intensa expansión es-
pacial fue moldeada por el automóvil, el avión, la televisión y
la publicidad, bajo el imperio de las empresas que construían
las nuevas viviendas, y del nuevo turismo impulsado por el

---

[78] El gobierno del Estado Libre Asociado invitó a Casals a establecer su residencia en Puerto Rico en los años cincuenta, y patrocinó el famoso Festival
Casals que se menciona en *La guaracha*. Véase el libro de Annette Espada, *La
evolución del violonchelo en Puerto Rico: el legado de Pablo Casals*, San Juan, Publicaciones Puertorriqueñas, 1997.

Estado[79]. El contraste entre el San Juan de los años cuarenta y la fisonomía de la nueva ciudad mereció páginas muy iluminadoras en la autobiografía de José Luis González, *La luna no era de queso* (1988), y en el bello libro del artista Antonio Martorell, *La piel de la memoria* (1991). Ese mismo contraste preparó las condiciones de recepción de *La guaracha*.

Sin embargo, en los años sesenta y setenta, durante la escritura de *La guaracha*, había una conciencia creciente de que se cerraba un ciclo histórico[80]. El año 1968 marcó el fin de la hegemonía del Partido Popular Democrático y el triunfo electoral del Partido Nuevo Progresista, que postulaba la anexión de la isla como Estado de la Unión. Esa clausura abría, en otras zonas, la posibilidad de refundar política e intelectualmente el país. Para los puertorriqueños residentes en los Estados Unidos y en la isla, esos años representaron asimismo el encuentro con la lucha por los derechos civiles, y luego el movimiento del *Black Power*, y con la militante oposición que generó la guerra de Vietnam. Por otro lado, pesó mucho el desafío planteado por la Revolución Cubana en torno a la «cuestión nacional». Y, desde otros lugares, las renovadoras corrientes en el interior de la Iglesia católica y los movimientos ecuménicos. Se trataba de nuevas perspectivas, no de consenso. La Revolución Cubana, por ejemplo, cuyo discurso latinoamericanista fue tan influyente en los años sesenta, tuvo un respaldo muy significativo entre los nuevos sectores independentistas puertorriqueños. Pero era ya muy discutida a principios de los

---

[79] Uno de los ensayos más interesantes y críticos sobre esa nueva ciudad, su arquitectura y las consecuencias del automóvil, es el de Fernando Abruña, «San Juan, ciudad mirada», *Nómada*, Puerto Rico, 1, 1995, págs. 38-50. Escribe Abruña: «En nuestra isla, precisamente por la ausencia de estos sistemas colectivos, el automóvil se ha convertido en un miembro adicional de la familia. Duerme con muchos puertorriqueños en su casa; de hecho tiene una prioritaria ubicación en lugar donde vivimos» (pág. 47). También hay ensayos muy valiosos en el libro editado por Enrique Vivoni, *San Juan siempre nuevo: arquitectura y modernización en el siglo XX, op. cit.*

[80] Sánchez trabajó intensamente en *La guaracha* a partir de 1968. Una primera versión apareció como «cuento» en *Amaru*, la revista peruana, en 1969. Otros fragmentos se publicaron en los setenta en las revistas puertorriqueñas *Zona de Carga y Descarga* y *Avance*. Los años de escritura van, pues, de 1968 a 1975.

setenta por su alianza con el bloque soviético, la persecución de los homosexuales y por la política autoritaria definida en torno al llamado caso Heberto Padilla hacia 1971.

En ese contexto, afloraron nuevos dilemas que marcaron la visión y las prácticas de todo el campo intelectual y artístico. Tal vez lo que más profundamente haya marcado a toda una generación durante los años en que Sánchez va escribiendo su novela, haya sido la participación de los puertorriqueños en Vietnam, como resultado del servicio militar obligatorio y de la remilitarización de la isla por las fuerzas armadas de los Estados Unidos. Hay alusiones muy concretas a todo ello en *La guaracha*. La China Hereje recuerda a su hermano Regino, «que yo le puse el Coreano porque fue en Corea que se lo llevó quien lo trajo» (pág. 172). Ella también tiene un amigo, «un veterano vietnamero de tripas ametralladas, Pijuán Gómez» (pág. 112) Por su parte, El Senador Vicente Reinosa «presentó la resolución legislativa mediante la cual se endosaba la presencia mesiánica de las tropas norteamericanas en Vietnam» (pág. 121).

Entre los puertorriqueños surgió en esa época una nueva y heterogénea militancia política, impensable unos años antes y con múltiples vínculos afro, latino y norteamericanos. Fue estimulada no sólo por la lucha contra la guerra de Vietnam, sino también por la poderosa utopía cubana, por los comienzos del movimiento feminista y gay en los Estados Unidos, y por los nuevos movimientos cristianos. En la isla asumió predominantemente la forma de un movimiento estudiantil, de nuevas agrupaciones socialistas y sindicalistas y de redefiniciones del compromiso evangélico[81].

También se manifestó vigorosamente en nuevas estéticas y debates, como lo fue la reivindicación de la belleza afroamericana del *Black is Beautiful*. El Partido de los Young Lords, muy influido por los *Black Panthers*, se fundó en 1969, con sedes en Nueva York, Chicago y Filadelfia. El Museo del Barrio

---

[81] Para una visión concisa y aguda, véase el libro de Luis Rivera Pagán, *Diálogos y polifonías: perspectivas y reseñas*, San Juan, Seminario Evangélico de Puerto Rico, 1999, en especial el último ensayo, titulado «Senderos del pensamiento protestante, desafíos y reflexiones», págs. 265-292.

en Manhattan se fundó en 1969. En la isla una nueva generación empieza a hablar desde otros lugares, nuevas revistas como *La Escalera* (1966-1973), o los suplementos del semanario socialista *Claridad*. Había un fuerte impulso utópico: la nueva cultura se constituía como archivo, historia, poesía, narrativa, teatro, pintura y música, desde la *salsa* hasta la *nueva canción*. *La gran fuga* y *Asalto navideño*, grabaciones de Willie Colón y Héctor Lavoe bajo el sello de Fania, se imponían desde 1971. También hay que destacar, como señala Quintero Rivera, que es muy frecuente encontrar a los músicos salseros trabajando junto a cubanos, colombianos, venezolanos, panameños[82]. Antonio Cabán Vale El Topo, dio a conocer su disco *En las manos del campo* en 1975. Las voces de la puertorriqueña Lucecita Benítez, del cubano Silvio Rodríguez o de la chilena Violeta Parra establecían un canon nuevo. Ismael Rivera cantaba *Las caras lindas de mi gente negra*, de Tite Curet Alonso, en una grabación de 1978.

En los años 70, y como parte de esas tomas de posición política y cultural, se fundó el Centro de Estudios Puertorriqueños de Nueva York, y en Puerto Rico, el Centro de Estudios de la Realidad Puertorriqueña (CEREP). Predominó el deseo de recuperar la historia y las identidades que habían sido expulsadas del discurso oficial o silenciadas por el racismo. El joven poeta Pedro Pietri publicó en 1973 su primer y extraordinario libro, *Puerto Rican Obituary*. En 1975 se publicó la importante antología *Nuyorican Poetry*, de Miguel Algarín y Miguel Piñero, consolidando el término para referirse a una nueva literatura puertorriqueña. El narrador Manuel Ramos Otero publicó su libro *Concierto de metal para un recuerdo y otras orgías de soledad* en 1971. En 1976, Rosario Ferré publica en México su libro *Papeles de Pandora*. Ese mismo año dio comienzo a la serie de publicaciones de la editorial Huracán.

---

[82] En *Salsa, sabor y control*, pág. 98. Es preciso ver asimismo los excelentes trabajos de Juan Flores, quien de varias maneras ha planteado, como una especificidad de las comunidades puertorriqueñas, la íntima convivencia con el mundo afroamericano, sobre todo en Nueva York. Véase su libro *From Bomba to Hip-Hop: Puerto Rican Culture and Latino Identity*, Nueva York, Columbia University Press, 2000.

Las revistas *Guajana* y *Zona de Carga y Descarga* representaron poéticas en pugna en un ambiente de intensa discusión.
Surgieron nuevos grupos de teatro como *Anamú* y *El Tajo del
Alacrán*. Gilda Navarra y su Taller de Histriones (1971-1980)
buscaban un nuevo lenguaje teatral y de la danza. El Taller
Alacrán (1968-1972), fundado por Antonio Martorell, acogió
a una nueva generación de artistas gráficos. Los café-teatro,
como La Tea, en el viejo San Juan, daban a conocer la nueva
canción y los nuevos grupos teatrales. Vanessa Droz y Edgardo Rodríguez Juliá dieron a conocer sus primeros textos.

Todo se fue polarizando. En *La guaracha* se alude a la fuerza que alcanzaron las nuevas organizaciones sindicales y a las
explosiones huelguistas de comienzos de los 70. En algunos
casos, se llegó a enfrentamientos violentos, como ocurrió en
la Universidad estatal, y en Nueva York, New Jersey o Chicago entre puertorriqueños y las fuerzas represivas[83]. La bomba
que interrumpe el programa radiofónico en *La guaracha* alude
concretamente a esos disturbios: «Interrupción del hit parade
de la primera emisora de la radio antillana para lanzar a la histeria y a la historia un extra bien extra: bomba en la Universidad» (pág. 233).

El campo intelectual puertorriqueño de los años 60 y 70
está todavía a la espera de un marco adecuado. Ninguno de
los términos clave —nacionalismo, populismo, marxismo—
es unívoco. Lo cierto es que en el mismo año en que se publica *La guaracha*, había ya claros signos de que el nuevo proyecto político y económico puertorriqueño iba por un camino
distinto[84]. Ello coincidió con otras duras realidades. En *La
guaracha* se hace referencia al golpe militar que derrocó el gobierno de la Unidad Popular en Chile en 1973. La novela em-

---

[83] Véase el libro de Gordon K. Lewis, *Notes on the Puerto Rican Revolution*,
Nueva York, Monthly Review Press, 1974. Escrito con una perspectiva crítica
de izquierda, capta el clima beligerante de esos años. Para el movimiento en
los Estados Unidos, es excepcionalmente valioso el volumen editado por Andrés Torres y José E. Velázquez (eds), *The Puerto Rican Movement: Voices from
the Diaspora*, Filadelfia, Temple University Press, 1998.

[84] Véase el ensayo de Muñiz Varela, «Más allá de *Puerto Rico 936, Puerto
Rico USA y Puerto Rico Inc*», *op. cit.*, y su examen del nuevo orden económico
de los años ochenta.

Luis Rafael Sánchez en Madrid, diciembre de 1967, recién terminada su pieza dramática *La pasión según Antígona Pérez*. Foto de A. D. Coppola, quien entonces tenía su estudio en Esparteros 8, en Madrid.

pezó a circular poco después del golpe de marzo de 1976 que instauró la dictadura militar en Argentina, cuando aún en Puerto Rico no se conocía la magnitud de la represión que afectaría directa y trágicamente a tantos argentinos, entre los que figuraban escritores y colaboradores de editoriales argentinas. En una lectura que tenga en cuenta el contexto, es imposible disociar la escritura y la visión de *La guaracha* del clima de las guerras de «liberación» y de las utopías políticas, de la fiesta y de la tragedia.

EL AUTOR

Los comienzos

La guaracha le proporcionó a Sánchez un reconocimiento más amplio que cualquiera de sus piezas dramáticas anteriores, y en gran medida definió su imagen de escritor. Pero Sánchez llega a la novela después de un intenso itinerario intelectual y literario. Como Valle-Inclán, Sartre, James Baldwin o Emilio S. Belaval, escritores muy admirados por él, Sánchez es narrador y autor dramático. Es ese sentido dual de su vocación lo que le da forma a su escritura. Antes de *La guaracha* ya era reconocido como dramaturgo, el autor de *La farsa del amor compradito* (1960) y, sobre todo, de *La pasión según Antígona Pérez* (1968), entre otras obras. En 1966 publicó un volumen de cuentos con el título *En cuerpo de camisa*. Después de *La guaracha*, regresó al teatro y estrenó *Quíntuples*, que el autor ha llamado «vodevil para máscaras». Y volvió a la tradición popular de la música, al bolero, con su «fabulación» *La importancia de llamarse Daniel Santos* (1988).

En un texto clave para conocer su trayectoria, «Strip-Tease en East Lansing», Sánchez asume la necesidad de pensar su propia genealogía, y nos sirve aquí de referencia principal[85]. En 1956 comenzó sus estudios en la Universidad de Puerto Rico, en el Departamento de Teatro y en la Facultad de Humanidades. Pero desde antes había participado en el Teatro Universitario,

---

[85] Incluido en el libro *No llores por nosotros Puerto Rico*, págs. 127-144.

gracias al interés que se tomó en él la directora, Victoria Espinosa. Fue actor en el Teatro Rodante y en la Universidad. Allí, siendo estudiante, estrenó en 1959 su primera obra dramática *La espera*. Participó como actor en una diversidad de obras: en una adaptación de *La Celestina*, de Fernando de Rojas; en los *Títeres de Cachiporra* y en *La zapatera prodigiosa*, de Federico García Lorca; en *Los justos*, de Albert Camus, entre otras. Cuenta que, gracias al maestro Robert Lewis, descubrió el teatro de Pirandello y de Brecht. Mientras escribe —y logra estrenar— otras obras, sigue produciendo cuentos.

Sánchez nació en 1936, en Humacao, un pueblo del interior de la isla, en el seno de una familia muy modesta. Hacia 1949, pasó a vivir con sus tíos en San Juan, en la ciudad antigua, y asistió a las escuelas públicas. Su traslado a San Juan operó como catalizador de una vocación que lo ha llevado a practicar todos los ángulos posibles del mundo teatral. La ciudad fue otro aprendizaje durante su adolescencia, una ciudad «poblada por aquel entonces por un artesanado pobre y sitiada por las ratas y las boconerías de los *marines* norteamericanos durante sus orgías putañeras de fin de semana»[86]. En el Teatro Tapia conoció las compañías españolas de drama y comedia, un «teatro de trino operístico y mutis declamatorio, rampante y melodramático»[87]. Era una ciudad muy viva, anterior a «la escenografía para zarzuela a que la tradujeron la restauración y la banca hipotecaria»[88]. Esa pequeña ciudad bulliciosa, de cines, teatro y prostíbulos, servirá de inspiración a sus piezas dramáticas *Los ángeles se han fatigado* y *La hiel nuestra de cada día*, que se estrenarían en los festivales de teatro auspiciados por el Instituto de Cultura Puertorriqueña[89]. Y en torno al Teatro Tapia inició contactos, amistades y una estrecha colaboración con grupos de danza, otra de sus pasiones, y concretamente con los Ballets de San Juan, que conti-

---

[86] *Ibíd.*, pág. 135.

[87] *Ibíd.*, pág. 131.

[88] *Ibíd.*

[89] Hay numerosos trabajos sobre el teatro de Sánchez, que no estudio aquí. Puede consultarse, entre otros, el libro de Gloria F. Waldman, *Luis Rafael Sánchez: pasión teatral*, ya citado; contiene una amplia bibliografía.

nuó en los años setenta, sobre todo con la gran coreógrafa Gilda Navarra y el Taller de Histriones[90].

Paralelamente, Sánchez ha hecho una carrera docente. Ocupó un puesto como profesor de literatura hispanoamericana en el Departamento de Estudios Hispánicos de la Universidad estatal, en el recinto de Río Piedras. A finales de los años sesenta, se trasladó a Madrid e inició sus estudios doctorales en la Universidad Complutense. En 1976 se doctoró con su tesis sobre el escritor Emilio S. Belaval y continuó su tarea docente en Río Piedras. En 1991, la Universidad de la Ciudad de Nueva York lo invitó a ocupar la Cátedra de Profesor Distinguido. Su vida intelectual ha estado vinculada, pues, a la actividad teatral, a revistas puertorriqueñas como *Asomante-Sin Nombre* (1945-1985), en las que publicó cuentos y ensayos, y a la institución universitaria.

La ciudad de Nueva York ha sido central en su vida. Después de sus estudios en la Universidad de Puerto Rico en Río Piedras, visitó la ciudad y vivió en ella. Mientras estudiaba literatura en la New York University en 1962, asistió a los talleres de dramaturgia del Actors Studio. Esto ocurría justo cuando empezaba el movimiento de los derechos civiles y las enérgicas reivindicaciones afroamericanas. Fue pues una experiencia teatral y política que marcó su visión. Conoció al escritor James Baldwin, cuya obra narativa y sus brillantes ensayos, como *The Fire Next Time*, lo deslumbraron. En una entrevista inédita, Sánchez cuenta su creciente interés por la literatura norteamericana, por el teatro y la narrativa, y sobre todo por Baldwin: «El Baldwin de *Giovanni's Room* es uno de los exámenes más francos de las relaciones homosexuales producido por la literatura norteamericana, sin regodeos improcedentes, concentrando en lo que importa: la conflictividad de cualquier encuentro afectivo»[91].

---

[90] Véase, por ejemplo, su texto «La inolvidable orgía del silencio» [Sobre el Taller de Histriones], Gilda Navarra (ed.), *Polimnia: Taller de Histriones, 1971-1980*, Barcelona, Romargraph, 1988, págs. 11-13.

[91] Cito aquí de una larga entrevista que hice en 1979, de la que sólo se publicó un fragmento en 1981 con el título «El oficio y la memoria». El manuscrito completo se encuentra en la Universidad de Princeton, *Arcadio Díaz Quiñones Papers*, Rare Books, Special Collections, Firestone Library, Princeton

Hay otros lugares de la memoria. En los comienzos literarios de Sánchez está el gusto por las radionovelas y el cine, ya durante su infancia en Humacao, su pueblo natal. En el texto titulado «Apuntación mínima de lo soez» (1981), fundamental desde el punto de vista autobiográfico, Sánchez elabora retrospectivamente las bases de una poética narrativa[92]. Ahí se ve claramente cuán imprescindibles fueron las novelas radiofónicas y el cine en la determinación de su poética. Los *beginnings* del escritor hay que buscarlos en la escena que configura años después, en la que tiene un lugar central la programación radiofónica. Puede parecer paradójico, pero, al igual que para muchos otros puertorriqueños, en sus comienzos eran escasos los libros. La *literatura* estaba casi ausente, pero no la ficción. Merece la pena citar algunos pasajes de este importante texto, tan pertinente para la lectura de *La guaracha*:

> Entonces, yo sólo sabía que, a las cinco de la tarde, de lunes a viernes, comenzaban los deslumbramientos. Y los primeros deslumbramientos los producía una cajita complicada por tubos y botones de la marca Philips. Mi deslumbramiento, mi embobamiento mejor, en aquella sala apretada de caserío público comenzaba con un grito. —Mira, allá en el cielo, es un pájaro, es un avión. No, es Supermán. Y Supermán, pleno de poderes kriptonitas prohijaba a los justos y a los indefensos. [...] allí Supermán era Supermán y reinaba en los espacios como Tarzán reinaba en la selva, Supermán auspiciado por la Malta Corona, Tarzán auspiciado por la bebida de chocolate fortaleciente Kresto [...][93].

Y luego el momento decisivo del día, la ficción de la radionovela, que marcó su pasión teatral, y quedó grabada en su memoria. Es algo parecido a la pregunta que el novelista Juan

---

University, C0014, Caja 2. [Contiene, además, cartas de Sánchez.] En esta conversación, que se llevó a cabo a lo largo de varias semanas, el autor habla de sus años formativos, del teatro puertorriqueño, de René Marqués, de Valle-Inclán y otros escritores, y de su experiencia en Nueva York.

[92] Se publicó en *Literature and Popular Culture in the Hispanic World*, ed. de Rose S. Minc, Maryland, Hispamérica y Montclair State College, 1981, págs. 9-14.

[93] *Ibíd.*, pág. 9.

José Saer recuerda haber oído tantas veces a sus hermanas: «Mamá, ¿ya es la hora de la novela?»[94]. Y la *novela* por excelencia era ese sentimiento y acontecimiento que llegaba por el aire. Sánchez lo cuenta de la siguiente manera:

> Pero, como eran las seis de la tarde y a las seis de la tarde todos nos juntábamos a comer, pues también todos nos juntábamos a naufragar en el mar de las emociones que producía la compañía Colgate Palmolive. Durante ese rato impreciso en que aún no era la noche pero que ya no era el día, hora del lobo dicen [...] Palmolive, el famoso jabón embellecedor que en sólo catorce días le deja el cutis más bonito y seductor, presentaba la novela Palmolive a la que le sobraba, puntualmente, variedad y sorpresa. Irritada nuestra moral de familia unida, oímos las urdimbres malignas de una hermana contra otra en la novela Palmolive titulada *Peor que las víboras*[95].

Hay un segundo comienzo. Ya en San Juan, el joven Sánchez tuvo la oportunidad de trabajar él mismo en las radionovelas, sobre todo en la WNEL en Santurce, en la Parada 15. Es su gran iniciación con los problemas de la trama, los personajes, el uso de la voz y el texto leído. Su primer trabajo fue en *Los Hijos de la Casa Cuna,* mientras estudiaba en la Escuela Baldorioty de Castro. Después obtuvo un papel en *También son nuestros hermanos,* y ya continuó, hasta que en los años cincuenta no pudo entrar en la televisión por los prejuicios raciales del país. Allí también conoció a algunos de los que serían sus amigos entrañables, la actriz Madeline Willemsem, por ejemplo, y a todo un cuadro de actores, algunos de los cuales se mencionan en *La guaracha.* En 1979, Sánchez rememora su trabajo en la radio: «Afectó toda mi vida. Tuve que cambiar de escuela a la Barbosa que tenía un plan para estudiantes que trabajaban y estudiaban[...] Mi ida a WNEL decidió lo que ha sido mi vida hasta ahora»[96].

---

[94] En el ensayo «Narrathon», de su libro *El concepto de ficción,* ya citado, páginas 145-158.

[95] *Ibíd.,* pág. 10. El autor agrega una extensa sección sobre sus primeras experiencias en el cine del pueblo, y las expresiones obscenas de los espectadores.

[96] Cito de nuevo del manuscrito íntegro de *El oficio y la memoria,* de la Universidad de Princeton.

Fue tan importante esa experiencia iniciática, que cuando el autor retrospectivamente definió su formación, comentaba: «Fue fundamental el ejercicio imaginativo de inventar un personaje a través del instrumento de la voz, sin contar con la imagen.» Resultó igualmente decisiva para su poética narrativa: «Tal vez en mi literatura la palabra tiene una importancia capital por esa permanente deuda en mi memoria y mi formación con la palabra leída en un libreto radial»[97]. En esa oralidad, tanto como en los libros que leyó después, en los viajes a Nueva York, en las *guarachas* y la *salsa*, en la vida de la moderna colonia, está el complejo origen de *La guaracha* de Luis Rafael Sánchez. Es otra de las muchas ambigüedades de la literatura. *La guaracha*, una sátira tan agresiva, tal vez pueda leerse también como un tributo a aquel modesto comedor familiar de Humacao, y a las primeras experiencias del autor como actor radiofónico, es decir, a su doble iniciación en la ficción. Su novela es un viaje irónico por el universo lingüístico, histórico y social de Puerto Rico. Pero para el autor, como para el personaje de la China Hereje, los rumores y las voces de la historia familiar y provinciana de Humacao constituyen el centro de relato que estructura su vida. *La guaracha* es, de forma más secreta, un homenaje al mundo que formó al autor y que estaba destinado a desaparecer, a las voces y a los fantasmas que lo han acompañado en el trabajo de escritura, y sin los cuales no es posible el pensamiento o la literatura.

[97] *Ibíd.*

Esta edición

La primera edición de *La guaracha del Macho Camacho,* publicada en Buenos Aires en 1976 por Ediciones de la Flor, es la base de esta edición. Sólo se han corregido mínimas y evidentes erratas. Se respeta la disposición gráfica de la primera, los espacios en blanco, el uso de mayúsculas al comienzo de los párrafos, así como las cursivas que se emplearon en algunas frases y referencias. La acentuación usada por el autor, que en algunos casos responde a usos específicamente puertorriqueños, se ha mantenido. He prestado especial atención, además, a preservar la puntuación de Sánchez, cuyo uso de las comas, del punto y coma y de los dos puntos se apartan deliberadamente del uso convencional.

La portada de esta edición reproduce un cartel serigráfico del artista puertorriqueño José Rosa, inspirado en dichos y frases de *La guaracha,* que aparecen casi como un jeroglífico y como fondo para las figuras danzantes enmascaradas. El cartel, realizado con motivo de la exposición de la obra del artista en la Universidad de Puerto Rico, Río Piedras, en 1977, podría verse como una interpretación de la novela. Se han incluido otros documentos fotográficos: fotos del autor, una foto de la portada de la primera edición y otra de la traducción al inglés. Ambas forman parte de la iconografía que ya se asocia con la novela. He incluido una muestra de las *Barajas Alacrán* del artista Antonio Martorell, una obra gráfica de 1968, muy afín a la poética narrativa de Sánchez.

La guaracha ha gozado de una acogida entusiasta entre lectores que no necesitaron de notas explicativas a pie de página. Pero lo cierto es que la novela es un texto complejo, por las muchas expresiones que incorpora del habla puertorriqueña, y por las múltiples referencias a figuras históricas, al cine y a otras obras literarias. Todo ello merece que algún día se prepare un volumen aparte que contenga aclaraciones, mapas y fotos, como los espléndidos que se han publicado en la tradición inglesa en torno a Joyce y otros escritores. El propósito de esta edición es, sin embargo, más modesto. Se trata de ofrecer las notas léxicas, literarias y culturales que resulten útiles para nuevas lecturas de la novela y de sus contextos.

Algunos criterios me sirvieron de orientación y de límite. En primer lugar, se ha anotado de forma muy concisa un número considerable de expresiones del habla puertorriqueña que no se encuentran fácilmente en los diccionarios, o que se han definido incorrectamente. Algunas son «malas» palabras que no figuran en los diccionarios especializados; otras son anglicismos, o palabras pertenecientes al vocabulario concreto de la música, la comida o la vida política. En segundo lugar, el lector encontrará algunos datos sobre los lugares de la ciudad de San Juan y de Puerto Rico que figuran en el texto. Por último, y hasta donde ha sido posible, se ofrece información que permite identificar las citas explícitas u ocultas de obras literarias, y las alusiones a canciones, al cine, o a figuras literarias, históricas y políticas. Deliberadamente se han dejado fuera otras referencias, bien porque se van aclarando en el curso de la lectura misma, o porque el lector no tendrá mayor dificultad en encontrar información sobre ellas.

En ningún caso se ha pretendido dar en las notas al texto un comentario interpretativo. Para ello remito a la copiosa e importante bibliografía, y al ensayo introductorio. No obstante, se ofrece al lector interesado una lista de diccionarios, estudios históricos, compilaciones sobre la música popular y los compositores y trabajos sobre la ciudad que han sido de gran ayuda. La bibliografía que he consultado para las anotaciones aparece a continuación, y el lector podrá identificar las fuentes por las siglas que se indican. En los casos en que he obtenido información de esos trabajos, lo hago constar al final de la nota. Entre los citados, debo hacer mención de algunos que considero indispensables. Me refiero a los admirables estudios de Manuel Álvarez Nazario sobre el habla puertorriqueña, y al pionero y esmerado aporte de María Vaquero de Ramírez sobre el vocabulario que se emplea en la novela. Fueron particularmente útiles también los maravillosos trabajos de Fernando Ortiz, y el *Diccionario Enciclopédico de las Letras de América Latina* (DELAL), de la Biblioteca Ayacucho. Los estudios de Juan Flores, Frances R. Aparicio y Ángel Quintero Rivera sobre las relaciones entre música popular y cultura puertorriqueñas son fundamentales. En la bibliografía general incluí una selección de libros, ensayos y artículos sobre la cultura puertorriqueña que he consultado para esta edición, algunos publicados en editoriales y revistas de limitada circulación, que son de gran utilidad para contextualizar una historia compleja y todavía mal conocida.

No es posible anotar un texto como *La guaracha* sin mucha consulta y colaboración. Aquí debo agradecer la buena disposición del propio autor, Luis Rafael Sánchez, quien respondió generosamente a mis preguntas. Vaya también mi agradecimiento a Antonio Martorell, Ángel Quintero Rivera, Gervasio L. García, María Shepard, Alfonso Díaz y a Enrique Trigo Tió. Todos ellos aportaron datos y fuentes para precisar las referencias y alusiones, y actuaron muchas veces como informantes en materia de vocabulario. Paul Firbas leyó atentamente las notas, e hizo sugerencias valiosas. Me beneficié mucho de las observaciones críticas que el escritor Ricardo Piglia hizo a un primer borrador del ensayo introductorio. Quiero hacer constar, por último, mi deuda de gratitud con Alicia Díaz, con quien releí varias veces la novela y de quien aprendí mucho sobre las expectativas y la mirada que tiene una nueva generación de lectores. Con todos confirmé que *La guaracha* es un clásico muy vivo, es decir un texto que uno nunca termina de leer.

Abreviaturas empleadas en las notas

AM	Malaret, Augusto, *Vocabulario de Puerto Rico*, Nueva York, Las Americas Publishing Co., 1955.
CA	Altieri de Barreto, Carmen, *El léxico de la delincuencia en Puerto Rico*, San Juan, Editorial de la Universidad de Puerto Rico, 1973.
CC	Pumarada O'Neill, Luis y María de los Angeles Castro Arroyo, *La Carretera Central: un viaje escénico a la historia de Puerto Rico*, San Juan, Puerto Rico, Oficina Estatal de Preservación Histórica de Puerto Rico, 1997.
DELAL	*Diccionario Enciclopédico de las Letras de América Latina*, 3 tomos, Caracas, Biblioteca Ayacucho/ Monte Ávila Editores, 1995.
ERJ	Rodríguez Juliá, Edgardo, *Puertorriqueños: Álbum de la Sagrada Familia puertorriqueña a partir de 1898*, Madrid, Editorial Playor, 1988.
FO	Ortiz, Fernando, *Glosario de afronegrismos*, La Habana, Imprenta El Siglo XX, 1924.
FOnuevo	Ortiz, Fernando, *Nuevo catauro de cubanismos*, La Habana, Editorial de Ciencias Sociales, 1974.
FOrazas	Ortiz, Fernando, *El engaño de las razas*, La Habana, Editorial de Ciencias Sociales, 1975
GRAN	*La Gran Enciclopedia de Puerto Rico*, t. 7, Música, Editor, Vicente Báez, Madrid, 1976.
GVM	Gabriel Vicente Maura, *Diccionario de voces coloquiales de Puerto Rico*, San Juan, Puerto Rico, Editorial Zemí, 1984.
HO	Ororio, Helio, *Diccionario de la música cubana*, 2.ª ed., La Habana, Editorial Letras Cubanas, 1992.
JLG	González, José Luis, «Glosario», en *La vida: una familia puertorriqueña en la cultura de la pobreza: San Juan y Nueva York*, de Oscar Lewis, México, Joaquín Mortiz, 1969, págs. 641-646.
JLGluna	González, José Luis, *La luna no era de queso: Memorias de infancia*, San Juan, Puerto Rico, Editorial Cultural, 1988.

JRS   Rico Salazar, Jaime, *Cien años de boleros,* 2.ª ed.,
           Bogotá, Colombia, Centro de Estudios Musi-
           cales de Latino América, 1988.
JS   Santiago, Javier, *Nueva Ola portoricensis,* San
           Juan, Puerto Rico, Editorial Del Patio, 1994.
JSB   Sánchez-Boudy, José, *Diccionario mayor de cuba-
           nismos,* Miami, Ediciones Universal, 1999.
Malavet   Malavet Vega, Pedro, *La vellonera está directa: Fe-
           lipe Rodríguez (La Voz) y los años 50,* Santo Do-
           mingo, República Dominicana, Editora Corri-
           pio, 1984.
MAN   Álvarez Nazario, Manuel, *El elemento afronegroi-
           de en el español de Puerto Rico,* San Juan, Puerto
           Rico, Instituto de Cultura Puertorriqueña, 1974.
MANhabla   Álvarez Nazario, Manuel, *El habla campesina del
           país,* Río Piedras, Editorial de la Universidad de
           Puerto Rico, 1990.
MV   Vaquero de Ramírez, María, «Interpretación de
           un código lingüístico: *La guaracha del Macho Ca-
           macho*», en *Luis Rafael Sánchez: crítica y bibliografía,*
           editado por Nélida Hernández Vargas y Daisy
           Caraballo Abréu, San Juan, Editorial de la Uni-
           versidad de Puerto Rico, 1985, págs. 101-154.
RICHARD   Richard, Renaud (coord.), *Diccionario de hispa-
           noamericanismos no recogidos por la Real Acade-
           mia,* 2.ª ed., Madrid, Ediciones Cátedra, 2000.
RR   Del Rosario, Rubén, *Vocabulario puertorriqueño,*
           Sharon, Connecticut., The Troutman Press, 1965.
TSI   Torrech San Inocencio, Rafael A., *Los barrios de
           Puerto Rico,* San Juan, Fundación Puertorrique-
           ña de las Humanidades, 1998.
SJSN   *San Juan siempre nuevo: arquitectura y moderniza-
           ción en el siglo XX,* San Juan, Archivo de Arqui-
           tectura y Construcción de la Universidad de
           Puerto Rico, 2000.

Bibliografía

Luis Rafael Sánchez

1. La guaracha del Macho Camacho

La guaracha del Macho Camacho, Buenos Aires, Ediciones de la Flor,
1976. [Entre 1976 y 1999 se publicaron diecinueve reimpresio-
nes de esta edición.]
La guaracha del Macho Camacho, Barcelona, Editorial Argos Vergara,
1982.
La guaracha del Macho Camacho, La Habana, Casa de las Américas, 1985.

2. Traducciones

Macho Camacho's Beat, trad. de Gregory Rabassa, Nueva York, Pan-
theon Books, 1980. [Se publicó en edición de bolsillo por Avon
Books, 1982.]
A guaracha do Macho Camacho, trad. de Eliane Zagury, Rio de Janei-
ro, Livraria Francisco Alves Editora, 1981.
La rengaine qui déchaîne Germaine, trad. de Dorita Nouhaud, París,
Gallimard, 1991.

3. Otros escritos y libros de Luis Rafael Sánchez (Selección)

Manuscritos y correspondencia: en *Arcadio Díaz Quiñones Papers*, Rare
Books, Special Collections, Firestone Library, Princeton University, C0014. [Contiene cartas de Sánchez y el manuscrito com-

pleto de *El oficio y la memoria,* extensa entrevista que se publicó sólo de forma fragmentaria en 1981.]

«La espera (juego del amor y del tiempo)», Acto I, *Artes y Letras,* San Juan, Puerto Rico, enero-febrero de 1960, 2.ª época, 37 y 38, páginas 15-20. Acto II, *Artes y Letras,* San Juan, Puerto Rico, marzo de 1960, 2.ª época, 39, págs. 11-17.

Los ángeles se han fatigado, San Juan, Puerto Rico, Ediciones Lugar, 1960. [Teatro.]

«Cine de nuestro tiempo: *La Dolce Vita*», *El Mundo,* San Juan, Puerto Rico, 14 de agosto de 1961, pág. 22.

«Un ensayo profético (Sobre James Baldwin)», *El Mundo,* San Juan, Puerto Rico, 1 de julio de 1963, pág. 36.

«Teatro de nuestro tiempo: *Esperando a Godot*», *El Mundo,* San Juan, Puerto Rico, 2 de diciembre de 1963, pág. 44.

[Sobre: Emilio S. Belaval], *Cuentos de la plaza fuerte,* Barcelona, Editorial Rumbos, 1963, *Asomante,* San Juan, Puerto Rico, XX, 3, 1964, págs. 104-106.

La pasión según Antígona Pérez, Hato Rey, Puerto Rico, Ediciones Lugar, 1968. [Teatro.]

«Donde mi pobre gente se morirá de nada (Escrito en puertorriqueño)», *Claridad,* San Juan, Puerto Rico, 20 de febrero de 1972, pág. 22.

Casi el alma (Auto de fe en tres actos), Río Piedras, Editorial Cultural, 1974.

«Novelita rosa sin anuncio de pasta dental», *Crisis,* Buenos Aires, III, 33, diciembre de 1975-enero de 1976, págs. 68-70.

Farsa del amor compradito. La hiel nuestra de cada día. Los ángeles se han fatigado, Río Piedras, Puerto Rico, Editorial Antillana, 1976. [Teatro.]

«Las divinas palabras de René Marqués», *Sin Nombre,* San Juan, Puerto Rico, X, 3, 1979, págs. 11-14.

Fabulación e ideología en la cuentística de Emilio S. Belaval, San Juan, Instituto de Cultura Puertorriqueña, 1979.

«Apuntación mínima de lo soez», *Literature and Popular Culture in the Hispanic World,* ed. de Rose S. Minc, Maryland, Hispamérica y Montclair State College, 1981, págs. 9-14.

En cuerpo de camisa, 4.ª ed. ampliada, prólogo de Mariano Feliciano Fabre, Río Piedras, Puerto Rico, Editorial Cultural, 1984. [Cuentos.]

Quíntuples, Hanover, New Hampshire, Ediciones del Norte, 1985. [Teatro.]

«La inolvidable orgía del silencio» [Sobre el Taller de Histriones], Gilda Navarra (ed.), *Polimnia: Taller de Histriones, 1971-1980,* Barcelona, Romargraph, 1988, págs. 11-13.

La importancia de llamarse Daniel Santos, Hanover, New Hampshire, Ediciones del Norte, 1988.

La guagua aérea, San Juan, Puerto Rico, Editorial Cultural, 1994. [Ficciones, artículos y entrevistas.]

No llores por nosotros, Puerto Rico, Hanover, New Hampshire, 1997. [Artículos y ensayos.]

ENTREVISTAS A LUIS RAFAEL SÁNCHEZ (SELECCIÓN)
(No incluidas en libros del autor)

CALAF DE AGÜERA, Helen, «Entrevista: Luis Rafael Sánchez», *Hispamérica,* VIII, 23-24, 1979, págs. 71-80.

DÍAZ QUIÑONES, Arcadio, «El oficio y la memoria: Luis Rafael Sánchez», *Sin Nombre,* XII, 1, abril-junio de 1981, págs. 27-38.

RABASSA, Gregory, «Luis Rafael Sánchez: de la guaracha al beat», *Espejo de escritores,* Hanover, New Hampshire, Ediciones del Norte, 1985, págs. 175-194.

ESTUDIOS SOBRE LUIS RAFAEL SÁNCHEZ (SELECCIÓN)

1. *Libros*

BARRADAS, Efraín, *Para leer en puertorriqueño: acercamiento a la obra de Luis Rafael Sánchez,* Río Piedras, Puerto Rico, Editorial Cultural, 1981.

BIRMINGHAM-POKORNY, Elba D. (ed.), *The Demythologization of Language, Gender and Culture and the Remapping of Latin American Identity in Luis Rafael Sánchez's Works,* Miami, Florida, Ediciones Universal, 1999.

COLÓN ZAYAS, Eliseo R., *El teatro de Luis Rafael Sánchez: códigos, ideología y lenguaje,* San Juan, Puerto Rico, Editorial Playor, 1985.

FIGUEROA, Alvin Joaquín, *La prosa de Luis Rafael Sánchez: texto y contexto,* Nueva York, Peter Lang, 1989.

HERNÁNDEZ VARGAS, Nélida y CARABALLO ABRÉU, Daisy (eds.), *Luis Rafael Sánchez: crítica y bibliografía,* Río Piedras, Editorial de la Universidad de Puerto Rico, 1985.

VÁZQUEZ ARCE, Carmen, *Por la vereda tropical: notas sobre la cuentística de Luis Rafael Sánchez,* Buenos Aires, Ediciones de la Flor, 1994.

WALDMAN, Gloria F., *Luis Rafael Sánchez: pasión teatral,* San Juan, Instituto de Cultura Puertorriqueña, 1988.

2. *Estudios* (Selección)

ALFONSO, Vitalina, «Sátira, guachafita: diferentes expresiones de un mismo propósito», *Narrativa puertorriqueña actual: realidad y parodia,* La Habana, Letras Cubanas, 1994, págs. 13-27.

ALONSO, Carlos J., «*La guaracha del Macho Camacho:* The Novel as Dirge», *Modern Language Notes,* Baltimore, Maryland, 100-1, 1985, págs. 348-360.

APARICIO, Frances R., «Entre la guaracha y el bolero: un ciclo de intertextos musicales en la nueva narrativa puertorriqueña», *Revista Iberoamericana,* Pittsburgh, LIX-162 y 163, 1993, págs. 73-89.

ARCE DE VÁZQUEZ, Margot, «Acotaciones a una lectura de *La guaracha del Macho Camacho*», *Revista Puertorriqueña de Investigaciones Sociales,* Hato Rey, Puerto Rico, I, 2, enero-junio de 1977, págs. 18-25. También en *Obras completas,* t. 1, Río Piedras, Editorial de la Universidad de Puerto Rico, 1998, págs. 569-588.

ARRIGOITIA, Luis M., «Una novela escrita en puertorriqueño, *La guaracha del Macho Camacho* de Luis Rafael Sánchez», *Revista de Estudios Hispánicos,* Universidad de Puerto Rico, Río Piedras, Puerto Rico, V, 1978, págs. 71-89.

BEAUCHAMP, José Juan, «*La guaracha del Macho Camacho:* lectura política y visión del mundo», *Revista de Estudios Hispánicos,* Universidad de Puerto Rico, Río Piedras, Puerto Rico, V, 1978, págs. 91-128. [También en Hernández Vargas, *Bibliografía y crítica.*]

BEN-UR, Lorraine Elena, «Hacia la novela del Caribe: Guillermo Cabrera Infante y Luis Rafael Sánchez», *Revista de Estudios Hispánicos,* Universidad de Puerto Rico, Río Piedras, Puerto Rico, V, 1978, págs. 129-138.

BORTULOSSI, Marissa, «La intertextualidad como instrumento de crítica cultural: los casos de Puig y Sánchez», en *Literatura como in-*

tertextualidad. IX Simposio Internacional de la Literatura, Asunción, Paraguay, Universidad del Norte, 1991, págs. 215-225.

CALAF DE AGÜERA, Helen, «*La guaracha del Macho Camacho*: intertextualidad y ruptura», *Caribe,* Universidad de Hawai, Manoa, III, 2, 1977, págs. 7-16.

CAULFIELD, Carlota, «Diálogo teatral entre *La guaracha del Macho Camacho* y *Divinas palabras:* perspectiva esperpéntica y convergencias entre personajes», *La Torre (NE),* VII, 25, págs. 1-16.

CHADWICK, Joseph, «"Repito para consumo de los radioyentes": Repetition and Fetishism in *La guaracha del Macho Camacho»*, *Revista de Estudios Hispánicos,* Vassar College, 21, 1987, págs. 61-83.

CRUZ-MALAVÉ, Arnaldo, «Repetition and the Language of the Mass Media in Luis Rafael Sánchez's *La guaracha del Macho Camacho»*, *Latin American Literary Review,* 13, 1985, págs. 35-48.

— «Toward an Art of Transvestism: Colonialism and Homosexuality in Puerto Rican Literature», en *¿Entiendes? Queer Readings, Hispanic Writings,* ed. de Emilie L. Bergmann y Paul Julian Smith, Durham y Londres, Duke University Press, 1995, páginas 137-167.

DUCHESNE-WINTER, Juan, «El mundo sera Tlön: ciudadanía literaria caribeña y globalización, Édouard Glissant y Luis Rafael Sánchez», *Nómada,* Puerto Rico, 4, mayo de 1999, págs. 39-46.

ESCAJADILLO, Tomás G., Sobre *La guaracha del Macho Camacho, Revista de Crítica Literaria Latinoamericana,* Lima, Perú, III, 5, 1977, págs. 121-124.

FERRÉ, Rosario, «*La guaracha del Macho Camacho»*, *El Nuevo Día,* San Juan, Puerto Rico, 15 de enero de 1977, págs. 12-13.

GELPÍ, Juan, *Literatura y paternalismo en Puerto Rico,* Río Piedras, Editorial de la Universidad de Puerto Rico, 1993, págs. 27-45.

GONZÁLEZ, Aníbal, «*La guaracha del Macho Camacho* de Luis Rafael Sánchez», *Revista Interamericana de Bibliografía,* XXXIV-3 y 4, 1984, págs. 419-423.

GONZÁLEZ, José Luis, «Plebeyismo y arte en el Puerto Rico de hoy», *El país de cuatro pisos y otros ensayos,* Río Piedras, Puerto Rico, Huracán, 1980, págs. 91-104.

GONZÁLEZ ECHEVARRÍA, Roberto, «La vida es una cosa *phenomenal: La guaracha del Macho Camacho* y la estética de la novela actual», *Isla a su vuelo fugitiva,* Madrid, José Porrúa Turanzas, 1983, páginas 91-102.

GUINNESS, Gerald, «*La guaracha* in English: *Traduttore, Traditore?*», *Here and Elsewhere: Essays on Caribbean Literature*, Río Piedras, Editorial de la Universidad de Puerto Rico, 1993, págs. 59-84.

KENNEDY, William, «U. S. People Are Tapping their Feet to P. R.'s *Macho Camacho's Beat*», *San Juan Star, Magazine,* Puerto Rico, 5 de abril de 1981, págs. 14-15.

LANDRÓN, Iris M., «En flor una novela de aquí», Suplemento *Por Dentro, El Nuevo Día,* San Juan, Puerto Rico, 22 de mayo de 1975, pág. 35.

LÓPEZ BARALT, Luce, «*La guaracha del Macho Camacho:* saga nacional de la "guachafita" puertorriqueña», *Revista Iberoamericana,* Pittsburgh LI, 130-131, 1985, págs. 103-123.

LUGO-ORTIZ, Agnes I., «Community at Its Limits: Orality, Law, Silence, and the Homosexual Body in Luis Rafael Sánchez's '¡Jum!'», en *¿Entiendes? Queer Readings, Hispanic Writings,* ed. de Emilie L. Bergmann y Paul Julian Smith, Durham y Londres, Duke University Press, 1995, págs. 115-136.

LUIS, William, «El desplazamiento de los orígenes en la narrativa caribeña de Reinaldo Arenas, Luis Rafael Sánchez y Julia Álvarez», *La Torre,* Universidad de Puerto Rico, 3.ª época, II, 3, 1997, págs. 39-70.

MARTÍNEZ CAPÓ, Juan, Sobre: Luis Rafael Sánchez, *La guaracha del Macho Camacho, El Mundo,* San Juan, Puerto Rico, 12 de septiembre de 1976, pág. 6-B.

MÉNDEZ, José Luis, «La novela de la alienación colonial», *Claridad* (Suplemento *En Rojo*), Río Piedras, Puerto Rico, 23 al 27 de diciembre de 1976, pág. 14.

MORALES, Ángel Luis, «Consideraciones sobre *La guaracha del Macho Camacho* de Luis Rafael Sánchez», *Revista de Estudios Hispánicos,* Universidad de Puerto Rico, Río Piedras, Puerto Rico, V, 1978, págs. 7-25. [También en Hernández Vargas, *Bibliografía y crítica.*]

ORTEGA, Julio, «Teoría y práctica del discurso popular: Luis Rafael Sánchez y la nueva escritura puertorriqueña», *Reapropiaciones: cultura y nueva escritura en Puerto Rico,* Río Piedras, Editorial de la Universidad de Puerto Rico, 1991, págs. 9-52.

PERIVOLARIS, John, «Luis Rafael Sánchez», *Encyclopedia of Latin American Literature,* Londres, Fitzroy Dearborn, 1997, págs. 749-751.

POPE, Randolph, «*La guaracha del Macho Camacho* y la contaminación de la mente», *The Bilingual Review/La Revista Bilingüe,* 5, 1978, págs. 152-155.

Rama, Ángel, «Dos narradores puertorriqueños (Luis Rafael Sánchez y Rosario Ferré)», *El Universal*, Caracas, Venezuela, 19 de febrero de 1978, págs. 1-2.

Ramos, Julio, *«La guaracha del Macho Camacho:* texto de la cultura puertorriqueña», *Texto Crítico*, California, 8-24 y 25, 1982, páginas 171-183.

Ríos Ávila, Rubén, «La invención de un autor: escritura y poder en Edgardo Rodríguez Juliá» [con comentarios significativos sobre Sánchez], *Revista Iberoamericana*, Pittsburgh, LIX-162-163, 1993, págs. 203-219.

Rotker, Susana, «Claves paródicas de una literatura nacional: *La guaracha del Macho Camacho*», *Hispamérica*, XX, 60, 1991, páginas 23-31.

Santos, Lidia, «Kitsch y cultura de masas en la poética narrativa neobarroca latinoamericana», en *Barrocos y modernos: nuevos caminos en la investigación del Barroco iberoamericano*, ed. de Petra Schumm, Fráncfort, Vervuert-Iberoamericana, 1998, páginas 337-351.

Schlau, Stacey, «Mass Media Images of the Puertorriqueña in *La guaracha del Macho Camacho*», en *Literature and Popular Culture in the Hispanic World*, Rose S. Minc (ed.), Gaithersburg, Maryland, Hispamérica y Montclair State College, 1981, págs. 161-171.

Solá Márquez, María, «Puerto Rico entre amos y guaracha: novelas de Enrique Laguerre y Luis Rafael Sánchez», *Sin Nombre*, San Juan, Puerto Rico, X, 2, julio-septiembre de 1979, págs. 84-97.

Tineo, Gabriela, «La memoria que convoca: en torno a "lo popular" en la narrativa de Luis Rafael Sánchez», *Bulletin Hispanique*, 96-1, 1994, págs. 235-243.

Vaquero de Ramírez, María, «Interpretación de un código lingüístico: *La guaracha del Macho Camacho*», *Revista de Estudios Hispánicos*, Universidad de Puerto Rico, Río Piedras, Puerto Rico, V, 1978, págs. 27-69. [También en Hernández Vargas, *Bibliografía y crítica.*]

PUERTO RICO: HISTORIA Y CULTURA

Abruña, Fernando, «San Juan, ciudad mirada», *Nómada*, Puerto Rico, 1, 1995, págs. 38-50.

Acosta, Ivonne, *La mordaza: Puerto Rico, 1948-1957*, Río Piedras, Puerto Rico, Edil, 1989.

Acosta-Belén, Edna *et al.*, «*Adiós Borinquen querida»: la diáspora puertorriqueña, su historia y sus aportaciones*», Albany, Nueva York, Center for Latino, Latin American, and Caribbean Studies, 2000.

Algarín, Miguel y Piñero, Miguel, *Nuyorikan Poetry: An Anthology of Words and Feelings*, Nueva York, William Morrow, 1975.

Álvarez, Luis Manuel, «La presencia negra en la música puertorriqueña», en Lydia Milagros González (ed.), *La tercera raíz*, páginas 30-41.

Álvarez Curbelo, Silvia, «Vidas prestadas: el cine y la puertorriqueñidad», *Revista de Crítica Literaria Latinoamericana*, XXIII, 45, 1997, págs. 395-410.

Aparicio, Frances R., *Listening to Salsa: Gender, Latin Popular Music, and Puerto Rican Cultures*, Hanover, New Hampshire, Wesleyan University Press, 1998.

Aragunde, Rafael, «Cuestionamiento y defensa actuales de la categoría de totalidad para un filosofar desde Puerto Rico», Francisco José Ramos (ed.), *Hacer, pensar*, San Juan, Editorial de la Universidad de Puerto Rico, pág. 13-32.

Arteaga Rodríguez, José, «Salsa y violencia: una aproximación sonoro-histórica», *Revista Musical Puertorriqueña*, 4, julio-diciembre de 1988, págs. 20-32.

Azize, Yamila (ed.), *La mujer en Puerto Rico*, Río Piedras, Puerto Rico, Huracán, 1987.

Blanco, Tomás, *El prejuicio racial en Puerto Rico*, 3.ª ed., estudio preliminar de Arcadio Díaz Quiñones, Río Piedras, Puerto Rico, Huracán, 1985.

Bothwell, Reece B. (ed.), *Puerto Rico: cien años de lucha política*, 4 vols., Río Piedras, Puerto Rico, Editorial Universitaria, 1979.

Cachán, Manuel, «Bailando salsa con el super en Harlem: el testimonio caribeño del barrio», *Apuntes Postmodernos*, Miami, Florida, 1993, págs. 59-64.

Córdova, Jaime, «Los ranchones de la Calma», y Graciela Rodríguez Martinó y Wilda Rodríguez, «¿De qué ranchones estamos hablando?» [sobre la calle Calma, en el popular barrio de calle Loíza en Santurce, Puerto Rico], *Piso 13*, Puerto Rico, 2, 4, enero de 1994, págs. 8-9.

Coss, Luis Fernando, *La nación en la orilla (Respuesta a los postmoder-*

nos pesimistas), San Juan, Puerto Rico, Editorial Punto de Encuentro, 1996.

CRUZ, José A., *Identity and Power: Puerto Rican Politics and the Challenge of Identity*, Filadelfia, Temple University Press, 1998.

CURET ALONSO, Tite, *La vida misma*, Caracas, M. J. Córdova Producciones, 1993.

DÁVILA, Arlene, *Sponsored Identities: Cultural Politics in Puerto Rico*, Filadelfia, Temple University Press, 1997.

DÍAZ AYALA, Cristóbal (ed.), *La marcha de los jíbaros 1898-1997: cien años de música puertorriqueña por el mundo*, Río Piedras, Puerto Rico, Editorial Plaza Mayor, 1998.

— «Descripción y narración en el bolero puertorriqueño», *Revista Musical Puertorriqueña*, 3, enero-julio de 1988, págs. 33-50.

DÍAZ QUIÑONES, Arcadio, *El almuerzo en la hierba: Lloréns Torres, Palés Matos, René Marqués*, Río Piedras, Puerto Rico, Huracán, 1982.

— *La memoria rota: ensayos sobre cultura y política*, Río Piedras, Puerto Rico, Huracán, 1993.

— *El arte de bregar: ensayos*, San Juan, Puerto Rico, Ediciones Callejón, 2000.

DUFRASNE, José Emanuel, «Los instrumentos musicales afroboricuas», *La tercera raíz*, ed. de Lydia Milagros González, págs. 58-62.

ESPADA, Annette, *La evolución del violonchelo en Puerto Rico: el legado de Pablo Casals*, San Juan, Publicaciones Puertorriqueñas, 1997.

FIGUEROA HERNÁNDEZ, Rafael, *Ismael Rivera: el Sonero Mayor*, San Juan, Instituto de Cultura Puertorriqueña, 1993.

FLORES, Juan, *Divided Borders: Essays on Puerto Rican Identity*, Houston, Arte Público, 1993.

— *La venganza de Cortijo y otros ensayos*, Río Piedras, Puerto Rico, Huracán, 1997.

— *From Bomba to Hip-Hop: Puerto Rican Culture and Latino Identity*, Nueva York, Columbia University Press, 2000.

FROMM, Georg H., *César Andreu Iglesias: aproximación a su vida y obra*, Río Piedras, Puerto Rico, Huracán, 1977.

GARCÍA, Gervasio L. y QUINTERO RIVERA, A. G., *Desafío y solidaridad: breve historia del movimiento obrero puertorriqueño*, Río Piedras, Puerto Rico, Huracán, 1982.

— «José Julio Henna Pérez: tema del traidor y el héroe (o los bordes dentados del fin de siglo)», *op. cit.*, *Revista del Centro de Investigaciones Históricas de la Universidad de Puerto Rico*, 11, 1999, págs. 73-108.

GELPÍ, Juan G., «Una Zona memorable» [sobre la revista *Zona de Carga y Descarga*], *Piso 13*, Puerto Rico, 2, 1, 1993, pág. 8.

GLASSER, Ruth, *My Music Is My Flag: Puerto Rican Musicians and Their New York Communities, 1917-1940*, Berkeley, University of California Press, 1995.

GONZÁLEZ, Lydia Milagros (ed.), *La tercera raíz: presencia africana en Puerto Rico*, San Juan, Puerto Rico, CEREP, 1992.

HERMANDAD DE ARTISTAS GRÁFICOS, *Puerto Rico: arte e identidad*, Río Piedras, Editorial de la Universidad de Puerto Rico, 1998.

HERNÁNDEZ, Carmen Dolores (ed.), *Puerto Rican Voices in English*, Westport, Connecticut, Praeger, 1997.

HOMAR, Lorenzo, *Aquí en la lucha. Caricaturas*, introducción de José A. Torres Martinó, San Juan, La Escalera, 1970.

LEWIS, Gordon K., *Puerto Rico: libertad y poder en el Caribe*, Río Piedras, Edil, 1970.

— *Notes on the Puerto Rican Revolution*, Nueva York, Monthly Review Press, 1974.

LEWIS, Oscar, *A Study of Slum Culture: Backgrounds to La Vida*, Nueva York, Random House, 1968.

— *La vida: una familia puertorriqueña en la cultura de la pobreza*, San Juan y Nueva York, trad. de los *días* y glosario de José Luis González, México, Editorial Joaquín Mortiz, 1969.

LUQUE DE SÁNCHEZ, María Dolores, *La ocupación norteamericana y la Ley Foraker*, Río Piedras, Puerto Rico, Editorial Universitaria, 1970.

MARI BRAS, Juan, *El independentismo en Puerto Rico: su pasado, su presente y su porvenir*, San Juan, Editorial Cepa, 1984.

MARTORELL, Antonio, «El cartel en Puerto Rico», en el catálogo de la exposición *Pintura y gráfica de los años 50*, San Juan, Puerto Rico, Hermandad de Artes Gráficas e Instituto de Cultura Puertorriqueña, 1985.

— *La piel de la memoria*, San Juan, Puerto Rico, Ediciones Envergadura, 1991.

MELÉNDEZ, Edgardo, *Movimiento anexionista en Puerto Rico*, Río Piedras, Editorial de la Universidad de Puerto Rico, 1993.

— *Partidos, política pública y status en Puerto Rico*, San Juan, Ediciones Nueva Aurora, 1998.

MINTZ, Sidney, *Taso, trabajador de la caña*, trad. de Yvette Torres Rivera, con estudio preliminar de Francisco A. Scarano, Río Piedras, Puerto Rico, Huracán, 1988.

Montes Pizarro, Errol, «Si yo tó lo que quería era cantar» [sobre Héctor Lavoe y la salsa], *Piso 13,* Puerto Rico, 2, 2, junio-agosto de 1993, pág. 8.

Muñiz Varela, Miriam, «Más allá de *Puerto Rico 936, Puerto Rico USA y Puerto Rico Inc:* notas para una crítica al discurso del desarrollo», *Bordes,* 1, 1995, págs. 41-53.

Negrón-Muntaner, Frances y Grosfoguel, Ramón (eds.), *Puerto Rican Jam: Essays on Culture and Politics,* Mineápolis, University of Minnesota Press, 1997.

Nistal, Benjamín, *Esclavos prófugos y cimarrones,* Río Piedras Puerto Rico, Editorial Universitaria, 1984.

Ojeda Reyes, Félix, *Vito Marcantonio y Puerto Rico,* Río Piedras, Puerto Rico, Huracán, 1978.

Otero, Roberto, «Memoriando *La Escalera:* 1966-1973. Entrevista a Gervasio García», *Piso 13,* Puerto Rico, 2, 1, mayo de 1993, págs. 6-7.

Pabón, Carlos, «De Albizu a Madonna: para *armar* y *desarmar* la nacionalidad», *Bordes,* Puerto Rico, 1, 1995, págs. 22-37.

Pedreira, Antonio S., *Insularismo: ensayos de interpretación puertorriqueña,* Madrid, Tipografía Artística, 1934.

Picó, Fernando, *Libertad y servidumbre en el Puerto Rico del siglo XIX,* Río Piedras, Puerto Rico, Huracán, 1979.

Quintero Herencia, Juan Carlos, «Notas para la salsa», *Nómada,* Puerto Rico, 1, abril de 1995, págs. 16-34.

Quintero Rivera, Ángel, «Clases sociales e identidad nacional: notas sobre el desarrollo nacional puertorriqueño», en *Puerto Rico: identidad nacional y clases sociales,* Río Piedras, Puerto Rico, Huracán, 1979, págs. 13-44.

— «La investigación urbana en Puerto Rico: breves comentarios sobre su trayectoria», en *La investigación urbana en América Latina,* Fernando Carrión (ed.), Quito, Ciudad, 1989, págs. 57-83.

— *¡Salsa, sabor y control!: sociología de la música tropical,* México, Siglo XXI, 1998.

Rafucci, Carmen I., *El gobierno civil y la Ley Foraker,* Río Piedras, Puerto Rico, Editorial Universitaria, 1981.

Ramos, Aarón G., *Las ideas anexionistas en Puerto Rico bajo la dominación norteamericana,* Río Piedras, Puerto Rico, Huracán, 1987.

Rivera Nieves, Irma y Gil, Carlos (eds.), *Polifonía salvaje: ensayos de cultura y política en la postmodernidad,* San Juan, Puerto Rico, Editorial Postdata, 1995.

RIVERA PAGÁN, Luis N., *Diálogos y polifonías: perspectivas y reseñas*, San Juan, Seminario Evangélico de Puerto Rico, 1999.

RIVERA RAMOS, Efrén, *The Legal Construction of American Colonialism*, Revista Jurídica de la Universidad de Puerto Rico, 6, 2, 1996, páginas 225-328.

RODRÍGUEZ, Clara E., *Changing Race: Latinos, the Census, and the History of Ethnicity in the United States*, Nueva York, Nueva York University Press, 2000.

RODRÍGUEZ CASTRO, María Elena, «Tradición y modernidad: el intelectual puertorriqueño ante la década del treinta», *op. cit.*, Boletín del Centro de Investigaciones Históricas de la Universidad de Puerto Rico, 3, 1987-1988, págs. 45-65.

RODRÍGUEZ JULIÁ, Edgardo, *El entierro de Cortijo*, Río Piedras, Puerto Rico, Huracán, 1983.

— *Una noche con Iris Chacón*, San Juan, Editorial Antillana, 1986.

ROMÁN, Madeline, «Narcotráfico, procesos de criminalización y drogas: una lectura alternativa», *Revista de Ciencias Sociales*, XXVIII, 1-2, 1989, págs. 3-13.

RONDÓN, César Miguel, *El libro de la salsa: crónica de la música del Caribe urbano*, Caracas, Editorial Arte, 1980.

SANTOS, Mayra, «Geografía en decibeles: utopías pancaribeñas y el territorio del rap», *Revista de Crítica Literaria Latinoamericana*, XXIII, 45, 1997, págs. 351-363.

SCARANO, Francisco, *Puerto Rico: cinco siglos de historia*, San Juan, Puerto Rico, McGraw-Hill, 1993.

SILVA GOTAY, Samuel, *Protestantismo y política en Puerto Rico 1898-1930*, San Juan, Editorial de la Universidad de Puerto Rico, 1998.

SUED BADILLO, Jalil y LÓPEZ CANTOS, Ángel, *Puerto Rico negro*, Río Piedras, Puerto Rico, Editorial Cultural, 1986.

TORRES, Andrés y VELÁZQUEZ, José E. (eds.), *The Puerto Rican Movement: Voices from the Diaspora*, Filadelfia, Temple University Press, 1998.

TRÍAS MONGE, José, *Puerto Rico: The Trials of the Oldest Colony in the World*, New Haven, Yale University Press, 1997.

TRIGO TIÓ, Enrique, *Ismael Rivera: retrato en boricua*, documental fílmico, San Juan, Puerto Rico, Maga Films, 1988.

URCIOLI, Bonnie, *Exposing Prejudice: Puerto Rican Experiences of Language, Race, and Class*, Nueva York, Westview Press, 1996.

VEGA, Bernardo, *Memorias,* editadas por César Andreu Iglesias, prólogo de José Luis González, Río Piedras, Puerto Rico, Huracán, 1977.

VIVONI, Enrique (ed.), *San Juan siempre nuevo: arquitectura y modernización en el siglo XX,* San Juan, Archivo de Arquitectura y Construcción de la Universidad de Puerto Rico, 2000.

ZENÓN CRUZ, Isabelo, *Narciso descubre su trasero: el negro en la cultura puertorriqueña,* t. 1, Humacao, Puerto Rico, Editorial Furidi, 1974; t. 2, 1975.

OTRAS OBRAS Y ESTUDIOS CONSULTADOS

AGAMBEN, Giorgio, *Estancias: la palabra y el fantasma en la cultura occidental,* trad. de Tomás Segovia, Valencia, Pre-Textos, 1995.

— *Lo que queda de Auschwitz: el archivo y el testigo,* trad. de Antonio Gimeno Cuspinera, Valencia, Pre-Textos, 2000.

BAJTÍN, Mijaíl, *Problemas de la poética de Dostoievski,* trad. de Tatiana Bubnova, México, Fondo de Cultura Económica, 1986.

BALDERSTON, Daniel, *El deseo, enorme cicatriz luminosa,* Valencia, Excultura, 1999.

BECKETT, Samuel, «Dante...Bruno...Vico...Joyce», en *A Samuel Beckett Reader,* ed. de Richard W. Seaver, Nueva York, Grove Press, 1976, págs. 107-126.

BENJAMIN, Walter, *Selected Writings,* vol. 1, 1913-1926, Michael Jennings, Howard Eiland y Gary Smith (eds.), Cambridge, Massachusetts, Harvard University Press, 1996; vol. 2, 1927-1934, 1999.

CLIFFORD, James, *Routes: Travel and Translation in the late Twentieth Century,* Cambridge, Massachusetts, Harvard University Press, 1997.

CORNEJO POLAR, Antonio, *Escribir en el aire: ensayo sobre la heterogeneidad socio-cultural en las literaturas andinas,* Lima, Editorial Horizonte, 1994.

DE CERTEAU, Michel, *La fábula mística: siglos XVI-XVII,* trad. de Jorge López Moctezuma, México, Universidad Iberoamericana, 1993.

EMERSON, Caryl, *The First Hundred Years of Mikhail Bakhtin,* Princeton, New Jersey, Princeton University Press, 1997.

FLOCH, Sylvain, *L'obscène,* Pau, Université de Pau, 1983.

Foucault, Michel, *Las palabras y las cosas. Una arqueología de las ciencias humanas,* México, Siglo XXI, 1968.

Garramuño, Florencia y Fernández Bravo, Álvaro, «La diseminación de lo nacional. Entrevista con Hommi K. Bhabha», *Bordes,* Puerto Rico, 1, 1995, págs. 87-92.

Gilroy, Paul, *The Black Atlantic: Modernity and Double Consciousness,* Cambridge, Massachusetts, Harvard University Press, 1994.

Ginzburg, Carlo, *El queso y los gusanos,* trad. de Francisco Marín, Barcelona, Muchnik Editores, 1994.

Glantz, Margo, *Esguince de cintura: ensayos sobre narrativa mexicana del siglo xx,* México, Consejo Nacional para la Cultura, 1994.

González, Reynaldo, *Llorar es un placer,* La Habana, Editorial Letras Cubanas, 1988.

Hunt, Lynn (ed.), *The Invention of Pornography,* Nueva York, Zone Books, 1996.

León, Argeliers, *Del canto y el tiempo,* La Habana, Editorial Letras Cubanas, 1984.

Linares, María Teresa, «La guaracha cubana, imagen del humor criollo», *Catauro, Revista Cubana de Antropología,* La Habana, Fundación Fernando Ortiz, 1, núm. 0, 1999, págs. 94-104.

— y Núñez, Faustino, *La música entre Cuba y España,* Madrid, Fundación Autor, 1998.

Mazzioti, Nora, *La industria de la telenovela: la producción de la ficción en América Latina,* Buenos Aires, Paidós, 1996.

Molloy, Sylvia, «El relato como mercancía: *Los adioses* de Juan Carlos Onetti», *Hispamérica,* VIII, 23-24, 1979, págs. 5-18.

Monsiváis, Carlos, *Días de guardar,* México, Era, 1970.

— *Aires de familia: cultura y sociedad en América Latina,* Barcelona, Anagrama, 2000.

Moreno Fraginals, Manuel *et al., África en América Latina,* México, Siglo XXI, 1977.

Ong, Walter J., *Orality and Literacy: The Technologizing of the Word,* Londres, Routledge, 1988.

Orovio, Helio, *Música por el Caribe,* Santiago de Cuba, Editorial Oriente, 1994.

Ortiz, Fernando, *La africanía de la música folklórica de Cuba,* La Habana, Ediciones Cárdenas y Cía., 1950.

— *Los instrumentos de la música afrocubana,* vol. I, 2.ª ed., Madrid, Editorial Música Mundana, 1996 [1952-1955].

ORTIZ, Renato, *Cultura brasileira e identidade nacional*, 4.ª ed., São Paulo, Editorial Brasiliense, 1994.

— *Mundialización y cultura*, trad. de Elsa Noya, Buenos Aires, Alianza, 1997.

— SIMÕES BORELLI, Silvia Helena y ORTIZ RAMOS, José Mário, *Telenovela: história e produção*, 2.ª ed., São Paulo, Editorial Brasiliense, 1991.

PAULS, Alan, *Manuel Puig: la traición de Rita Hayworth*, Buenos Aires, Librería Hachette, 1986.

PIGLIA, Ricardo, *La Argentina en pedazos*, Buenos Aires, Ediciones de la Urraca, 1993.

— *Formas breves*, Buenos Aires, Tema Grupo Editorial, 1999.

— *Crítica y ficción*, reedición ampliada y revisada, Buenos Aires, Seix Barral, 2000.

RAMA, Ángel (ed.), *Novísimos narradores hispanoamericanos en Marcha: 1964-1980*, México, Marcha Editores, 1981.

— *La crítica de la cultura en América Latina*, selección y prólogos de Saúl Sosnowski y Tomás Eloy Martínez, Caracas, Biblioteca Ayacucho, 1985.

RINCÓN, Carlos, *La no simultaneidad de lo simultáneo: postmodernidad, globalización y culturas en América Latina*, Bogotá, Editorial Universidad Nacional, 1995.

SAER, Juan José, *El concepto de ficción*, Buenos Aires, Ariel, 1997.

SAID, Edward, *Cultura e imperialismo*, trad. de Nora Catelli, Barcelona, Anagrama, 1993.

TWITCHELL, James B., *Adcult: The Triumph of Advertising in American Culture*, Nueva York, Columbia University Press, 1985.

VERÓN, Eliseo y ESCUDERO CHAUVEL, Lucrecia (comps.), *Telenovela: ficción popular y mutaciones culturales*, Barcelona, Gedisa, 1997.

WOOD, Michael, *Children of Silence: On Contemporary Fiction*, Nueva York, Columbia University Press, 1998.

ZIOLKOWSKI, Jan M. (ed.), *Obscenity: Social Control and Artistic Creation in the European Middle Ages*, Leiden, Nueva York, Brill, 1998.

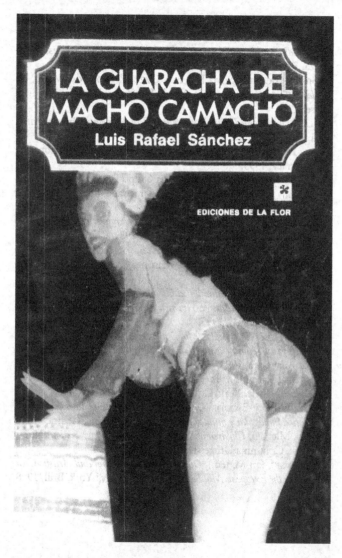

Cubierta de la primera edición. Buenos Aires, Ediciones de la Flor, 1976.

*La guaracha
del Macho Camacho*

LEMA:

La vida es una cosa fenomenal.
Lo mismo pal de alante que pal de atrás.

A Alma, Jorge y Arcadio,
por las horas compartidas.

Advertencia

La guaracha del Macho Camacho narra el éxito lisonjero obtenido por la guaracha del Macho Camacho *La vida es una cosa fenomenal,* según la información ofrecida por disqueros, locutores y microfoniáticos. También narra algunos extremos miserables y espléndidos de las vidas de ciertos patrocinadores y detractores de la guaracha del Macho Camacho *La vida es una cosa fenomenal.* Además, como apéndice de *La guaracha del Macho Camacho* se transcribe, íntegro, el texto de la guaracha del Macho Camacho *La vida es una cosa fenomenal* para darle un gustazo soberano a los coleccionistas de éxitos musicales de todos los tiempos.

SI SE VUELVEN ahora, recatadas la vuelta y la mirada, la verán esperar sentada, una calma o la sombra de una calma atravesándola. Cara de ausente tiene, cara de víveme y tócame, las piernas cruzadas en cruz. La verán esperar sentada en un sofá: los brazos abiertos, pulseras en los brazos, relojito en un brazo, sortijas en los dedos, en el tobillo izquierdo un valentino con dije, en cada pierna una rodilla, en cada pie un zapatón singular. Cuerpo de desconcierto tiene, cuerpo de ay deja eso, ¿ven?, cuerpo que ella sienta, tiende y amontona en un sofá tapizado con paño de lana, útil para la superación de los fríos polares pero de uso irrealísimo en estos trópicos tristes[1]: el sol cumple aquí una vendetta impía, mancha el pellejo, emputece la sangre, borrasca el sentido: aquí en Puerto Rico, colonia sucesiva de dos imperios e isla del Archipiélago de las Antillas. También sudada, la verán esperar sudada, sudada y apelotonada en un sofá sudado y apelotonado, sofá sudado y apelotonado que se transforma en cama que se transforma en sofá, miembro pulcro el sofá de un elenco hogareño de travesti que hacen de todo. Como hace el Ace. Si se vuelven ahora, recatadas la vuelta y la mirada, la verán esperar sudada, no obstante el duchazo de hace un rato. ¿La oyeron ducharse? Imposible: guarachaba. Bajo la ducha, guaracha y mujer matrimoniados por una agitación soberana: voz desatada, tumbos del cuerpo contra las paredes del baño, azotes de los puños guarachos a la cortina de baño, gorjeos enchumbados, leal-

---

[1] *trópicos tristes:* alusión al título de un libro del etnógrafo francés Claude Lévi-Strauss, *Tristes tropiques* (1955).

tad a todo lo que sea vacilón[2]. Cuerpo y corazón: trampolines de la guasa.

VUELTA Y VUELTA, para espantar el zumbido de este tiempo que hoy le sobra a manos llenas, miércoles hoy, tarde de miércoles hoy, cinco pasado meridiano de miércoles hoy, tararea la guaracha del Macho Camacho y la redobla con golpe singular de zapatón singular: *la vida es una cosa fenomenal:* el aforismo cumbre de la guaracha que ha invadido el país, el aforismo cumbre o uno de los, guaracha que ustedes han bailado o escuchado o comprado o reclamado a algún programa radiado, descontado que cantado o tarareado. El aforismo cumbre o uno de los ondea como olímpico cisne de nieve[3], ella estremece la cabeza con relajonado temple: relajar[4] es lo mío: reída con jajá ostentoso y dientes por docenas. Vuelta y vuelta, para espantar el tiempo que esta tarde se le enrolla en el alma como guirnalda de papel crepé, ojea el apartamiento con ojos en los que pone fuego el desprecio, riza la sobaquera, procura un cigarrillo, endereza la caída de un zarcillo baratón que aparenta coralina. Yo digo que la cosa es que aparente: ella declara con morisquetas de parejería[5]: apuesta a ella siempre; si me caigo nadie me recoge: como quien dice corazón de corcho para flotar cuando truene, llueva o ventee. Vuelta y vuelta, rascadura por motivo de un escozor motivado por la impaciencia, ella camina hasta una cortina que ocul-

---

[2] *vacilón:* fiesta, goce, juerga, jolgorio. Del verbo *vacilar,* en la acepción de pasarlo bien, en un clima festivo de baile y bebida. También *bacilón,* especialmente en Cuba.

[3] *olímpico cisne de nieve:* cita del primer verso de *Blasón,* un conocido poema de Rubén Darío (1867-1914), del libro *Prosas profanas* (1896).

[4] *relajar:* bromear, charlar, pasarlo bien (RR, pág. 74). El sustantivo *relajo* se refiere también a lo lúdico, al chiste. Pero puede connotar bromas impertinentes, desorden, sin llegar a la mofa del *choteo* cubano. El autor crea el adjetivo *relajonado.*

[5] *parejería:* presumir de ser más, querer emparejarse con el que está más arriba. Generalmente despectivo, con connotaciones raciales o sociales. Alguien que quiere igualarse indebidamente sería *parejero,* voz que también se usa en Cuba (FOnuevo, pág. 394).

ta unos cristales de alegres ventanales: arquitectura de nuestro tiempo influida por el arte de nuestro tiempo: *El último cuplé*[6]. Con un sigilo innecesario, impuesto por la manía secretera del Viejo, levanta una orilla de la cortina. Filántropa, regala los ojos a la construcción ajetreada de un condominio[7]. Con un hombro azota sabrosamente la cortina: *arrecuérdate que desayunas café con pan,* remeneada de punta a punta, ganada por las delicias que propugna la guaracha del Macho Camacho, ignorante de quietudes y tranquilidades para esperar. De esperar se trata, de mirar el reló cien veces se trata, de ver que el sol se ablanda se trata, de esperar sentada y parada y sudada y duchada se trata: esta tarde el Viejo tarda. El Viejo tarda más que nunca. El Viejo tarda más que siempre. El Viejo tarda más que la última vez que tardó: oraciones declarativas proyectadas en la pantalla panorámica de su encocoramiento[8], la tardanza del Viejo organiza la reflexión encocorada de ella, ella parada junto a la cortina.

A MÍ NO me resulta que se amañe[9] a venir tarde. A venir cuando le sale de donde le sale. A pasarse por donde no le da el sol el arreglo que arreglamos: contratada para vísperas de noche y sesiones crepusculares, Belle de Jour[10] insular. Ella especificó que no podía comprometerse para la prima noche o la noche plena, a las siete me convierto en calabaza: versión de una Cenicienta que es puta a domicilio. El Viejo tampoco

---

[6] *El último cuplé:* película del género melodramático, de 1957, en la que la actriz española Sarita Montiel debutó como cantante y vedette.

[7] *condominio:* edificio, torres de apartamentos de propiedad privada en comunidad. El desarrollo vertical de la ciudad de San Juan, la capital del país, recibe un fuerte impulso a partir de los años setenta.

[8] *encocoramiento:* mucho fastidio, molestia o aburrimiento. De *encocorar* = molestar en exceso (MV, pág. 142).

[9] *amañe:* de *amañarse,* acostumbrarse a algo o a alguien.

[10] *Belle de Jour: Bella de día,* alusión al film de Luis Buñuel (1900-1983), estrenado en 1967. La *Belle de Jour* era Séverine, una mujer casada que lleva una doble vida, prostituyéndose durante el día. La actriz Catherine Deneuve interpretó el personaje.

107

podía comprometer la prima noche o la noche plena: responsabilidades anejas a mis roles de hombre público y privado, esclavitud dictada por la clepsidra del deber. Que no, que a mí no me resulta que se amañe a venir tarde, que no, no y no: resabio en el super ego de un son de otra época: *María Cristina me quiere gobernar*[11]. Después que hacemos lo que hacemos, *laboris fornicatio*, él se trepa en su carrazo y lo más tranquilo que se va en su carrazo: el superlativo hace referencia a un Mercedes Benz con todos los hierros y novelerías de turno, destacado el aditamento que inclina el asiento delantero hasta nivelarlo con el asiento trasero: cama de urgencia para coitos de urgencia: alguna fregoncita[12] irresistida a mi naturaleza galana: El Viejo informa. Y lo más tranquilo que se va en su carrazo después de soltarme las friquiterías[13] de siempre, friquiterías que yo se las oigo como si me importaran pero que no me importan un comino: porque lo justo es siempre precedente: enseñanza que bebí en el código napoleónico, imagina tú, trigueña dulce de la patria mía, que por una casualidad o dictamen del Señor de Belcebú, me sorprenda en estos avatares licenciosos, siendo licenciado como soy, cualesquiera que me supone y quiere en el cumplimiento del deber oficial: dicho con aire platónico de deberista oficial, voz torva y conminación velada a recitar *El brindis del bohemio*[14]. Bien friquits que es, Bien wilis naiquin[15] que es. Con las mismas pendejadas siempre. Con más eses que un peo lento. Con más

---

[11] *María Cristina me quiere gobernar:* popular guaracha cubana, del compositor Antonio Fernández Ortiz, conocido como Ñico Saquito, quien organizó un quinteto famoso en los cuarenta y cincuenta llamado Los Guaracheros de Oriente (PMOR, pág. 63). Para *guaracha*, véase la introducción de esta edición.

[12] *fregoncita:* diminutivo de *fregona* = empleada doméstica, sirvienta. Se usaba en Puerto Rico con intención peyorativa.

[13] *friquiterías:* engreimiento, altanería. Más adelante dice *bien friquits:* muy presumido, arrogante.

[14] *El brindis del bohemio:* extenso poema sentimental. En Puerto Rico es tradición declamarlo por radio y televisión con motivo de la despedida de año. Su autor: Guillermo Aguirre y Fierro.

[15] *wilis naiquin:* expresión popularizada por el personaje *Reguerete* del programa televisivo *La Taberna India,* de los años cincuenta. El actor, Paquito Cordero, aparecía pintado de negro, en la tradición del teatro bufo cubano.

perfume que un botellón de alcoholado[16] Eucaliptino. Como yo soy la que me tengo que treparme en la guagua[17] que no es él. Como yo soy la que me tengo que aguantarme el chino que me dan[18] en la guagua que no es él. Como yo soy la que me tengo que llegarme a mi casa a las tantas que no es él. Y dos veces van que por llegarme a mi casa a las tantas me he perdido el show de Iris Chacón[19] en la televisión.

ESCANDALIZADA, IDO EL aire, aniquilada por una jiribilla[20] bien illa, el oxígeno trancado en los pulmones: es adoratriz de la artista Iris Chacón, la casita de Martín Peña[21] la tiene empapelada con portadas de *Vea, Teveguía, Avance, Estrellas, Bohemia* en las que la artista Iris Chacón es la oferta suprema de una erótica nacional: envidia de culiguardadas, fantasía masturbante de treceañeros, sueño cachondo[22] de varones, razón

---

[16] *alcoholado:* medicamento aromático que se hace del fruto pequeño de la *malagueta.* Muy común en Puerto Rico, con distintas marcas comerciales (MAN, pág. 246). La misma loción se usa en la República Dominicana con el nombre de *berrón,* del inglés *bay rum* (JLGluna, pág. 177).

[17] *guagua:* autobús. Se usa en Cuba, en Puerto Rico, y también en las Canarias.

[18] *el chino que me dan: dar chino* es el toqueteo erótico en situaciones de apretujamiento en donde un hombre se aprovecha. Más adelante se refiere a la China Hereje como «gustosa del pegamiento y la chinería» (pág. 223).

[19] *Iris Chacón:* famosa vedette puertorriqueña. Inició su carrera como bailarina en la televisión, en los años setenta, con un éxito tan extraordinario que muy pronto tuvo su propio espectáculo, *El show de Iris Chacón,* y alcanzó gran fama en otros países. Es una referencia central en otros textos literarios. En 1984 el escritor puertorriqueño Edgardo Rodríguez Juliá publicó su crónica *Una noche con Iris Chacón.*

[20] *jiribilla:* muy activo. Se dice de alguien que «tiene jiribilla» = «está muy inquieto».

[21] *Martín Peña:* barrio popular, situado muy cerca del Caño del mismo nombre en la zona de La Cantera, San Juan. El *caño* (= canal, cuerpo de agua) conecta la Laguna San José con la bahía de San Juan, y separa la península de Santurce de la isla principal. Según la tradición, le debe su nombre a un pescador del siglo XVI que con su barca hacía la travesía de un lado a otro del caño (CC, pág. 22).

[22] *cachondo:* excitado sexualmente, equivalente de *bellaco* en el lenguaje puertorriqueño.

de la bellaquería[23] realenga[24]. Y las dos veces que me he perdido el show de Iris Chacón en la televisión me han comentado que Iris Chacón ha mapeado[25], ha barrido, ha acabado. Y las dos veces que me he perdido el show de Iris Chacón en la televisión me han comentado que a Iris Chacón le pusieron la cámara en la barriga y esa mujer parece que se iba a romper de tanto que se meneaba, como si fuera una batidora eléctrica, como si fuera una batidora eléctrica con un ataque de nervios. Es que esa Iris Chacón tiene un salsero entre cuero y carne: apéndice totalizante y clave para que regrese el aire ido, para que se abra la compuerta del oxígeno. Vuelta y vuelta: ay deja eso, que venga a la hora que tiene que venir o que se vaya con la pejiguera a otro solar y si se quiere ir con la pejiguera a otro solar pues que se joda la bicicleta: para claras, Clara y yo. El Viejo me pasa los pesos pero los pesos me los pasa quien yo quiera que me los pase. Como si yo no, psss. Como si a mí no, psss. Como si una no, psss. A mí el chereo[26] se me sobra. A mí los elementos que quieren ponerme a vivir en puerta de calle se me sobran. La machería que me quiere trepar da para mí y cinco mujeres más: los pones[27] que me ofrecen, que si yo me dedicara a coger pon no volvía a saber lo que era treparme a una guagua por el resto de mis días. Lo que pasa es que yo no soy ponera, psss. Los hombres que se me van detrás, ahí ahí como el matapiojos, tipos bien wilson[28], una jauría de mamitos[29]. Señal de que yo suelto al Vie-

---

[23] *bellaquería*: excitación sexual (JLG, pág. 641). El adjetivo *bellaco* se usa en el sentido de «en celo, lascivo» (RR, pág. 85).

[24] *realenga*: callejera, sin lugar fijo. *Realengo* es un arcaísmo; originalmente significaba *libre*, sólo sujeto al rey (real). Véase nota 76.

[25] *ha mapeado*: del inglés *mop*. En Puerto Rico, mapear = trapear, limpiar con el *mapo*.

[26] *chereo*: gozar, divertirse con ostentación (JLG, pág. 642). *Cherear* sugiere también el juego erótico.

[27] *pones*: dar pon en Puerto Rico es transportar a alguien en forma gratuita en automóvil u otro vehículo (JLG, pág. 644). Se dice *dar, coger* y *pedir pon*, como en México *aventón*, y *bola* en la República Dominicana.

[28] *tipos bien wilson*: superlativo de *wilson*, en el sentido de prototipo de hombre de muy buena apariencia. Expresión muy popular en los años cincuenta, vinculada a los comerciales del béisbol, a las bolas, guantes y bates de marca Wilson.

[29] *mamitos*: un hombre seductor, *bonitillo*, muy acicalado, peinado y muy bien vestido (ERJ, pág. 103).

jo y amarro por donde quiera. Señal de que lo mío es sacar a los hombres de sus casillas. Señal de que lo mío es lo que es. Señal de que lo mío es caña de azucar. Señal de que yo estoy buena como la India[30]. Señal de que yo no estoy buena porque yo estoy buenísima.

SEÑALES MAYÚSCULAS DE que sus atractivos se cotizan alto en la tupida oscuridad de las braguetas. Cierto, ha dicho verdad y como verdad debe endosarse, pregonarse: Sansón, piernicorto del sector *El relincho*[31], quiere encargarla del despacho de un *candy store*[32] que solapa dos camas de mariconeo; Sansón tiene relaciones comerciales con mariquitas descosidas y mariquitas de ocultis porque Sansón es bujarrón[33] que circula por los urinarios del Parque Muñoz Rivera[34] y por el Parque de la Convalescencia[35]; un bolitero[36] de la quince[37] llamado Deogracias Castro[38] le ofrece la ganancia de veinte libretas de

---

[30] *buena como la India:* poseer un físico atractivo. La *India* es una popular cerveza puertorriqueña. El lenguaje publicitario impuso la frase.

[31] *sector El Relincho:* barrio popular, muy pobre, en la zona de Hato Rey, San Juan. El nombre verdadero es *El Último Relincho*.

[32] *candy store:* tienda de dulces.

[33] *bujarrón:* hombre que se prostituye con otros hombres.

[34] *Parque Muñoz Rivera:* localizado a la entrada de la isleta de San Juan, entre la Avenida Ponce de León y la Muñoz Rivera. Fue construido en 1928-1932. Está dedicado a Luis Muñoz Rivera, destacado líder político autonomista de fines del siglo xix y principios del xx (CC, pág. 199).

[35] *Parque de la Convalescencia:* localizado en Río Piedras, detrás de la iglesia principal y la plaza de recreo. Río Piedras fue lugar de residencia de verano de familias ricas y de altos funcionarios gubernamentales en el siglo xix (CC, pág. 15).

[36] *bolitero:* persona que se dedica al negocio de la *bolita,* es decir la lotería clandestina.

[37] *la quince:* la *Parada 15,* en el barrio Santurce de San Juan. Las paradas de la ruta del autobús del Viejo San Juan a Río Piedras están numeradas. Dichas paradas, que también le dan nombre a la zona en que se encuentran, son heredadas de las antiguas estaciones del tranvía, desaparecido.

[38] *Deogracias Castro:* nombre de un personaje del cuento *Responso por un bolitero de la Quince,* del propio Sánchez. Fue publicado en 1972 en la revista puertorriqueña *Zona de carga y descarga* (1972-1975).

bolipul[39] y el préstamo de una secadora de pelo que una borrachona le empeñó; un veterano vietnamero de tripas ametralladas, Pijuán Gómez, le garantiza la mitad de su pensión de soldado esquizoide, además de nombrarla heredera universal de sus bienes por si me cago en mi madre primero que tú; El Turco, un conguero de Villa Cañona[40], jura que le consigue una presentacion danzante en el cine Lorraine[41], presentación que ella haría con el nombre artístico de La Langosta: tú tienes la comida atrás. Precio solicitado por los cachanchanes[42] para la otorgación diligente de los favores susodichos: darle fuego, darle el azote de la vaca, darle con la vara que se le perdió a Pancuco: prometimientos de un cariño agresor del cual ella disfruta sin celebración. Que mucho puesto que se da porque tampoco es cuestión de tirarse al desperdicio: aristotélica a pesar suyo: la virtud es el punto medio entre dos extremos: yo no pelo el diente más de la cuenta. Psss.

FILÁNTROPA ES Y como tal regala los ojos a la construcción ajetreada de un condominio; los ojos, pendientes uno del otro como los malos acróbatas, saltan media docena de drones[43], inspeccionan los andamios que inspecciona un inspector, tropiezan con el beso del cemento y el ruido, corretean por la posta de carne con la que mea un albañil cuando ella les grita; suban para arriba, gritado luego de hacer la acotación mental de albañil que mea a las cinco: ligona, dadivosa en el pele. Inevitable el exabrupto guaracho: *la trompeta a rom-*

[39] *bolipul:* lotería clandestina (JLG, pág. 641). También *bolita.*
[40] *Villa Cañona:* una de las comunidades establecidas por sectores humildes que ocupaban terrenos para edificar sus viviendas. El movimiento llevó a confrontaciones violentas con la policía. El nombre *Villa Cañona* recoge una frase del habla puertorriqueña: hacer algo a la cañona, es decir a la fuerza.
[41] *cine Lorraine:* situado en la Parada 15, Santurce. Era un cine porno.
[42] *cachanchanes:* un grupo de amigos, de compinches que tienen cierto poder. En Puertro Rico y en Cuba también alcahuetes, hombres de confianza (FOnuevo, pág. 101).
[43] *drones: dron,* del inglés *drum* = tambor, cilindro. Un *dron* es en Puerto Rico un cilindro de gran tamaño que se usa para envasar productos industriales, y que sirve además para almacenar la basura (MV, pág. 139).

per su guasimilla[44], las trompetas hienden los surcos, las trompetas hablan de ritos clandestinos, las trompetas hablan de cuerpos montados, las trompetas hablan de cálidos encuentros de una piel con la otra, las trompetas hablan de ondulaciones lentas y espasmódicas: el trío de trompetas trompeteras. Vuelta y vuelta, se sienta a esperar sentada, esperar sudada en sofá sudado, vox populi es que fogajes africanos asan la isla de Puerto Rico, esperar transpirada: porque se fue la luz, porque la luz se va todas las tardes, porque la tarde no funciona, porque el aire acondicionado no funciona, porque el país no funciona: lo oyó así mismito cuando venía en la guagua hacia el dichoso apartamiento. Y no lo dijo un jipi de melena salteada con polen y languidez de Cristo tecato[45]. Lo dijo un hombre hecho y derecho: el país no funciona, el país no funciona, el país no funciona: repetido hasta la provocación, repetido como zéjel de guaracha: frente a una luz roja que era negra porque el semáforo no funcionaba, indignado el hombre hecho y derecho, el estómago contraído por la indignación, las mandíbulas rígidas: el país no funciona. Los pasajeros inscribieron dos partidos contendientes: uno minoritario de asintientes tímidos y otro mayoritario vociferante que procedió a entonar, con brío reservado a los himnos nacionales, la irreprimible guaracha del Macho Camacho *La vida es una cosa fenomenal*, el chofer facilitó los tonos graves: un flaco alámbrico, guarachómano deshauciado; la guagua incendiada por los alaridos y berridos del partido mayoritario, la guagua incendiada por los hachones de felicidad sostenidos por los pasajeros del partido mayoritario vociferante: felices porque a guarachazo limpio sepultaron el conato de disidencia, la guagua incendiada por las palmadas y las figuras de los que rompieron a bailar y bailotear en el pasillo estrecho, sobre los asientos, sobre el torno, la espalda del chofer hecha tumbadora[46] por un técnico de refrigeración que se reveló como arreglista mu-

---

[44] *guasimilla:* diminutivo de *guácima* o *guásima,* árbol silvestre, de diversas especies. También en el sentido de relajo, broma, tontería.

[45] *tecato:* adicto a las drogas.

[46] *tumbadora:* instrumento de percusión que marca el ritmo básico en la música de tradición afrocaribeña. Entre las *congas* se distinguen el *quinto* que da el repique y la *tumbadora,* más grave, que da el *toque* o *tumbao.*

sical. Ella piensa que pensó: relajar es lo mío y se sumó al guaracheo: guarachó hasta que el cuerpo le dijo: chica, siéntate. Pero, no le hizo caso y encomendó el culo a los sones de la guaracha del Macho Camacho, los sones de la guaracha del Macho Camacho hicieron trizas de su culo, grande culo el suyo. Las piernas cruzadas en cruz, descruza las piernas, sopla y resopla y abanica sudores, miércoles hoy, tarde de miércoles hoy, cinco pasado meridiano de miércoles hoy.

AGUZA LA BOCA porque le viene un eructo cocacolizado, increíblemente enérgico, que se zampa por entre los sones desveladores de la guaracha. ¿El gas de la gaseosa, la acidez, la flatulencia crónica, el ron, el estreñimiento, la palangana de cuajo[47] que se mandó de una sentada, el regreso afantasmado del café negro, el pataleo de la víscera bazo por el cerveceo matinal, la ansiosidad que me parte en dos bandas cuando espero? Ella razona a su antojo como el granito de Arroz Sello Rojo: meses hace que ni me purganto ni me magnesio, siglos que no bebo agua de jagua, el agua de jagua lava los riñones. La ubicación del eructo es perfecta: entre el alarido de las trompetas y el aguacero de golpetazos que se estrella sobre el bongó[48], una bravata gutural o improvisado descenso átono que aplaudiría Su Santidad Louis Armstrong[49] en una encíclica musicosa avalada con sones calenturientos. Vaporado el eructo se reorganiza la chatura de su nariz, ¿es china, japonesa, coreana?: más de uno ha pensado, aplastada la cara como tapa de lata de galletas: mulata lavadita es[50].

---

[47] *cuajo:* las tripas del cerdo, generalmente fritas, vísceras. También *cuajito*.

[48] *bongó:* instrumento de percusión que consta de dos tambores pequeños, unidos por una pieza de madera. Se toca sujetándolo entre las rodillas (HO-Diccionario, pág. 64).

[49] *Louis Armstrong* (1901-1971): trompetista y cantante afroamericano, una de las figuras cimeras del jazz. También conocido como *Satchmo*.

[50] *mulata lavadita es:* de *mulato*, en general individuos de raza mezclada de blanco y negro, expresión eufemística. *Lavadita* se refiere al color más claro, muy próximo al uso de *trigueño* o *trigueña*. Véase nota 237.

UNA CERTERA INDIFERENCIA la pasma, cara de ausente tiene, cátenla, como si tuviera otra cosa en las venas, qué, otra líquida substancia. ¿Es líquido el que se joda? ¿Puede el que se joda transmutarse en plasma? Mírenla ahora que no mira, regresada sin agruras de este lío de querindanga[51] tapadísima, este embromado combate y el otro. Como si la indiferencia fuera la salida, la frialdad cien grados prueba fuera la salida, ¿la frialdad sólo aparente? ¿Aprendió el dulce encanto del fingimiento de los manerismos repercutidos del grandioso teleculebrón *El hijo de Ángela María* que convirtió en melaza el corazón isleño?: el país en vilo por las vicisitudes de Marisela y Jorge Boscán. ¿Aprendió que la vida es una cosa fenomenal de la mismísima guaracha del Macho Camacho?, arrasadora consigna incitadora a permanente fiesteo, evangélica oda al contento y al contentamiento: con la Biblia hemos topado. Cosas hay que no llegan a saberse, el misterio del mundo es un mundo de misterio: cita citable. Lo que bien se sabe es que a ella todo plin, bien se sabe por boca de ella misma. Óiganla: a mí todo plin[52]. Oigan esto otro: a mí todo me resbala. Oído a esto, oído presto: a mí todo me las menea. Y, enseguida, arquea los hombros, tuerce la boca, avienta la nariz, apaga los ojos: clisés seriados del gentuzo *a mí me importa todo un mojón*[53] *de puta:* padrenuestro suyo. No la miren ahora que ahora mira.

---

[51] *querindanga:* amante, querida.
[52] *a ella todo plin:* a ella le importaba un comino. Se suele emplear en primera persona: *A mí todo plin.*
[53] *mojón:* mierda, «bolo excretorio» (MANhabla, pág. 380).

Y SEÑORAS Y señores, amigas y amigos, porque lo dice el respetable público y el respetable público es el que dice y digo yo que lo que dice mete mieditis, continúa en el primer e indiscutible favor del respetable público, a través del primer desfile de éxitos de la radio antillana, transmitido por la primera estación radiodifusora o primera estación radioemisora del cuadrante antillano, con super antena trepada en el superpico del super país, continúa, repito para consumo de los radioyentes que

EL SENADOR VICENTE Reinosa —Vicente es decente y buena gente— está atrapado, apresado, agarrado. Dice: llegaré tarde. Llegaré tarde: redice. Dice, redice, maldice y no se arranca algunos pelos porque algunos pelos tiene, habilísimamente dispuestos y fijados con laca naturalidad por la recomendación estilista de un barbero metido a. Visto con crasa objetividad, el hombre no se ve mal pero tampoco se ve bien. Como que no se ve ni mal ni bien, que es una manera de verse como otra cualquiera. Aunque ustedes, que lo tienen ante ustedes, todo estampa garrida de anuncio de Glostora[54], todo galanura apreciable de galán que traspone el umbral de Clubman[55], deciden si se ve bien o si se ve mal o si no se ve ni bien ni mal. El Senador Vicente Reinosa —Vicente es decente y su conciencia es transparente— está atrapado, apresado, agarrado por un tapón[56] fenomenal como la vida, made in Puerto Rico, muestra ágil el tapón de la capacidad criolla para el atolladero, tapón criminal, diríase que modelado por el cuento de Julio Cortázar *La autopista del sur*[57]: ricura, ricura, la vida plagiando la literatura. El Senador Vicente Reinosa —Vicente es decente y de la bondad paciente— merienda trozos suculentos de cutícula, deniega una moción de la bilis para visitar la cavidad bucal, desanuda la corbata que lo guillotina: guillotinado por Oscar de la Renta. Colmada hasta el fondo la copa de

---

[54] *Glostora:* marca de una brillantina, para brillar y fijar el cabello.
[55] *Clubman:* elegante tienda de ropa para caballeros, originalmente localizada en Santurce, Puerto Rico.
[56] *tapón:* acumulación de automóviles en una calle o carretera de modo que se paraliza o se dificulta el tráfico (RR, pág. 78); embotellamiento, tranque.
[57] *La autopista del sur:* título de un cuento del escritor argentino Julio Cortázar (1914-1984), del libro *Todos los fuegos el fuego* (1966).

la desesperación y apurado hasta el chorro último el termo del desconsuelo, recita con mímica proscrita en el Old Vic[58] y altisonancia propia de declamadora municipal y espesa:

PUÑETA, REPUÑETA, REQUETEPUÑETA: no digo que llegaré tarde para no pecar de usante inexacto de la lengua materna. Pero, digo tardísimo; la tardanza impondrá la precipitación del fornicio. Y el fornicio precipitado es un procedimiento aficionado por mi parte nunca recurrido. Y mi cartel establecido de amante tempestuoso, y mi fama pregonada de cortejo[59] meticuloso: a sort of fucking superstar[60], sufrirán las consecuencias de una prisa de cuya razón no soy yo el responsable. Situaciones como ésta que ahora vivo y padezco atentan contra el sostenimiento, propagación y perpetuación de la tradición continental del latin lover[61]. Y atentan contra el culto inmarcesible a las hazañas genitales de Ricardo Montalbán y yo, Fernando Lamas y yo, Porfirio Robirosa y yo, Carlos Gardel y yo, Jorge Negrete y yo, Mauricio Garcés y yo, Braulio Castillo y yo, Daniel Lugo y yo: emoción ascendente de chiringa[62] ascendente. La historia fallará por qué dijo lo que dijo, la historia estudiará el contexto, en que dijo lo que dijo: me cago en la sota de bastos. La historia fallará por qué dijo lo que dijo con

VOZARRÓN QUE EL Senador Vicente Reinosa —Vicente es decente y con el pobre es condoliente— acredita de vozarrón regulado para que combine con la fuerza bólida de mi bólida

---

[58] *Old Vic*: se refiere al prestigioso *Old Vic Theatre*, en Londres. El nombre oficial es *Royal Victoria Theatre*.

[59] *cortejo*: en el sentido de concubino, amante.

[60] *a sort of fucking superstar*: un jodido superestrella. Aquí con el doble sentido de «superestrella del joder».

[61] *latin lover*: el amante latino. Estereotipo del cine.

[62] *chiringa*: volantín, cometa (MV, pág. 140). En México, *papalotes*. La *chiringa* se construía cubriendo con papel de seda una armazón de varillas muy livianas, generalmente de las fibras centrales de las hojas de los cocoteros (JLGluna, pág. 150).

personalidad: respiración honda en la que nadan victoriosas intolerancias, sonrisa acordeónica a la disposición sempiterna de los presidentes de corporaciones y algunos vicepresidentes también, dotes que ameritan su exaltación a un santoral de tutelas conocidas: orador para Leones, charlista para Rotarios[63], darling[64] de los industriales, disertante bimensual del Comité de Defensa de la Libre Empresa, rapsoda permanente de las Hijas Católicas de América que cierran los ojos embriagadas por el prodigio de su facundia. Hombre del año ha sido dos años: la vez primera cuando presentó la resolución legislativa mediante la cual se endosaba la presencia mesiánica de las tropas norteamericanas en Vietnam, la vez segunda cuando gestó y gestionó la campaña nacional con la cuña *Yankees, this is home*[65] encaminada a contrarrestar el efecto ingrato de la campaña *Yankees, go home*, iniciada y conducida por los grupos antisociales de siempre, hombre del año ha sido dos años e hijo adoptivo de siete pueblos que en guerras civiles de volantes ponzoñosos y pasquines jupiterinos han reclamado para sus jurisdicciones las efemérides sucesivas de su nacimiento: con testimonios juramentados de siete comadronas que guardaron en la verdad inconmensurable de sus siete biblias el testimonio de los siete ombliguillos senatoriales; primer recorte de pelo, bautizo, caída de los dientes de leche: en dos pueblos la Asamblea Municipal presupuestó sendas investigaciones para dar con el paradero del ratón que dispuso de los dientes de leche del hoy insigne, preclaro e ilustre, como se le nombra periódicamente en los periódicos.

EL SENADOR VICENTE REINOSA —Vicente es decente y su talento es eminente— mira el reló, mira los brillos metálicos liberados por miles de capotas[66] acorraladas por el sol,

---

[63] *Leones y Rotarios:* clubes sociales exclusivos, de origen norteamericano: los *Lions* y los *Rotary Clubs*. En Puerto Rico lograron gran arraigo entre los sectores profesionales y de clase media alta.

[64] *darling:* el más querido, el favorito.

[65] *Yankees, this is home:* Yankis, ésta es vuestra casa. Es la inversión de la consigna *Yankis go home* = Fuera Yankis, que se menciona inmediatamente.

[66] *capotas:* techo de automóvil, plegable o no (RICHARD, pág. 114).

mira bostezos, mira gruñidos, mira insolencias, mira una libra de carajos lanzada contra el embreado, mira un poco a poco traído son, traído a capella, traído por una garganta anónima, anónima y colectiva, anónima, colectiva y domesticada, garganta que prefiere el sedante propuesto por la guaracha que ha corroído el país, tomado el país: *la vida es una cosa fenomenal.* El poco a poco traído son infiltrado en las seis filas ataponadas, transforma su poco a poco en un susurro agrio, ensordecedor, susurro y bayoya[67] y gufeo[68] como dogma nacional de salvación: invadido el país. Por varias razones que son una: rechazo de una eyaculación desabrida y a galope a favor de una eyaculación condimentada y a trote, el Senador Vicente Reinosa —Vicente es decente y su idea es consecuente— cágase en la cristiana deidad y desestima el consejo que sores tocadas le ofrecieron cuando aprendía los gozos inefables de la santa comunión: dejad que la forma sagrada se os deshaga en la lengua, abandonaos al sacramento precioso de la Eucaristía. Esta vez, cuarenticinco años después, después de doblar las rodillas ante docena de retablos, después de privarse de comer carne durante viernes eternales de veda rigurosa, después de citar las lamentaciones de Job, las confesiones de San Agustín, las epístolas de San Pablo, después de pernoctar en asilos para cursillistas, después de señalarse por el obispo de un icón eslavo a la iglesia donde friega sus pecadillos, sin reparos, sin obediencias atávicas, sin consideraciones ancestrales, se caga vilmente en la hostia. Se caga en la hostia y la mastica, masticada hasta saborear su reducción a alimento de rumiante. Cágase también, como de paso, en el copón bendito y recuesta la cabeza del claxon: mucho rato.

---

[67] *bayoya:* bulla, alboroto, relajo (RR, pág. 85). Una persona *bayoyera* es bromista o desordenada.

[68] *gufeo:* burla, relajo, hacer o decir algo en broma. Del inglés *goof* = tonto; o de *goof off* = hacer tonterías, pasar el rato.

MUCHO RATO: LA realidad circundante abolida por los ojos cerrados, la realidad circundante reinventada por los ojos cerrados: ventarrones que soplan y arrastran mujeres grandes, grandísimas como las amazonas de la California: prietas, prietonas, prietísimas, acaneladas, negras como los teléfonos, negras como el carbón; mujeres grandes, grandísimas como las amazonas de la California, adulterada su condición normal de mujeres grandes, grandísimas como las amazonas de la California por la multiplicación furiosa de su sexo peludo y cavernoso: veintena de sexos peludos y cavernosos distribuidos por cada cuerpo, brotados como hongos, brotados como cardos: indiscriminadamente; mujeres grandes, grandísimas como amazonas de la California que trasiegan a su alrededor, alrededor del sátiro pezuñoso, adulterada su condición normal de sátiro pezuñoso por la multiplicación furiosa de su sexo peludo y alongado: veintena de sexos peludos y alongados distribuidos por su cuerpo, brotados como yuyos, brotados como lipomas: indiscriminadamente. Las mujeres grandes, grandisimas como amazonas de la California inician la seducción del sátiro pezuñoso: como pulpos siseantes, esfuerzan la entrada de su veintena de sexos peludos y alongados en sus cientos de sexos peludos y cavernosos. La desproporción numérica fatiga al sátiro pezuñoso, el sátiro pezuñoso prepara la fuga, hasta el patio de la Cervecería Corona[69]. Las mujeres grandes, grandísimas como amazonas de la California, prietas, prietonas, prietísimas, acaneladas, negras como los teléfonos, negras como el carbón,

[69] *Cervecería Corona:* la Corona era una cerveza puertorriqueña. La cervecería se encontraba en la Parada 20 en Santurce, San Juan, cerca de la Avenida Fernández Juncos. La zona aún se conoce como *la Corona.*

reciben el mensaje que le envía el monitor de su intuición femenina y lo rodean y proceden a despingarlo: rato bueno en la despingación, mucho rato y grito: la realidad circundante reconquistada por una horda de cláxones.

LO REMIRA: CINCO para las cinco: el reló suda solidario: un piaget que achata la muñeca fortalecida en ejercitaciones matinales: tensión dinámica de Charles Atlas: latigosos son su cuerpo y su elocuencia. Pero, lo que se dice atrapado, apresado, agarrado, está el Senador Vicente Reinosa —Vicente es decente y nunca miente— por el tapón que se organiza cada tarde en el tramo que va desde el Puente de la Constitución[70] hasta la Avenida Roosevelt[71] por la ruta del antiguo matadero. Sudor que atestigua la vendetta del sol en el aquí: el aquí es esta desamparada isla de cemento nombrada Puerto Rico. Sudor secado con pañuelo del hilado puntilloso. Sudor parapetado tras la fragancia del Vetiver de Craven: la elegancia es su fuerte: hace un mes su gracia onomástica y figura figuraron en la nómina reñida de los hombres mejor vestidos del país, evento destacado que le reportó reportajes ante las cámaras de televisión y los suplementos de los periódicos sabatinos. Evento destacado que reportó solicitudes de dueños de boutiques y editoras de páginas femeninas de su opinión sobre la vuelta a la sensibilidad de los años treinta por la influencia de la película *The godfather*[72]: ¿hay una sensibilidad nostálgica en el horizonte?, ¿volverá el sombrero masculino?,

---

[70] *Puente de la Constitución:* inaugurado en 1954 con motivo de la Constitución del Estado Libre Asociado de Puerto Rico (1952). Se encuentra a la salida de San Juan hacia Bayamón, hoy Avenida Kennedy.

[71] *Avenida Roosevelt: (Franklin Delano Roosevelt)* una de las principales arterias de San Juan, que atraviesa la ciudad desde la salida para Bayamón hasta Hato Rey. Con el desarrollo de Plaza Las Américas y los estadios deportivos a lo largo de esta avenida, la Roosevelt se fue convirtiendo en el centro comercial de la capital.

[72] *The godfather:* el film *El padrino,* de Francis Ford Coppola. La primera parte de la trilogía, en la que se destacaron Marlon Brandon y Al Pacino, se estrenó en 1972.

¿volverá el chaleco?; ¿volverá la corbata de pajarita?, ¿volverán las oscuras golondrinas[73]? La elegancia y la oratoria son su fuerte: recién ha dado a la imprenta un tomo antológico de prosa tribunicia en el que *catarata en apocalipsis verde el hombre de la rojedad telúrica* como noticia en el prólogo extenso y consagratorio un minervo exégeta, poetiso y vocal de cuatro academias de la lengua. La elegancia, la oratoria y las mujeres son su fuerte: animal insomne entre las piernas.

A LAS CINCO de la tarde, a las cinco en punto de la tarde y son las cinco en todos los relojes[74], el tramo que va desde el Puente de la Constitución hasta la Avenida Roosevelt por la ruta del antiguo matadero es el infierno tan temido[75] o la sucursal principal del. Cuando no es el olor rancio a víscera reventada de sato realengo[76] o la agitación de los manglares vecinos o el vaho que se cría en el basurero municipal o el escape de gas de las refinerías de Palo Seco[77]: gases apestosos a mierda de la buena, es el tenebroso oleaje de polvo, amén del cuasi ensayado tranque vehicular: como Mamut de lata, despanzurrado, un camión de carga de la Sea Land, a su lado la grúa que le da respiración artificial, motoras que cabriolean por los viales escasos, la flota de Dodge que vuelve de los muelles de la Parada Siete[78], una guagüita Payco[79], cientos de

[73] *¿volverán las oscuras golondrinas?*: cita de un conocido verso de las *Rimas* del poeta español Gustavo Adolfo Bécquer (1836-1870).

[74] *A las cinco de la tarde [...] relojes*: cita del poema *Llanto por Ignacio Sánchez Mejías* (1935), del escritor español Federico García Lorca (1898-1936).

[75] *el infierno tan temido*: cita del soneto anónimo español del siglo XVI *No me mueve mi Dios para quererte*. También puede aludir a *El infierno tan temido* (1962), libro del narrador uruguayo Juan Carlos Onetti (1909-1994).

[76] *sato realengo*: perro sin dueño (MV, pág. 150). Un *sato* en Puerto Rico es un perro ordinario, común, de raza muy mezclada. *Realengo* es un arcaísmo que ha llegado a significar *callejero*, libre. Véase nota 24.

[77] *refinerías de Palo Seco*: en la costa norte, cerca de Cataño.

[78] *Parada Siete*: la *Parada Siete,* en el barrio Puerta de Tierra, San Juan. Véase nota 37.

[79] *guagüita Payco*: diminutivo de *guagua*: pequeños camiones que venden el helado de marca *Payco* u otras mercancías por las zonas residenciales. El término *guagüita pública* se refiere a los vehículos que transportan pasajeros. Véase nota 17.

carros. No hay un árbol; si lo hubiera se tramitaría, seguidamente, su liquidación. Hay, sí, calor en abundancia y mucho, muchísimo chofer y pasajero guarachómano, como pacientes contagiados, epidemiados de un virus de culeo y remeneo y *arrecuérdate que desayunas café con pan:* industria nacional la guachafita[80].

EL SENADOR VICENTE Reinosa —Vicente es decente y no ha tenido un accidente— pensó cortar por la Avenida Muñoz Rivera[81] y llegar a la Avenida Roosevelt a través de la calle Quisqueya[82] pero recordó, joder de los joderes, que en el Coliseo Municipal Roberto Clemente[83] se celebra hoy el Primer Festival Nacional de Batuteras con premio codiciado de periplo a la Casa Blanca a batutear ante la condescendencia nixoniana de Tricia y Julie y en el Estadio Hiram Bithorn[84] se celebra hoy el Primer Festival de Comelones de Morcilla con premio adjudicatario de la cátedra universitaria de la Ciencia Doméstica del Embutido y en la Plaza Las Américas[85] se celebra hoy el Primer Festival Nacional de Monaguillos con premio magno de beso a la mano del Cardenal y premios consoladores de homiliarios en concha esmerilada. Y la congrega-

---

[80] *guachafita:* burla, choteo (AM, pág. 182). Cosa de poca importancia o interés. Bayoya (RR, pág. 54). Véase nota 67.

[81] *Avenida Muñoz Rivera:* una de las principales avenidas de San Juan, paralela a la Avenida Ponce de León. Parte del Viejo San Juan y cruza la ciudad, hasta Río Piedras.

[82] *calle Quisqueya:* en Hato Rey, San Juan. Parte de la Avenida Ponce de León, hasta la Avenida José Celso Barbosa.

[83] *Coliseo Municipal Roberto Clemente:* localizado en la Avenida Roosevelt. Este importante centro de deportes honra la memoria de un héroe popular muy admirado, Roberto Clemente, uno de los grandes de la historia del béisbol.

[84] *Estadio Hiram Bithorn:* cerca del Coliseo, es un estadio de béisbol, pero también se celebran ahí los grandes espectáculos musicales.

[85] *Plaza Las Américas:* el primero, y el más exitoso, de los grandes *shopping centers* puertorriqueños. Se fundó en 1968 y muy pronto transformó los hábitos de los consumidores. Situado en la Avenida Roosevelt, casi enfrente del Coliseo Municipal Roberto Clemente.

ción de los participantes, los familiares y los merodeadores se calculó en cifras de miles por los servicios proféticos de la policía. Y los servicios proféticos de la policía predijeron transitorias dificultades del tránsito aunque permanentes entre las tres y las seis. Y son las cinco. Nada, que la escapatoria se escapó, que ahora tendrá que mamarse el tapón y el calor: uf, uf, uf: interjección que denota un calor caluroso aprendida en la lectura a hurtadillas de las comiquitas de

LORENZO Y PEPITA. Molestias en collar: primero el calor, del calor el sudor, el tapón, el previsto bembeteo[86] de su mujer, alimentada su mujer con cápsulas de jodeína, el bolerazo que asestó a todos la nueva Senadora cuando quiso cantar en el hemiciclo porque lo de ella era diz que cantar; la mamalonada del Senador correligionario que solicitó, con verecundos trinos, a última hora, cuando bajaba las escalinatas del Capitolio[87] augusto con premura sexuada, su coauspicio del proyecto de ley creadora de la galería benemérita de los padres de la patria puertorriqueña: Wáshington, Lincoln, Jefferson y demás titanes, galería con bustos de cuerpo entero de. Excuse la interrupción indebida y atolondrada pero ¿oí bustos de cuerpo entero?, oyó bustos de cuerpo entero. Teletipa el pensamiento vicentino: bruto y orgulloso de serlo. Bustos de cuerpo entero de Wáshington, Lincoln, Jefferson y demás titanes forjadores de la patria puertorriqueña, de manera que nuestros hijos y los hijos de nuestros hijos descubran en la majestuosidad de la piedra aporreada el. Excuse la interrupción indebida y atolondrada pero ¿oí piedra aporreada?, oyó piedra aporreada. Teletipa el pensamiento vicentino: animalo irredento. Descubran en la majestuosidad de la piedra

---

[86] *bembeteo:* habladuría, chismorreo. Sustantivo formado sobre *bemba* o *bembe* = de labios gruesos, en particular de personas negras. Es un africanismo antillano. Tiene formas derivadas con matices humorísticos o despectivos como *bembón* (MV, pág. 136).

[87] *El Capitolio:* el edificio que alberga el Parlamento puertorriqueño. Se encuentra en Puerta de Tierra, San Juan, Avenida Ponce de León, 11. Fue inaugurado en 1929 (CC, pág. 19).

aporreada el reposo de nuestra historia. Broche que cierra el collar de molestias: retraso del encuentro ansiado con la corteja[88] de turno. Ah, ah, ah, con sus cortejas y querindangas tapadísimas él podría hacer un establo: cuántas potrancas: expansión de los cachetes como el sapo fabulado. Un engreimiento, una jaquetonería[89], un julepe[90] padrote, un yo sí y qué pasa, engalanan la palabra corteja.

---

[88] *corteja:* querida, amante (MV, pág. 138). Puede ser despectivo.
[89] *jaquetonería:* bravuconería. Del sustantivo *jaquetón* = bravucón, fanfarrón.
[90] *julepe:* reyerta (JLG, pág. 643). Enredo creado por una persona; desorden (RR, pág. 59).

ACABAN DE EMPEZAR a oír mi acabadora Discoteca Popular, que se transmite de lunes a domingo de doce del mediodía a doce de la medianoche por la primera estación radiodifusora y primera estación radioemisora del cuadrante antillano, continúa en el primer e indispensable favor del respetable público, después de ocho semanas de absoluta soberanía, absoluto reinado, absoluto imperio, esa jacarandosa y pimentosa, laxante y edificante, profiláctica y didáctica, filosófica y pegajosófica guaracha del Macho Camacho *La vida es una cosa fenomenal.*

CON LAS UÑAS esmaltadas por Virginale, trampa de amor creada por la naturaleza, con frescura y pureza de bosque virgen de tonos ligeros como las nubes, Graciela Alcántara y López de Montefrío abre la cartera: un bolso encantador de cabritilla nívea comprado a crédito en Sears[91], delicadísimo, elegantísimo, carísimo e imprescindible para las ocasiones en las que se hace pertinente un cierto cuidado abandono; blasonado así por los dioses del trapo el último de los gritos: la ostentación de la no ostentación: the very casual look[92]: lucir como si no se luciera desde la lucidez, vestir pecablemente impecable el modelito elegido sin elegir, gloria aeternus de señoronas que letanían el qué me pongo: ahogadas en laberintos de chifones, estampados de seda italiana y extravagancias costureriles de Givenchy, Halston y Balmain para evitar decir Martin, Carlota Alfaro y Mojena. Graciela Alcántara y López de Montefrío extrae del bolso encantador de cabritilla nívea: delicadísimo, elegantísimo, carísimo, el vaniti de oro coronario comprado a crédito en Penneys[93]: orlado de jacinto que remata en lazo. Clap gentil y ábrete vaniti. Antes, sonrisa de halago, ¿halago?, a la recepcionista que lee la edición trigésima de la novela *La otra mujer de su marido* de Corín Tellado[94], lectura he-

---

[91] *Sears:* la primera sucursal de la conocida cadena norteamericana se encontraba en los años setenta en Hato Rey, San Juan, en los terrenos de lo que fue antes el Barrio Amparo.

[92] *very casual look:* del lenguaje de las revistas de moda = para ocasiones informales.

[93] *Penneys:* esta cadena de tiendas por departamento se estableció primero en el centro comercial Plaza Las Américas, en la Avenida Roosevelt.

[94] *Corín Tellado:* española. La autora de novelas rosa más vendida en el mundo de habla hispana.

cha con fondo musical reverberante de la guaracha del Macho Camacho *La vida es una cosa fenomenal*. Foot note sin el foot[95]: la recepcionista funge de enfermera si la cosa se pone caliente: y la cosa se pone caliente cuando uno de los clientes o uno de los pacientes se resiste a la comedia de manners and morals[96], del please to me[97], del besamanos, del guille[98] de all is quiet in the western front[99], de Jane Fonda en *Klute*[100]: coolness[101] y análisis.

LAS MEJILLAS DE Graciela Alcántara y López de Montefrío inundan el espejito del vaniti. Espejito, espejito: lo camela, lo adula, lo quiere hacer su amiguito, con el rabo del ojo escruta la zona facial donde los vasos capilares se azulan: fantasiosa, escapista, Graciela Alcántara y López de Montefrío tiende una escala dulce entre la edad presente y una edad perdida, invocada por los divinos humectantes de Helena Rubinstein, escala dulce que muere en salones espaciosos, sucesivos, donde el llanto profuso de las lámparas improvisaba la poesía de los días iluminados: cotillón de debutantes en la Casa de España[102]: ghetto de amenidades peninsulares y admiraciones criollas: todo apellido inscrito sueña la corona de un esplendor configurado por el número de cabezas de gana-

---

[95] *Foot note sin el foot:* del inglés *footnote*. Juego de palabras del autor: nota al pie de página, sin el pie.

[96] *manners and morals:* tradición teatral, comedia de costumbres de la clase alta, por ejemplo las obras del inglés Oscar Wilde (1854-1900).

[97] *please to me:* hágame el favor.

[98] *guille:* darse aires de grandeza, de superioridad (RICHARD, pág. 264). Se usa la expresión «tener guille de».

[99] *all is quiet in the western front:* alude a la novela de Erich Maria Remarque.

[100] *Jane Fonda en Klute:* se refiere al film *Klute* (1971), dirigido por Alan J. Pakula, por el cual la actriz ganó un Oscar.

[101] *coolness:* uno de los sentidos de *cool* = mantener la compostura, las apariencias.

[102] *Casa de España:* situada en la Avenida Ponce de León, 9. Fue construida entre 1933 y 1935 por el arquitecto Pedro de Castro, en estilo neoespañol con inspiración andaluza. Durante muchos años fue un centro social de la comunidad española y de la alta burguesía puertorriqueña (CC, pág. 19).

do, el número de tierras de cultivo, el número de tierras de pastar, el número de préstamos bancarios, el número de hipotecas conservadas, el número de acreedores consignados, el número de servilismos agenciados: segundones hay: probeteros de boticas fundadas con anterioridad a que los americanos se sirvieran la sopa con el cucharón grande, almaceneros que no erradican del tuxido el grajo a cebolla y ajo, sobrinos políticos del señor que tiene molino en Tarragona, primos lejanos de señor que tiene pazo en Villa de Arosa; cotillón de debutantes en la Casa de España: ghetto de amenidades peninsulares y admiraciones criollas.

PRESENTACIÓN EN SOCIEDAD de Graciela Alcántara y López de Montefrío y otros quince capullos acrisolados en el seno de la distinción: introito del heraldo andaluz que, años tras año, con fanfarria de plumas, pecherín y medias calzas, presenta a los capullos acrisolados en el seno de la distinción, introito del heraldo andaluz una vez dados tres varazos en el suelo; vara de la autoridad en los burgos medievales. Locución del heraldo andaluz: los quince capullos bordarán con el hechizo de sus pies y el embrujo gracioso de sus brazos, la elegancia palatina del palatino cotillón: lágrimas de madre y padre eternizadas en cajitas lagrimales de Battersea, bandada de tules, bandada de organdíes, bandada de piques, pucha de miosotis[103], pucha de hortensias, pucha de bromelias: cortesanías dibujadas por la inclinación leve y el leve paseo. Locución del heraldo andaluz: quince efebos favorecidos por la esquiva Diosa Fortuna sorprenderán el milagro de los quince capullos acrisolados en el seno de la distinción para dar forma vienesa a ese *Danubio azul* impaciente en las cuerdas del violín: lágrimas de madre y padre eternizadas en cajitas lagrimales de Fabergé. Locución del heraldo andaluz: los quince capullos acrisolados en el seno de la distinción, promesa de rosas de un mañana rosáceo, se abandonan con el decoro

---

[103] *pucha de miosotis:* ramillete de flores, para bodas y ceremonias similares.

133

abonado por jardineros devotos a su noche primera en sociedad, oh crema congregada, oh nata instituida, salva de vivas solicito para la gala de Medina, para la flor de Olmedo[104].

GRACIELA ALCÁNTARA Y López de Montefrío, paipai de nácar, brasier strapless[105], pelo que tentó al publicista del Tricófero de Barry, pelo organizado en dos moñas de las que pendían dos cascadas de bucles, Graciela Alcántara y López de Montefrío, medrosa y recelosa porque su efebo favorecido por la esquiva Diosa Fortuna la ciñó hasta ceñirle el aire, hasta ceñirle los pensamientos, buscó entre las mesitas que rodeaban la pista de baile la mirada grave de la viuda de su madre, su efebo favorecido por la esquiva Diosa Fortuna la ha ceñido hasta reducir la circunferencia del talle a milímetros y le ha murmurado en el oído franqueado por perlas majoricas: en un cofrecito de oro metí la mano y saqué el dulce nombre de Ciela que jamás olvidaré: que jamás olvidó hasta la próxima pieza, bolero de Sylvia Rexach[106]: *soy la arena que la ola nunca toca.* Porque cuando Graciela Alcántara y López de Montefrío cejó, resistió el atrecho indecente de su brazo, el efebo favorecido de la esquiva Diosa Fortuna sintió que se le maltrataba, ridiculizaba: un down[107] en su orgullito tarimado en reclamos telefónicos de muchachitas que hacían pininos en el deporte de la caza del hombre: bailaron sí, con una displicencia y un enfado ofensivos a una primera noche en sociedad, orquesta de César Concepción[108] con su cantante exclu-

---

[104] *la gala de Medina, para la flor de Olmedo:* cita del cantar que condensa la leyenda que inspiró *El Caballero de Olmedo,* la tragedia de Lope de Vega.

[105] *brasier:* sostén, corpiño.

[106] *Sylvia Rexach* (1921-1961): puertorriqueña, compositora de boleros. Formó parte de *Las Damiselas,* el primer conjunto musical femenino de Puerto Rico. Alcanzó gran fama en los años cincuenta y sesenta con sus canciones *Olas y arenas* y *Nave sin rumbo.*

[107] *un down:* del inglés, en el sentido de estar deprimido, desalentado.

[108] *César Concepción:* músico puertorriqueño. En los años cincuenta, su orquesta fue una de las más cotizadas en los grandes hoteles de Puerto Rico y en los medios. En su repertorio incluyó las *plenas* puertorriqueñas (JS, pág. 258).

sivo Joe Valle[109]; en su casa, mientras procesaba el desmonte de sus moñas de las que pendían dos cascadas de bucles, Graciela narró con puntos y comas los extremos del incidente a la viuda de su madre, el dolor de nacer mujer: lloraron: la viuda de su madre tomó la decisión: marcharás al extranjero, marcharás a Suiza nevada y pura, te alejarás de la vulgaridad insular de la que es rigor cristiano huir: persignada. Las semanas siguientes la prensa se hizo lenguas de la exitosa entrada en sociedad de Graciela Alcántara y López de Montefrío: portada de *Alma Latina,* medallón gráfico del *Puerto Rico Ilustrado*, incorporación del acontecimiento histórico en las crónicas de Miguel Ángel Yumet, Carmen Reyes Padró y Lady Boix de Buxeda[110]: coincidencia en los epítetos desempolvados: portadora angélica de la inocencia, fresca como novia niña, burbujeante alegría, porte de Infanta de las Españas:

DOLOROSO VIAJE AMARGO a través del espejo, Graciela Alcántara y López de Montefrío no es Alicia[111] pero viaja a través del espejo, viajera interespejoal, en los árboles parturientas de su imaginación parturienta aguarda la sombra que larga el dulce pájaro de la juventud[112]: azorada, tremulante, llorosa, resiste la provocación del obsceno pájaro de la noche[113]: lúbrico exigente: muerta antes que entregada a festejos libidinosos, muerta o desangrada por los pájaros que van a morir a Perú. ¡Ay, y ayes de la que fue hermosa! Próximamente en esta cara: mascarilla de sal con yogurt, mascarilla de almidón y sándalo, mascarilla de especias filtradas con pizca de olor a canela y azafrán. Rrrriiinnn: qué susto, el corazón se

---

[109] *Joe Valle:* famoso cantante puertorriqueño, gran bolerista.
[110] *Miguel Ángel Yumet, Carmen Reyes Padró y Lady Boix de Buxeda:* periodistas, cronistas «sociales» de la burguesía puertorriqueña.
[111] *Alicia:* alude a la obra de Lewis Carroll (1832-1898), *Alicia en el país de las maravillas.*
[112] *el dulce pájaro de la juventud:* alude a la obra dramática *Sweet Bird of Youth* (1959) del escritor norteamericanoTennessee Williams (1911-1983).
[113] *obsceno pájaro de la noche:* alusión al título de la novela *El obsceno pájaro de la noche* (1960), del escritor chileno José Donoso (1924-1996).

le sale a la boca pero dócil, tras el regaño, regresa a la corazonada. La recepcionista: Misis[114], refresque esos nervios. Rrrriiinnn. La recepcionista baja el volumen del transistor. El silencio, compacto como un hipopótamo[115], borra *una cosa fenomenal.* Rrrriiinnn, tercer rrriiinnn, tres son los rines que se aguardan para levantar el aparato telefónico y contestar: etiqueta estipulada en la columna de Ann Landers inserta en los manualillos de la secretaria eficiente y ratificada por los cursillos del suizo refinamiento.

HOLA, HOLA, PEPSICOLA: ingenio colonizado. Oficina y Consultoría de Práctica Síquica y Sicosomática del Doctor Severo Severino... Lamentando tener que decirle que la solicitud suya es bien imposible... Bien imposible en la semana en que estamos y en las semanas en que estaremos en las próximas semanas... Mucha señora deprimida... He dicho que está la señora deprimida que hace orilla... Repito que está choreta[116] la señora deprimida... Digo que se puede hacer una redada de señoras sanjuaneras deprimidas... Mándela a Disneylandia... El encuentro con el Perro Pluto puede que le devuelva las ganas de vivir... Cómprele un helado de Chocolate... El Doctor Severo Severino lo llamará para atrás[117].

POR SUS FUEROS vuelve la guaracha del Macho Camacho, transistor que escupetea delirios de vida fenomenal. Espejito, espejito, le da un bomboncito al espejito para que se

---

[114] *Misis: Mrs.,* muy frecuente en Puerto Rico como fórmula de tratamiento respetuoso al dirigirse a una señora o señorita, sobre todo a las maestras. Exige el uso de *usted.*

[115] *compacto como un hipopótamo:* cita de un verso del poema *Pueblo Negro,* del libro *Tuntún de pasa y grifería* (1937) del poeta puertorriqueño Luis Palés Matos (1898-1959). El verso de Palés dice: *el compacto hipopótamo se hunde / en su caldo de lodo suculento.*

[116] *choreta:* abundante, en cantidad (RR, pág. 45).

[117] *llamará para atrás:* anglicismo, de *to call back* = devolver la llamada.

haga su amiguito, expande los ojos, guiña seguidamente, guiña lentamente, como una muñeca neurótica, como una muñeca de traspuesto muelle, como una muñeca de cuerda corta, como una muñeca de pupila, irritada y frágil como una muñeca descoñada. Ahogo callado, el no sé qué, el sí sé qué, el no es mareo pero tiene cara de mareo, conversa con la angustia que la procura por las sienes: fortín de pliegues o nido de viborillas. Próximamente en esta cara: mascarilla de huevo y alcanfor, mascarilla de yema con rocío, mascarilla de clara de huevo con zumo de yerbabuena. Espejito, espejito: Graciela investiga la carnación oculta por la caricia del Balcony Amber, crayón de cera abejosa comprado a crédito en Chez Bamboo[118], el espejito absorbe una cepa de arrugas adolescentes a la que Graciela suplica la caridad del recato; una cualquier mañana, ritmadas por la prosa cuarentona, la cepa de arrugas tomará la piel de Graciela para asolarla, escrito está en el libro de la vida y anunciado sutilmente en las pisadas de patas de gallo. Esta noche en esta cara: mascarilla de guineo maduro[119] y aguacate con gota de extracto de menta, Graciela Alcántara y López de Montefrío mira el relojín que le cuelga del pecho a manera de relicario, con suspiración lírica ensaya un resuello de hartazgo. Clap destemplado y ciérrate vaniti. Aviso urgente: el vaniti se cerró o el vaniti quedó cerrado a las cinco de la tarde, tarde de miércoles hoy.

CIÉRRATE VANITI DE señora señorísima fastidiada por los dejes insidiosos de esa música guarachosa que a ella le parece un voto de confianza a la chabacanería desclasada que atraviesa como un rayo que no cesa[120] la isla de Puerto Rico:

---

[118] *Chez Bamboo:* una boutique elegante, que estaba localizada en la Avenida Ashford, en la zona del Condado, San Juan.

[119] *guineo maduro: guineo* es la palabra general para designar el plátano o banano, en Puerto Rico, Santo Domingo y parte de Venezuela. Hay varias clases de guineos: gigante, montecristo, manzano, niño o dátil, verdino, etc. (RR, pág. 56). El *guineo* es un fruto más pequeño que el *plátano*, y se cultiva mucho en las islas del Caribe (MANhabla, págs. 278-279).

[120] *rayo que no cesa:* alusión al título del libro de 1936, del escritor español Miguel Hernández (1910-1942).

aposento tropical de lo ordinario, trampolín de lo procaz, paraíso cerrado del relajo. Estallido vocal: pero *la vida también es una nena bien guasona.* Fina refinada en una escuela suiza de refinamiento a donde la envió la viuda de su madre, atormentada la viuda de su madre por la estrepitosa vulgaridad insular de la que era, es, será rigor cristiano huir; persignada, asqueada, ultrajada porque la guardarraya moral no se guardaba, testimoniado con la anuencia y respaldo de una vida encuadernada con planchas de decencia: cosecha hay de mujeres que tratan a los hombres de tú, nacidas para el mal o mal nacidas.

PECECITO PESCADO EN el río revuelto del pensamiento gracielino: qué bella es la belleza. Graciela siente un sentimiento: Suiza nevada y pura, la viuda de su madre, el noviazgo con el fino y refinado, caballero y caballeroso muchacho de primera: interminables sesiones de interminables mecidas en los sillones interminables del interminable balcón de la interminable casa solariega de la interminable calle Loíza[121] bajo la mirada interminable de la viuda interminable de su interminable madre; el matrimonio con el fino y refinado, caballero y caballeroso muchacho de primera: jardín de alhelíes la iglesia y de lirios del valle y de fragancias nobles en búcaros italianos reverdecidos por helechos salvajes y mano de abeto; gentío tamaño de invitados, colados, beatas sobrantes del rosario y mirones que, por un rato, soltaron el cartón del bingo que se jugaba en la casa parroquial; aleteo y picoteo del Ave María entonada divamente por una super estrella de la Gran Ópera de Curazao, jactanciosa coloratura que cubrió los bancos de la iglesia con tarjetitas de ufana presentación y letra aldina: *Mimí Ledoux. Etoile de la Gran Ópera de Curazao. Tengo vestuario propio.* Y, titingó de los titingoses: aplauso delirante cuando Graciela Alcántara y López de Montefrío, bellísima

---

[121] *calle Loíza:* parte de la Avenida José de Diego en El Condado, San Juan, y atraviesa varios barrios populares y zonas residenciales, hasta Punta Las Marías, ya en la zona de Isla Verde.

en su gala nupcial en la que llameaban los tachones de camelias, solemne y trémula, hizo su aparición en el pórtico de la nave, embracetada a su único tío, su único tío cojo. Justo, un cojonal se armó. El sacerdote, un bilbaíno iracundo, columpiaba el hisopo mientras sus ojos de mochuelo nazi, lanzaban dardos de condena; mientras su voz de flautín acatarrado, gritaba: en la casa de Dios no se permiten expresiones de mundanal entusiasmo, manquera para los fariseos, malditos por los siglos de los siglos los que consumaron el pecado del aplauso, cero gloria para los que batieron palmas. Feísima voz de flautín, los cirios estremecidos por el viento que concitaban los aplausos. Graciela se recordaba pálida como la niña de Guatemala[122], pálida como la amada inmóvil[123], bellamente quieta ante la turbulencia de las aclamaciones y los bravos y la inusitada admiración de los monaguillos, unos prospectos sensacionales de hijos de puta que trastocaron la lección y en vez de decir amén decían amor, amor[124]. Mimi Ledoux, etoile de la Gran Ópera de Curazao, zampada en el balconcete voladizo del coro, se entusiasmó con las muestras de entusiasmo que supuso originadas por su estupenda, grandiosa, inigualable interpretación del *Ave María* y creyó prudente y mandatorio añadir un numerito de mayor lucimiento personal en consonancia con el entusiasmo originado por su estupenda, grandiosa, inigualable interpretación del *Ave María*: soberbia, émula de la Tebaldi y la Callas[125], se arrancó con la *Habanera* de *Carmen,* mejorada con cataplasmas flamencas como olés, levantadas del traje y taconeos que vulneraron la debilidad del balconcete voladizo e hicieron volar hasta el altar las uñas y pezuñas del dragón temido que venciera en su

---

[122] *la niña de Guatemala:* alusión a un conocido poema de José Martí (1853-1895), incluido en *Los versos sencillos* (1891). Fue uno de los predilectos de los declamadores puertorriqueños.

[123] *la amada inmóvil:* alusión al título de uno de los libros del poeta mexicano Amado Nervo (1870-1919). El libro se publicó en 1920.

[124] *en vez de decir amén decían amor, amor:* cita del verso final del romance la *Misa de amor,* incluido por Ramón Menéndez Pidal en su *Flor nueva de romances viejos.*

[125] *Tebaldi y la Callas:* Renata Tebaldi (1922-1977) y Maria Callas (1923-1977) dos legendarias divas de la ópera.

momento el Jorge tal, hecho luego santo y apocopado san, dragón y santo que decoraban, en cal endurecida, la subida al coro.

Y, COMO UNA lluvia persistente, como un pececito tontón que caía una y otra y otra vez en la tarraya del recuerdo de su luna de miel en Guajataca[126]: inmóviles visiones como postales decomisadas: protegida por la honestidad de una camisola de corte monacal y encaje austero que, óyeme bien Ciela, no vas a quitarte ni para hacer el fresco acto copulativo, ¿qué es eso Mamá?, cruzacalle espantado de ojo a ojo, eso es la carnal penetración de su vergüenza en la tuya.

---

[126] *Guajataca:* en la costa norte, en Quebradillas. También hay un lago y un río del mismo nombre.

Y NO SE trata, señoras y señores; amigas y amigos, del numerito sosito que rellena el repertorio de una agrupación musical como digo diciendo los Afro Babies, los Latin Provocatives, los Top of the Top, los Monstruo Feeling, los Temperamento Criollo. Digo diciendo que no se trata de un estribillo o pamplina sacarina para chulear el gusto de melenudos, peludos.

LE HACE BIEN el baño de sol —dijo la Madre: se afeitaba las piernas y disponía estrellitas de saliva por las cortaduras: gilette bota. Como un murciélago errático, hostigado por celajes crudos, volaba el callejón y volaba el patio y volaba el balcón y volaba la casa de punta a punta el ritornello de pregonada moralidad: *la vida es una cosa fenomenal.* La Madre aparejaba al ritornello de pregonada moralidad un remeneo estentóreo y vallaba los ojos para fabricar en el recoveco de la admiración suma, con tela y telón de su invención, el escenario donde triunfaba su artista favorita: la cresta de sus sueños la ocupaba, como una Circe exquisitada con ramilletes copiosos de ruedas de tomates, mazos de lechugas, berro y rajas de aguacate, el cuerpo polícromo, polifacético, polifónico, poliforme, polipétalo, polivalente de la artista Iris Chacón.

LA MADRE QUERÍA cantar a lo Iris Chacón tonaditas de caramelo y chocolate. La Madre quería bailar a lo Iris Chacón y asentar fama continental de nalgatorio anárquico. La Madre quería transformarse en otra Iris Chacón y perderse y encontrarse en las curvas sísmicas que tienden su kilómetro cero en la cintura. La Madre quería SER Iris Chacón y desmelenarse públicamente como una tigresa enfebrecida destas que los locutores llaman temperamentales: bizcas por el mirar penetrante, ofrecido y nunca dado el escote precipitado, la boca en un abrir medio. Una vez transformada en la artista Iris Chacón o hecha la artista Iris Chacón o recauchada como la artista Iris Chacón, proceder a mimar el deseo de los hombres por entre las greñas encandiladas, greñas vacacionantes de la

143

cara y sus aledaños. Resignada a la canallada de no ser quien quería ser, dispuesta a aceptar del lobo un pelo, La Madre se juraba que un día cualquiera, tras estampar su firma, añadiría, tan tan como tan tan: alias Iris Chacón. La Madre: si se me metiera entre ceja y ceja sería la acabadora de la televisión: descarado flujo de conciencia.

LE APROVECHA EL baño de sol, agrega La Madre cuando Doña Chon, vecina nuestra que estás en el Caño de Martín Peña[127], le pregunta por qué deja El Nene abandonado en el terreno de sol: atrio de la Basílica de San Juan Bosco[128], parquecito de la calle Juan Pablo Duarte[129]: la han visto en la movida indolora La Becerra y El Eñe. La Becerra y El Eñe que se metan donde tienen que meterse —dijo La Madre—: ojos desbocados y boca ojival putrefacta por sapos y culebras. La Becerra que se ponga a estar pendiente a las andanzas de la hija realenga que tiene y que se deje de rebuscar en los drones de la basura, canto de trapera —dijo La Madre. El Eñe que se deje de estar pasándose darvon[130] con aspirina, canto de pastillero[131] —dijo La Madre. Abandonado ni abandonado, abandonado es darle gasolina a la lengua, abandonado ni abandonado —dijo La Madre: fuego, humento, tizones por la boca. La Madre se enjabonó la otra pierna, la gilette condenaba la pelusa artificial y exoneraba de toda culpa a los tocones[132]: El Viejo se encampana cuando me sabotea las piernas

---

[127] *Caño de Martín Peña:* véase nota 21.

[128] *Basílica de San Juan Bosco:* situada en el barrio La Cantera.

[129] *calle Juan Pablo Duarte:* empieza en Hato Rey, en San Juan, desde la Avenida Ponce de León en la Urbanización Floral Park; se prolonga hasta la Avenida José Celso Barbosa y el barrio La Cantera.

[130] *pasándose darvon:* consumir barbitúricos como el *Darvon.* El verbo *pasar* es común en el mundo de la drogadicción entre puertorriqueños.

[131] *pastillero:* adicto a las drogas sintéticas en forma de pastilla.

[132] *humento... tocones:* humera, humo denso (MV, pág. 145). La *gilette* es marca de la navaja de afeitar, y *tocón* en Puerto Rico es «el cañón de la barba» (MV, pág. 151).

barbudas —dijo La Madre: noticiera feliz del quiqui[133] feti-
chista del Viejo. Doña Chon, espulgaba el lomo de su gato
Mimoso, sentenció: todas esas fresquerías[134] vienen anuncia-
das en los últimos capítulos de La Biblia. Doña Chon, espulgaba las patas de su gato Mimoso, gato consentido de Doña
Chon, sentenció: del cometimiento de todas esas fresquerías
pedirá cuentas el de arriba cuando baje. ¿Baños de sol? —dijo
Doña Chon: sorpresa, incredulidad. Fiebre de la caliente le va
a dar —dijo Doña Chon: médica. Tabardillo[135] del malo le
va a dar —dijo Doña Chon: sabia. En el lindo rotito del lindo
culito le nacerá un nacidito —dijo Doña Chon papisa, nalga-
da cariñosa al gato Mimoso que brincó hasta la repisa tercera
de la alacena. ¿Baños de sol? —volvió a preguntar Doña
Chon. La primera vez que me lo tiro —dijo Doña Chon: cara
garabateada por el escepticismo y otras doctrinas filosóficas
antiguas y modernas.

NO ES PENDEJA Doña Chon y quiere que bien se en-
tienda y que bien se extienda el saber y se corra la voz de que
no es pendeja. Doña Chon explica la inferencia prójima de su
pendejez por el hecho tundente de su tundente gordura. Primer plano apócrifo de Doña Chon en declaraciones tunden-
tes para aquellos de ustedes que creen, a pie juntillas, que son
una cosa el hambre y las ganas de comer: la gente anda creyendo que los gordos nos mamamos el deo. La gente anda
creyendo que los gordos somos primos hermanos de William
Pen[136]. Dato adicional a tener en cuenta, con independencia
de lo que Doña Chon, por pico propio, les ha dicho: Doña
Chon es mucho más que entrada en carnes. Doña Chon es
mucho más que gorda. El mucho más en tercetos le da espe-

---

[133] *quiqui*: deseo, fantasía sexual, *bellaquera* (véase nota 23). Probablemente de
to get a kick out of = encontrar placer en algo, o de *kinky*.
[134] *fresquerías*: expresiones o actos obscenos. Es un sustantivo formado sobre *fresco*, en la acepción de desvergonzado.
[135] *tabardillo*: es un arcaísmo que tuvo el significado de «tifus» (MV, pág. 151).
[136] *William Pen*: eufemismo, humorístico, de *pendejo*.

sor de angelote atascado en grasas, angelote rebelado contra toda abstinencia bucal. Confirmado: Doña Chon no es pendeja, los gordos no se maman el deo, los gordos no son primos hermanos de William Pen. Reconocido: Doña Chon es más buena que el pan: masa de trigo que, fermentado y cocido, ella gusta de comer.

EL SOL LE quema la monguera[137] —dijo La Madre, dogmática como católico práctico, dogmática como marxista práctico. El sol le espanta la bobación —dijo La Madre, se atusaba el sobaco desafeitado porque al viejo le gusta sobetearme el sobaco barbudo —dijo La Madre. El sol sirve para todo como la cebolla que hasta para la polla —dijo La Madre: concluyente, yendo hasta la puerta, dejando que la guaracha del Macho Camacho le hospedara la cintura, cimbreante y cimbreosa, guarachosa y triunfadora en cabarets imaginarios, cercada por un foco que precisaba las líneas imprecisas de su maquillaje colorín, guarachosa y triunfadora y envuelta en rachas de aplausos: *la vida es una cosa fenomenal*, entregando el micrófono al Maestro de Ceremonias, El Maestro de Ceremonias anunciando al público guarachizado con las guaracherías de la estrella del remeneo que la estrella del meneo volverá a deleitarnos con el riesgo de sus curvas peligrosas en el Midnight Show[138] así que sigan bebiendo y haciendo lo que yo haría y poniendo el ancla en carne firme y midiendo el aceite y esperando el Midnight Show y recordando que aquí y donde no es aquí la vida es una cosa fenomenal, fanfarria, Doña Chon quitándole el ombligo de lentejuelas, Doña Chon colgando en una percha el bikini de lentejuelas, Doña Chon dándole a beber un ponche de Malta Tuborg[139], cuándo rayos dejarán de aplaudir.

---

[137] *monguera:* flojera, falta de fuerzas o de energías, pereza (MAN, pág. 262).

[138] *Midnight Show:* la tanda de medianoche en los cines.

[139] *ponche de Malta Tuborg:* cerveza no alcohólica, muy popular en Puerto Rico. El *ponche* (de *punch* = bebida, refresco) se prepara mezclando la malta con huevo.

FUE UN SALAMIENTO[140] que me hicieron a mí mas lo cogió El Nene —dijo La Madre, volviéndose, la puerta abandonada, la gilette en la mano. El Nene era lindo como un tocino —dijo La Madre. El Nene era lindo como una libra de jamón —dijo Doña Chon. La Madre y Doña Chon: jirimiqueras[141]. El salamiento me lo hizo la corteja de uno de mis primos de La Cantera[142] cuando se enteró de que yo moteleaba[143] con uno de mis primos de La Cantera —dijo La Madre, dejó la gilette en una repisa de la alacena. Una vampira, una manganzona[144], una culisucia que regó que yo era una quitamachos —dijo La Madre. Ese perro me ha mordido veinte veces —dijo Doña Chon: hierática. Quitamachos yo que el chereo me sobra —dijo La Madre. Los pones que me ofrecen —dijo La Madre. Lo que pasa es que yo no soy ponera —dijo La Madre. Quitamachos, correntona, putón pesetero[145] dijo que yo era —dijo La Madre. Y la vampira, la manganzona, la culisucia se fue derechito al centro espiritista de Toya Gerena[146] y me hizo un salamiento con batata mameya[147] y churra[148] de cabro —dijo La Madre. Y el salamiento jorobó al

---

[140] *salamiento:* mala suerte, embrujamiento, «trabajo». Hacerle a uno un «trabajo» es hacerle un hechizo (MV, pág. 150). Se usa la frase *estar salado (a)*. En Cuba, *salación* (FOnuevo, pág. 441).

[141] *jirimiqueras:* lamentadoras, quejumbrosas. Formación a partir de Jeremías, el profeta, sobre el verbo *jirimequear* (MV, pág. 145). También se usa en Cuba (FOnuevo, pág. 303).

[142] *La Cantera:* véase nota 21.

[143] *moteleaba:* ir a los moteles, acostarse con una persona, tener una aventura amorosa (RICHARD, pág. 346). Desde los años sesenta, los nuevos *moteles* en la isla, cerca de las carreteras principales, ofrecían un espacio privado para las relaciones sexuales.

[144] *manganzona:* perezosa (JLG, pág. 643). Un *manganzón* es también un zángano (MANhabla, pág. 324). Se usa en Cuba y en otras partes de América.

[145] *putón pesetero:* prostituta barata. El término *peseta*, de la moneda española, se usa en Puerto Rico para referirse a la moneda de 25 centavos de dólar.

[146] *centro espiritista de Toya Gerena:* invención del autor, aunque abundan en la isla los centros espiritistas.

[147] *batata mameya:* una variedad del tubérculo batata. También significa «cosa buena» cuando se usa con *mamey* (MV, pág. 135).

[148] *churra:* diarrea. Se usa la expresión en plural: *tener churras.*

Nene para siempre —dijo la Madre. La vampira, la manganzona, la culisucia se llama Geña Kresto porque antes de metérsele debajo a un hombre tiene que tomarse un tazón de Kresto[149] —dijo La Madre. El tanto Kresto la ha dañado —dijo Doña Chon, plena de poderes vatisos. Verdaderamente barbárica es esa mujer —dijo Doña Chon, analítica. Esa mujer Geña Kresto tiene que pagarla bien pagá —dijo Doña Chon, justicialista. Lo que aquí se hace aquí se paga —dijo Doña Chon, taliónica. No es de extrañarse que a Geña Kresto le nazca una mata de arañas pelúas en el corazón —dijo Doña Chon, apologista de venganzas medeas. Nacarile del oriente —dijo La Madre, cara garabateada por el escepticismo y otras doctrinas filosóficas, antiguas y modernas. El primo mío que la trata vestida y desnuda dice que esa mujer está como coco[150] —dijo La Madre, argumentosa. Hay cocos rancios —dijo Doña Chon, grandiosa y espeluznada, teosófica y ungida de verdades eternas, radiante en la manifestación de su sabiduría chónica. Suspirosas, su poquitín llorosas, La Madre y Doña Chon miraron:

EL NUBARRÓN DE moscas, euménides zumbonas que improvisaban un halo furioso sobre la gran cabeza. La Madre y Doña Chon miraron la cara babosa y el baberío y la dormidera boba con lagartijo muerto en la mano: El Nene mordía la cabeza del lagartijo hasta que el rabo descansaba la guardia, el mismo rabo que trampado en la garganta convidaba al vómito. La Madre y Doña Chon miraron el vómito: archipiélago de miserias, islas sanguinolentas, collares de vómito, vómito como caldo de sopa china, espesos cristales, sopa china de huevo, convención de todos los amarillos en el vómito, amarillos tatuados por jugos de china, amarillos soliviantados por

---

[149] *tazón de Kresto:* chocolate. *Kresto* es una marca de chocolate en polvo, muy popular en Puerto Rico.
[150] *está como coco:* está buenísima. La expresión, siempre elogiosa, tiene un carácter superlativo, y se aplica preferentemente a los cuerpos y las comidas.

la transparencia sucia de la baba, cristales espesos por granos de arroz: un vómito como Dios manda.

CUANDO EL PAI se fue de tomatero[151] a Chicago —dijo La Madre, porque la cosa está mal pal de aquí —dijo Doña Chon, El Nene se veía normal —dijo La Madre. Es que era normal de nación —dijo Doña Chon. Eso le vino a salir después del gateo —dijo La Madre. Eso le empezó con calenturones que le daban por la cabeza creciente —dijo La Madre. Gritos como si lo estuvieran matando y se revolcaba contra las paredes y todo se le volvía chichón y guabucho[152] —dijo La Madre. Mismamente como gallina rematada en la casa —dijo Doña Chon. La Madre y Doña Chon: cucharadas repletas de bendito[153]. Después se abrió como un palo al que el mucho fruto espatarra —dijo La Madre. Como si fuera el hijo de Chencha La Gambá que era un número de doble sentido que cantaba Myrta Silva[154] —dijo La Madre. A mí no me gustan los números de doble sentido —dijo Doña Chon, el hocico respingado.

MYRTA SILVA CANTABA muchos números —dijo La Madre, números que traía montados de Cuba y Panamá donde dicen que esa mujer era la reina con su aquel para las maracas[155] y

---

[151] *tomatero:* se refiere a los trabajadores agrícolas puertorriqueños que emigraban a los Estados Unidos para trabajar temporeramente en la recogida de frutos, como los tomates. De ahí *tomatero*, con frecuencia despectivo. Análogo al *bracero* mexicano.

[152] *guabucho:* abultamiento en alguna parte del cuerpo o en una cosa (RR, pág. 93).

[153] *repletas de bendito:* de la interjección *¡Ay bendito!*, muy característica del habla puertorriqueña para expresar pena o compasión.

[154] *Myrta Silva* (1923-1987): cantautora puertorriqueña. Hizo carrera en la radio y la televisión cubanas y puertorriqueñas (JS, pág. 5). Una de las mejores intérpretes de guarachas, hizo memorable la titulada *Camina como Chencha*. Conocida en los medios como *La Reina de la Guaracha* y *La Gorda de Oro* (CDA, págs. 91-92).

[155] *maracas:* instrumento musical en el que se usan semillas de varias plantas para acompañar y marcar el ritmo del canto y el baile.

las guarachas. Felipe Rodríguez[156] cantaba muchos números —dijo Doña Chon. A mí me pusieron de nombre la China Hereje que era un número que cantaba Felipe Rodríguez y a Mother[157] no le gustaba que me dijeran la China Hereje porque Mother decía que la China Hereje parecía nombre de mujer de la vida —dijo La Madre. Felipe Rodríguez se casó con Marta Romero[158] antes de que Marta Romero se metiera a artista mejicana —dijo Doña Chon. Ruth Fernández[159] cantaba muchos números —dijo La Madre. Ruth Fernández salía bien presentá como las artistas de afuera y nunca repetía un vestido de artista —dijo Doña Chon. Ruth Fernández fue artista negra pero decente —dijo Doña Chon. Daniel Santos[160] cantaba muchos números —dijo Doña Chon y Mother lloraba cuando cantaba un número que decía *vengo a decirle adiós a los muchachos porque pronto me voy para la guerra* —dijo La Madre. A mi hermano lo estortillaron[161] en la guerra de Corea —dijo La Madre: pena apoyada en la ronquera.

---

[156] *Felipe Rodríguez* (1926-1999): cantante puertorriqueño, conocido como Felipe «La Voz» Rodríguez. Alcanzó gran popularidad como bolerista en el Dúo Pérez Rodríguez, y luego como integrante del Trío los Antares (JS, pág. 5 y JRS, pág. 373). En los años cincuenta grabó la canción *China hereje*, de Julio García López (PMOR, págs. 209-211). En 1999 se le dedicó el Desfile Puertorriqueño de la ciudad de Nueva York.

[157] *Mother:* madre: es un anglicismo usado en Puerto Rico a veces como forma de tratamiento.

[158] *Marta Romero:* cantante y actriz puertorriqueña. Interpretó un papel importante en la película *Maruja*, y en las telenovelas de los años cincuenta y sesenta.

[159] *Ruth Fernández:* una de las principales cantantes puertorriqueñas. Conocida primero como «La Negra de Ponce» y luego como «El alma de Puerto Rico hecha canción». Se dio a conocer durante sus años con *Mingo y sus Whoopee Kids* (JS, pág. 4). En 1972 fue electa al Senado de Puerto Rico por el Partido Popular Democrático. Sánchez publicó un ensayo sobre Ruth Fernández, incluido ahora en *La guagua aérea* (págs. 37-40).

[160] *Daniel Santos* (1916-1992): uno de los más famosos cantantes puertorriqueños, hizo carrera en Nueva York, en la radio y la televisión cubanas, en México y en las principales ciudades latinoamericanas. Grabó numerosos boleros y guarachas (CDA, págs. 95-98). Sánchez dedicó su libro *La importancia de llamarse Daniel Santos* (1988) a fabular el mito del bolerista.

[161] *estortillaron:* destrozaron. Término formado sobre *tortilla: des-tortillar*, con la pérdida popular de d-inicial «estortillar» (MV, pág. 143).

Mother se volvió una juanaboba[162] y a los tres meses la encontraron muerta de ná —dijo La Madre. Murió de ganas de morirse —dijo Doña Chon.

EL DOMINGO PASADO no, el otro, llevé al Nene al Templo Espiritual Simplemente María[163] —dijo La Madre. Simplemente María tiene facultades espirituales en premio al castigo de sus muchos bigotes que le salieron cuando tenía doce años y le vino la primera mensualidad —dijo La Madre. Simplemente María supo del premio de la espiritualidad porque empezó a botar linduras por la boca la noche que veía en la televisión la boda de Simplemente María la de verdad —dijo La Madre. Mucho muerto bueno trabaja para Simplemente María —dijo La Madre. Simplemente María adorna la mesa donde realiza la obra con fotografías de la difunta Eva Perón, del difunto Presidente Kennedy, del difunto prófugo Correa Cotto[164] —dijo La Madre. Qué cosa —dijo La Madre. Lo que es gustarle a uno el vacilón —dijo La Madre. Cuando esa guaracha dice que la vida es una cosa fenomenal es que más me come el cerebro[165] —dijo La Madre. El día que Iris Chacón baile y cante la guaracha del Macho Camacho será el día del despelote[166] —dijo La Madre. Dios nos ampare ese día —dijo Doña Chon, lívida en la profecía del siniestro.

---

[162] *juanaboba:* tonta, ingenua. Juan Bobo es un personaje de la tradición oral puertorriqueña.

[163] *Templo Espiritual Simplemente María:* con frecuencia los centros espiritistas se llaman también centros espirituales. El nombre *Simplemente María* es invención del autor, basado en el título de una telenovela peruana muy popular.

[164] *Correa Cotto:* [Antonio] famoso prófugo de la justicia, de comienzos de los años cincuenta en Puerto Rico. Durante meses fue perseguido por la policía en las barriadas pobres del sur de la isla, y ocupó las primeras planas de los diarios.

[165] *me come el cerebro:* me seduce intensamente, me trastorna. Expresión relacionada con *lavar el cerebro.*

[166] *despelote:* equivale a lío, conmoción, un acontecimiento extraordinario que causa revuelo.

VELLUDOS Y DEMÁS parientes del rebaño. ¿Me entienden bien entendido? ¿O necesita la audiencia sonreidísima, la audiencia respetabilísima, la audiencia oidorísima, otro ejemplo ejemplar de lo que es música música y de lo que no es música música?

FRENAR CADA MINUTO lo incomoda, la incomodidad de Benny. Frenar cada minuto lo fastidia, el fastidio de Benny. Frenar cada minuto lo revienta el reventón de Benny. Frenar cada minuto lo jodifica, la jodificación de Benny. Frenar cada minuto le jitea las bo[167], el jiteo de Benny. Frenar cada minuto le cachea las[168] las, el cacheo de Benny. Frenar cada minuto le jona, la jonación de Benny. Éste es Benny. Éste es Benny en mahones[169]. Éste es Benny en mahones y polo shirt[170]. Éste es Benny en mahones, polo shirt y zapatos tennis, también llamados zapatos champions. Benny está metido en un Ferrari y el Ferrari está metido en un tapón y el tapón es tapón de calleja corta que muere en arteria larga: por economizar tiempo, por evitar el derroche de tiempo, calleja que nadie tomará: equivocado, cadísimo, calleja que todo el mundo toma para economizar tiempo, para evitar el derroche de tiempo. Previo y colectivo y consciente reconocimiento de la inutilidad de la protesta pero: un coro de cláxones procedía, todos a una como Fuenteovejuna[171]. Volátil encielado de bocinas. Y, sepultado por el claxónico desafinado, sorteado entre el vocinglerío, culebrea el guaracheo que libertan las trescientas estaciones radiales, grito de purísima salsería: *la vida es una cosa fenomenal*. Indignado pero con una dignidad guarachil, la multitud autosa, la multitud carrosa, la multitud encochetada, frena, guarachea, avanza, frena, guara-

---

[167] *jitea las bo:* golpear, chocar los testículos. Del béisbol, formado sobre el inglés *hit* = pegar, acertar la bola (MV, pág. 146).

[168] *cachea:* expresión del béisbol, el que atrapa la pelota. De *to catch.*

[169] *mahones/mahón:* jeans o pantalones vaqueros.

[170] *polo shirt:* camiseta.

[171] *Fuenteovejuna:* título de la obra dramática de Lope de Vega en la que el pueblo se levanta contra el tirano. Es un clásico del teatro español.

chea, avanza, frena, guarachea, avanza. Benny, mahonado, polado, championado, es productor de un bocinazo sostenutto, de una cólera sostenutta, de un desmadramiemto sostenutto; la expansión de la boca de Benny es tal que

PARECE DE COCODRILO. Con la boca de cocodrilo que parece la boca de Benny, Benny procede a defecarse en y sobre la parentela maternal de un número considerable de vírgenes y santos: estudió en el parvulario de las madres teresianas y en el liceo de los padres redentoristas: en las faldas de unas y en las faldas de unos, lactó el cristiano martirologio: biberones del herético culto, biberones de los atroces castigos infligidos a los que bien creyeron, biberones de la ejemplaridad del fielato. Benny defeca, exonera el cuerpo, depone, evacua, obra, ensucia y demás sinónimos procedentes del bajuno, soez, grosero infinitivo *cagar* en los gentilicios, apelativos y patronímicos de la gente honorable que ganó para nos la opción de la gloria y el infierno. San Filigonio, San Ausencio, San Espiridión, junto a sus madres: cagados. Santa Salomé, Santa Tulia, Santa Leocadia; junto a sus madres: cagadas.

UN FERRARI FRENADO es una afrenta que frena el frenesí. Un Ferrari es un regalo que un Papito Papitote le hace a un Hijito Hijote el día memorable de su cumpleaños décimo octavo: una vez entonada la melopeya del *Happy Birthday* por el orfeón de fámulos y familiares, a excepción de Mami de Benny a la que aquejaba una jaqueca cada cumpleaños del retoño, irrumpió en la marquesina[172] el maquinón[173] de maquinones para júbilo dorsal y desmayo consecuente de Benny a quien hubo que resucitar con pañuelos empapados en alcoholado Superior Setenta y carantoñas paternas y a quien hubo que proteger de las especulaciones que el desmayo de

---

[172] *marquesina:* en las viviendas de urbanización, es un espacio para guardar el automóvil, anexado a la casa. También sirve para fiestas (SSSJ, págs. 204-215).

[173] *maquinón:* aumentativo de *máquina,* en el sentido de automóvil.

un varón pudieran precipitar en la inteligencia roma de tres sirvientas: Benny es un varón de pura cepa, Benny es un pichón de sátiro pezuñoso, Benny es un coleccionista de meretrices pero Benny es también un sentimental, Benny es un emotivo en crisis, Benny es un matriculado en la línea romántica de Werther y Eduardo el de Wally: pastoral de Papito Papitote ante una feligresía cocineril a la que mantenía gustosa con guiños, piropos y golpecitos en el culo, feligresía cocineril de piel negra que cumplía la faena de devolver a la mansión de Beverly Hills todo lo que el viento se llevó[174].

O SEA QUE ya yo, o sea que yo ya estoy grande para un party con cake[175] y velitas y besitos sonorizados de Mami y besitos sonorizados de las amigas de Mami y cajas de pañuelos y corbatas y yuntas y estuches de Yardley y botellitas de Acqua Velva y baila con la nena de Betty y baila con la nena de Kate y baila con la nena de Mary Ann y baila con la nena de Elizabeth: exhortaciones cocidas en el caldero casamentero del mamismo por influencia de los censos poblacionales que aseguran la escasez crítica del género masculino y adelantan la soltería inapelable de cientos de miles de féminas. O sea que la cabeza se me hace un pantano cuando oigo, oigo, oigo, a Mami, a Mami, a Mami, que me dice, que me dice, que me dice, bajito, bajito, bajito: dile a tu amigo de la motocicleta que la rueda delantera de su motocicleta impide la inclinación natural de una de las ramas bajas de mis hortensias azules: trabajosamente logradas por el jardinero que hubo de comprar tierra de injerto en Pennock Garden[176]; dile a tu amigo de la melena hirsuta que no tire las colillas en las zonas ajardinadas en donde crecen mis orquídeas negras y dile a tu amigo con facha de mecánico, con facha de gangster de Chicago, con facha di tenore, que no escupiteje tanto en los purrones donde crecen mis suspiros de bebé

---

[174] *lo que el viento se llevó:* cita del título del clásico del cine *Gone With the Wind* (1939, basado en la novela de Margaret Mitchell).

[175] *party con cake:* fiesta con torta o bizcocho, como en los cumpleaños.

[176] *Pennock Gardens:* primera de las tiendas dedicadas a la venta de plantas y flores. Situada cerca del Jardín Botánico en Río Piedras.

y dile a tu amigo de la mirada alelada que se separe del tronco débil de mi sauce llorón: Mami de Benny templada con curvas tonales irónicas, Mami de Benny irritada con la franqueza del pelo y el olor basto: pregunto yo si a mis espaldas se ha fraguado el estado huelgario contra el desodorante y las navajas de afeitar; Mami de Benny desavisada de que los intrusos en su molto bello jardino, tan bello como il jardino degli Finzi-Contini ma non tan bello como el jardín de los senderos que se bifurcan ni tan extravagante como el jardín de las delicias[177], son los retoños viroteados de las castas triunfantes, los hijos de la razón piojosa y la voluntad descascarada. Enter nos: contestatarios ajenados y olvidados de la hazaña colectiva: créanme. Mami de Benny que repite como un estribillo el guaracha pero sin gracia, sin sal, sin pimienta, sin jelengue[178], sin gusto ni gasto en azúcar u otras dulzuras:

SALUDA, BENNY, SONRÍE, Benny. Sé sociable, Benny. Enderézate, Benny. Los caballeros aguardan a que las damas tiendan la mano, Benny. Ponte de pie cuando te hable una señorita, Benny. Ponte de pie cuando te hable la Mamá de una señorita, Benny. Ser galante es una diligencia que no permite reposo, Benny. Ser fino es una vocación que supone la disposición full time a ello, Benny. Sé fino y refinado, caballero y caballeroso, Benny. Sigue el ejemplo de tu padre que es fino y refinado caballero y caballeroso, Benny. Y: lacerada por la incomprensión del género humano, suplicante como sus predecesoras griegas, mendicante de respetos elementales, solicitante de fe en la bondad impoluta de sus impolutas intenciones: Benny, por la salud del Cristo de la Salud, antes de que me dé un ataque al corazón: que yo sé que me va a dar, antes de que me encuentren muerta en la soledad de estas paredes: que yo sé

---

[177] *il jardino degli Finzi-Contini [...] delicias: collage* de citas del título del film, el cuento de Borges, y la pintura de Jerónimo Bosco, *El jardín de las delicias.*

[178] *jelengue:* tener gracia o donaire. También se usa con el sentido de alboroto, escándalo, como en Cuba (FOnuevo, pág. 302). Y puede referirse a una relación conflictiva o secreta.

que me habrán de encontrar, antes de que un cáncer me acabe: que yo sé que me va a acabar, dile a tus amigos que bailen, que bailen, que bailen, que a las fiestas se viene a bailar, a bailar, a bailar, que a las fiestas no se viene a hablar de carros, que a las fiestas no se viene a hablar de carreras de carros, que a las fiestas no se viene a hablar de la pista de Añasco[179], que a las fiestas no se viene a cuchichear por las esquinas, que a las fiestas no se viene a sectarizar la risa. O sea que si me pides mi petición, yo te pediría un Ferrari cheverón[180], maquinón de maquinones: pero Papito Papitote, yo no, yo no.

TANTO SANTO CAGADO nadie lo viera. Y la boca de Benny, quién lo creyera aunque lo viera: una letrina o mingitorio obstruido con el grafitti más sórdido. Hasta la calleja de nombre presuntuoso, París[181], lleva lo suyo. Y los creyentes de la Diosa Mita[182] que por la calle París hacen la fiesta en guarniciones de tres y cuatro, llevan lo suyo. Ardores liberados por la indignación civil: o sea que quién ha visto un país sin vías rectas, o sea que quién ha visto un país sin pista para autos de carrera: la mano agotada de presionar tanto el aro de la bocina: un pentagrama el aro de la bocina en el que Benny apunta una combinación suprema de notas, la mano agotada de salir fuera del Ferrari a deshilacharse como bandera que remite señales interrogativas: interrogaciones que balbucean unos cuantos qué carajo pasa allá adelante: pero esta vez la guaracha del Macho Camacho parece pesámica, oída como

---

[179] *pista de Añasco:* una pista para carreras de automóviles en Añasco, un pueblo del noroeste de la isla. Muy concurrida en los años setenta.
[180] *cheverón:* aumentativo de *chévere* = excelente, de calidad superior, o algo que está muy bien ejecutado (MAN, pág. 267).
[181] *calle París:* en Hato Rey, San Juan. Es paralela a una sección de la calle Juan Pablo Duarte. La *París* parte de la calle Luis Lloréns Torres en la Urbanización Floral Park y se prolonga hasta la Avenida José Celso Barbosa.
[182] *Diosa Mita:* figura mesiánica muy popular en los barrios de San Juan y en otros pueblos de la isla. Su nombre era Juanita García Peraza, quien murió en 1970. En los años cincuenta estableció en el barrio La Cantera una iglesia llamada Congregación Mita y una serie de cooperativas que cuentan con numerosos fieles (Malavet, págs. 335-336).

miserere, oída como maitín, oída como kyrie eleison: salsa eclesiástica ejecutada a las cinco de la tarde de miércoles, miércoles hoy.

O SEA QUE cómo fue que planchastes[183] esa compra, Papito Papitote. Pues óyeme bien, hijo entrañable, invitémonos a la oída los que no somos hijos entrañables, llamé desde el Senado para que la procedencia de la llamada, es decir, la influencia adscrita popularmente al lugar procedente de la llamada, consiguiera el abaratamiento virtual de los costos: oiga, mándeme un Ferrari y envuélvamelo bien: chiste glorioso que nos costó más de una lágrima al tipo orejudo y vendedor de Ferraris y a mí. Papito Papitote, qué chistosón es mi Papito Papipote: convulsión y compulsión a darle un besote a Papito Papipote. Orejudo y vendedor de Ferraris que para entonces o por entonces, que ambas construcciones sintácticas o sintáxicas son correctas, como son correctas las voces o las formas expresivas sintácticas y sintáxicas, andaba a la procura de una agencia de lotería para usufructo de la tía de la comadre de la prima de la mamá de su suegra. Corrijo gustoso: la que llamó fue mi secretaria, para que la presencia auricular de una intermediaria, tuviera el efecto de impactar la conversación posterior y el efecto en los efectos que la transacción haría en mi bolsillo. O sea que tú eres un general generalizado, Papito Papitín: cadeneta de elogios que Benny deposita a los pies de la estatua que le ha levantado a su padre. El aludido Papito Papitote discurre por la ribera más llana de su arroyito interior: ¿por qué acepté regalarle a Benny un Ferrari? Para la buena pregunta la buena respuesta: para negarme la satisfacción de propinarle un soplamocos dialéctico a base del ideograma antagónico sudor y lágrimas, dicha y satisfacción.

---

[183] *planchastes:* de *planchar,* en el sentido de hacer, de completar algo de manera eficiente. Cuando algo *está planchao,* se ha resuelto o se ha concluido con éxito.

O SEA QUE me quiero dar el tremendo arrebato[184] de ser el primer tineger[185] del país que quema la gasolina en un Ferrari. O sea que un Ferrari es una aeronave bien fabu que, que, que, yo sé lo que quiero decir pero no sé cómo empatarlo, que, que, que. Transcripción del autor del enjaretado mental del pobre Benny: muera el objetivismo de Robbe Grillet y la Sarraute[186]: un Ferrari es una aeronave fabulosa que la fabricadora italiana permite usar en las carreteras para que no se diga que evade las superficies: italianos que son para sus cosas; calabreses y sicilianos que son para sus cosas. O sea que es un genuino descubrimiento el que descubro de que el Ferrari es de Italia, en Italia vive el Papa y el Papa vive en el Vaticano y el Vaticano tiene inmunidad diplomática. O sea que ¿se dice inmunidad o se dice impunidad?, y el curso de Política Internacional que tomé el semestre pasado en la Universidad de Puerto Rico[187] es leche frita y el curso de Humanidades que tomé el semestre pasado en la Universidad de Puerto Rico es leche frita y el curso de mi Ferrari no puede importunarse con un frenazo aquí, otro allá.

TUBERÍA ROTA, SEMÁFORO ROTO, semáforo intermitente, vigilante electrónico, velocidad comprobada por sistema Vascar, cuesta, termina carretera dividida, reduzca la velocidad, zona escolar, resbala mojado, curva, lomo, detour, hombres trabajando, cruce de peatones, fin del pavimento,

---

[184] *arrebato:* de *arrebatar,* en el sentido de drogarse o estar bajo los efectos de la droga (RICHARD, pág. 49).

[185] *tineger:* de *teenager* = adolescente.

[186] *Robbe Grillet y la Sarraute:* escritores franceses asociados al movimiento del *nouveau roman.* Alain Robbe-Grillet es autor de *La jalousie;* Nathalie Sarraute es la autora de *Tropismes.*

[187] *Universidad de Puerto Rico:* la universidad estatal, fundada en 1903, con varios recintos en distintas ciudades de la isla. En la novela se refiere al recinto de Río Piedras, que era un municipio autónomo, pero a partir de 1951 pasó a formar parte de San Juan, una ciudad dentro de la ciudad.

carretera en construcción, 25 MPH, confluencia, velocidad máxima cuarenta millas, no entre, no vire a la izquierda, no vire a la derecha, no vire en U, aprendiz al volante, lamentamos los inconvenientes que la Autoridad de Carreteras le ocasiona.

O SEA PAPI, que la pista de Añasco donde está es en Añasco, que la pista de Añasco donde está no es en San Juan. O sea Papi, éntrale a una carretera del cará. O sea Papi, endereza las carreteras de este país torcido. O sea Papi, que ese proyecto de ley salga de tu azotea pensante, de tu cráneo engrasado. O sea Papi, que si tú haces una pista bien hecha donde la juventud pueda envenenar sus paletas con un millaje tipo Marysol Malaret: puertorriqueña Miss Universo y gloria nacional por decreto[188]. O sea Papi, que la juventud te estaremos agradada. O sea Papi que lo que pasa es que la juventud tenemos el corazón apolillado. O sea que menos mal que uno oye la guaracha del negro caripelao ése y como que se pone en algo y el coraje se le enfría. Se enfría hasta que llegue a mi Ferrari aquel Cristoteama[189] que llega a.

---

[188] *Marysol Malaret:* primera puertorriqueña que obtuvo el título de *Miss Universo,* en 1970.
[189] *Cristoteama:* perteneciente a una secta religiosa cuyos miembros usan la frase por escrito y verbalmente.

Y SEÑORAS Y señores, amigas y amigos, el ritmo que el Macho Camacho ha puesto, impuesto, traspuesto y pospuesto a su olímpica guaracha es verdaderamente fenomenal: pase gratuito al saludable vacilón: vaci de vacilar y lón del chino que administra el sabor en Villa Cañona, vacilón con mayúscula grande y cervecita fría.

¿O APRENDIÓ QUE la vida es una cosa fenomenal de la mismísima guaracha del Macho Camacho?, guaracha de arrasadora consigna, guaracha incitadora a permanente fiesteo, evangélica oda al contento y al contentamiento: con la Biblia hemos topado. Cosas hay que no llegan a saberse, el misterio del mundo es un mundo de misterio: cita citable. Lo que bien se sabe es que a ella todo plin, bien se sabe por boca de ella misma, óiganla: a mí todo plin. Oigan esto otro: a mí todo me resbala. Oído a esto, oído presto: a mí todo me las menea: y, en seguida, arquea los hombros, tuerce la boca, avienta la nariz, apaga los ojos: clisés seriados del gentuzo *a mí me importa todo un mojón de puta:* padrenuestro suyo. No la miren ahora que ahora mira.

DESCANSE, PERMITIDO EL cigarrillo, el aliento a tutti frutti que comercia el chiclet Adams permitido, una cervecita, un cafetito, el cansado estire las piernas, el remolón marque la página y siga leyendo otro día y el que quiera más novedad véala y escúchela ahora:

CUANDO QUIERO GOZAR yo gozo y a veces gozo sin querer[190], pss: el vacilón va a acabar con ella. O si no acaba le tulle pecho y alma: que si las Fiestas Patronales de Carolina, que si

---

[190] *Cuando quiero gozar yo gozo y a veces gozo sin querer:* alude a un famoso verso del poema *Canción de otoño en primavera* de Rubén Darío, que también es el título de una novela del venezolano Miguel Otero Silva (1908-1980), *Cuando quiero llorar no lloro* (1970).

en las Fiestas Patronales de Carolina[191] bailé con un pargo de Barrazas[192], que si un pleplé[193] en La Muda[194], que si unos pasteles en la lechonera[195] *Aquí me Quedo,* que si comernos unas morcillas en la lechonera *Aquí estamos otra vez*[196], que si un fricasé[197] de ternera en la fonda *El Chorrito*[198], que si un ventetú party[199] en la playa de Mar Chiquita[200], que si un Adan and Eve Party en casa de un jodedor de Ocean Park[201], que si nos pasamos cuatro cajas de cerveza, que si bajamos tres litros de Don Q[202], que si me pinto el pelo, que si me despinto el pelo, que si me pinto el pelo otra vez, que si los rolos, que si la peluca, que si me voy a hacer papelillos, que si el fall, que si las pestañas, que si: se acaba cualquiera.

ALGO, IMPRECISO ALGO y finalmente preciso sazona su habituada fealdad y la convierte en bonitura que poco a

---

[191] *Carolina:* pueblo al norte de la isla, en la costa, cerca de San Juan.

[192] *pargo:* el que da el dinero, cliente habitual de una prostituta. El *pargo* es un pez de mar muy cotizado en Puerto Rico. Barrazas es un barrio de Carolina.

[193] *pleplé:* fiesta, fiestón.

[194] *La Muda:* en la carretera de Río Piedras a Caguas. Es el cruce del camino hacia el pueblo de Guaynabo. Conserva el nombre derivado de la estación para cambio de caballos de la línea de coches que hacía el viaje de San Juan a Ponce (CC, pág. 24).

[195] *lechonera:* establecimiento que se especializa en la venta de lechón asado y platos derivados del lechón, del cerdo (RR, pág. 60). En Puerto Rico *puerco* y *lechón* son corrientemente preferidos a *cerdo* (MANhabla, pág. 289). «*Aquí me quedo*»: nombre de una lechonera muy conocida en la carretera de Río Piedras a Caguas. El *lechón asao* es una antigua tradición.

[196] *lechonera «Aquí estamos otra vez»:* el nombre es invención del autor. Véase nota anterior.

[197] *fricasé:* guisado de carne, galicismo muy frecuente en Puerto Rico. La presencia francesa en las islas se observa en el léxico y en otros aspectos de la sociedad mestiza.

[198] *la fonda «El Chorrito»:* situada en el barrio Quebrada Grande de Trujillo Alto, cerca de San Juan.

[199] *ventetú party:* una fiesta un poco improvisada, casi siempre con música y baile.

[200] *playa de Mar Chiquita:* en la costa norte de Puerto Rico, en Manatí. El uso femenino de *la mar* ha ido perdiendo terreno (MANhabla, pág. 176).

[201] *Ocean Park:* zona residencial elegante, cerca de Isla Verde, en San Juan.

[202] *Don Q:* marca de un ron puertorriqueño; se refiere a *Don Quijote.*

poco arrebata, como arrebata un estribillo de guarachón, bien soplado, bien punteado, bien timbado. ¿Un puto vivir en promesas, garantizan los ojos una sarta de ardores, la boca que apalabra un cuchicheo barítono de complacencia agresiva, la lengua que anticipa las eses de la culebra, los altos de los pechos que juramentan una muerte muy dulce[203] en los pezones y otras promesas más que se prometen en el sudor compuesto y armonioso y la facilidad del vello? De muslos anda bien, bien también las caderas de pespunte dinga o mandinga[204]: raja[205] de Abuelo cangrejero[206] vendedor de cocos de agua por los rumbos almendrados de Medianía Alta[207]; Abuelo Monche deificado en las sagas familiares ansiosas de explicar, épica la vía narrativa, las ansias y ansiedades destadas en el alma blanca y el cuerpo blanco de Abuela Moncha por el alma negra y el cuerpo negro de Abuelo Monche: negro puestú, negro pechú, negro de comer en mesa, negro de usted y tenga; Mother decía que Abuela Moncha decía que Abuelo Monche decía: la carne blanca es la perdición del negro y la risa se oía en Medianía Baja y la risa se me enredaba en el cuerpo como bejuco y enredada como bejuco me hacía los muchachos de dos en dos: la risa de Abuela Moncha, herida y pavorecida por el asma. Vuelta y vuelta, las cinco y no viene y un cigarrillo Winston tastes good like a cigarrette should[208], humo en los

---

[203] *una muerte muy dulce:* alusión al título de un libro de 1964 de la escritora francesa Simone de Beauvoir (1908-1986).

[204] *dinga o mandinga:* se refiere al hecho de tener antepasados africanos. El refrán dice *el que no tiene dinga, tiene mandinga,* es decir, tiene ancestros de alguna de las etnias africanas que llegaron como esclavos (MAN, pág. 257). Los Mandinga se extendían por el África superecuatorial (FOnuevo, pág. 340).

[205] *raja:* la expresión que se usa es *tener raja,* es decir, tener algún antecedente negro, aunque la persona sea «casi» blanca. Fernando Ortiz comenta que la palabra puertorriqueña «puede expresar que la blancura está quebrada o rajada por una línea o raja oscura» (FOrazas, págs. 41-42).

[206] *cangrejero:* de Santurce. Del antiguo poblado de Cangrejos (por la abundancia de éstos), que pasa a ser Santurce, barrio de San Juan, a finales del siglo XIX (TSI, pág. 125; y JLGluna, págs. 101-104).

[207] *Medianía Alta:* barrio del pueblo negro de Loíza Aldea en el norte de la isla. Hay otro: *Medianía Baja.*

[208] *Winston tastes good like a cigarrette should:* uno de los *jingles* más difundidos para anunciar los cigarrillos Winston.

ojos[209], carraspera, resoplido, asusta a la tos con un carajo: soez es.

LLEVA ANILLO DE casada, la mano anillada sostiene un cubalibre, un cubalibre con palo doble[210], la otra mano, sortija de golosa fantasía, taja un muslo; el pulgar, de habitual intruso, se hace oscuro y selvático. Descríbase el conducto en el que campea por sus respetos el pulgar de habitual intruso: membranoso, fibroso y en las hembras de los mamíferos se extiende desde la vulva hasta la matriz: vociferante y sentencioso el conducto membranoso y fibroso de ella, práctico, cabe bien en cualquier boca, tolera una expansión considerable. Y colocado en el medio para mi santo remedio, como refranea: zafia, diplomada en grosería, practicante y adicta a la misma. Como todas las tardes de lunes, miércoles y viernes, corteja vespertina, ella espera desnuda. Porque El Viejo gusta de encontrarla en serenísima pelota. El Viejo no lo dice, fino y refinado como es, caballero y caballeroso como es: ella se burla, la lengua guarachándole por el interior del cachete. El Viejo dice. Pero dice sin dejar huellas, embobinado su talento zorro en zorrerías aprendidas en el zorzal gubernativo: digo que imperiosa necesidad de encontrarte en saturado imperio de redondeces, digo que gusto límpido de encontrarte en límpido génesis, digo que tendido puente tu vientre entre la hispánica antillanía y la adánica costilla: rebuscado es poco, postizo es poco. Ella piensa: paquetes, tramoyas, fecas[211]: encontrarme en pelota y punto. Espera desnuda, ya se dijo. Espera fumando, ya se dijo. O fumando espera al hombre que ella quiere. Cupleterías de Sarita Montiel, mantonada y clavelada tras los cristales de alegres ventanales. Si es muda revienta: quererlo nonines.

---

[209] *humo en los ojos:* título de un conocido bolero del compositor mexicano Agustín Lara (1897-1970).
[210] *cubalibre:* bebida alcohólica, preparada con ron, Coca Cola, hielo y un poco de limón; *palo doble:* en Puerto Rico, *palo* es la voz popular para trago, sobre todo de ron.
[211] *paquetes, tramoyas, fecas:* engaños, mentiras. *Feca* es anglicismo, de *to fake.*

BEBERLE EL JUGO del bolsillo es lo que yo quiero. Pelarlo como a un pollo es lo que yo quiero. Hipnotizarle la cartera es lo que yo quiero. Exprimirlo para que suelte cuanto bille tenga encima o debajo es lo que yo quiero. Chuparle hasta la última perra es lo que yo quiero. O la penúltima. En cada ocasión que hace referencia al nominativo del pronombre personal de primera persona en género masculino o femenino y número singular se castiga el tetaje corpulento con palmadas fieras. Eso, eso: hacer ganancia de su enchulamiento: los pesos, los pesos, los pesos: brasas lucientes por los ojos: los pesos, los pesos, los pesos: maléfica y escalofriante: los pesos, los pesos, los pesos: comadre de la bruja Ágata: directamente de los cuentos para calmar a Memo, el vecino de la Pequeña Lulú[212]. La guaracha del Macho Camacho barniza y olora el apartamiento: por las esquinas, por los recovecos, por el trípode con japonerías, por el cuadro con cisne en lago idílico, por el cuadro de *La última cena:* A Judas, Judas siempre mete la pata, se le escapa un meneíto, Pedro lo increpa: compórtate. Altamente procedente es la vacunación contra la guaracha del Macho Camacho en todo el territorio nacional; posible parte de prensa de un posible Secretario Nacional del Relajo: factible en el aquí: baile, botella, baraja[213].

LAS COLILLAS, TRES, enlazan una espiga de humo que remata en asterisco desigual: ensayo torpe de una flor que se descompone: sinuosidades plomas difuminadas por un techo de estucado basto que se alcanza con los dedos: cueva reducidísima que patrocina la celebración de tropezones: síntesis de cocina, baño, sala, dormitorio: sofá que se transforma en

[212] *Ágata, Memo, la Pequeña Lulú:* personajes de historietas infantiles.
[213] *baile, botella y baraja:* variante de la expresión *pan y circo,* política populista que fomenta la pasividad de los ciudadanos. En el siglo XIX los críticos puertorriqueños de la colonia española se referían al «código de las tres B» instaurado por el gobernador militar Miguel de la Torre.

cama que se transforma sofá, sofá de abultada estrechez que ventea una ley física dogmática y enajenada: dos cuerpos no se facultan para ocupar el espacio dispuesto para uno. Burlas seriadas de ella el día que vino al apartamiento por primera vez: pero esto es un chavo[214] de casa, pero esto es una onza de casa, pero esto es una ñapa[215] de casa, pero esto es un chin[216] de casa, pero esto es una caseta para los enanos que metían mano con Blanca Nieves.

NO, NO ES un chavo o moneda inferior de casa, no es una onza o peso inferior de casa, no es una ñapa de casa, no es un chin de casa: respuestas seriadas del Viejo. Y festejo en las voces ñapa y chin la idea de brevedad otorgada por el magisterio conmovedor de los de abajo. No es una caseta propia para actividades concupiscentes de pigmeos y liliputienses, no, no, no: occipital más flexible nadie ha tenido. Es sólo, es más bien, es nada más que, es estrictamente, es específicamente, es restrictivamente: un furnished studio[217] en la mejor tradición de la humildad, ni gravoso ni oneroso, que utilizo esporádicamente, que utilizo de vez en cuando, que utilizo de tanto en tanto, que utilizo alternadamente, para efectuar con la diligencia obligada a y esperada de mi persona, puesto, prestigio, posición, la cabal reflexión sobre el país, que fue, es, será, mi preocupación mayor y afán principal hasta el día en que la laguna Estigia me vea conducido por Caronte: ella no entendió ni papa. Un furnished studio que utilizo, en segundo lugar de enumeración, lo que no implicita segundo lugar de importancia, para urgir, para clamar, para reclamar el socorro generoso de las musas y pergeñar las cuartillas lumbradas de amor patrio que leo en el podio senatorial ante la admira-

---

[214] *chavo:* centavo, moneda de cobre que en Puerto Rico vale un céntimo de dólar (MV, pág. 140). En este contexto significa «poca cosa». Por ampliación, la expresión *los chavos* significa el dinero (MANhabla, pág. 412).

[215] *ñapa:* algo que se agrega gratuitamente, como la propina.

[216] *chin:* un poco, un poquitín.

[217] *furnished studio:* apartamento amueblado, de espacio reducido.

ción de los cuerpos mayoritarios, los cuerpos minoritarios, la prensa que me glosa y el pueblo todo que se vacía en el vetusto y augusto palacio parlamentario de Puerta de Tierra[218] en disposición de aprecio lisonjero a mi elocuencia: también hay quien dice que tiene más golpes que un baile de bombas[219], también hay quien dice que es más listo que volverlo a decir. Aptitud esta mía que se remonta a las tiradas apostróficas de Cayo Tulio Casio: la frase enjundiosa, la idea lírica, el estilo bordado de primores, la metáfora saltarina como aguacero mozo, la palabra moldeable, la oración corbachosa, la voz argentada, la zeta pronunciada como la zeta: sitiado por la orondez. Furnished studio en la mejor tradición de la humildad que utilizo, que utilizo, que utili, que utili, que uti, que uti, que u, que u.

EXCÚSAME, CHINA HEREJE, pero tu desnudez pletórica de redondeces con su adobo espeso de sudor cándido patrocina en mí el reencuentro caro con las ansias erógenas surgidas a la luz pública hace largos años: ufano declaro que a los diez años descalabré a una sirvientita. Con el acto dicho avergoncé a la autora de mis días quien necesitó asistencia espiritual de un Padre Tomasino. Con el acto dicho honré al autor de mis días quien, cercado por los aromas rasos de un habano traído de La Habana, sentenció: hijo de gato caza ratón y en reconocimiento a tan precoz criatura desvirgadora me invitó a helado y bizcocho en *La Mallorquina*[220]. Excúsame China Hereje, pero la observancia casual de las flores negras que pregonan su inocencia por los jardines ralos de tu bajo vientre me inocula el bacilo glorioso de la satiriasis. Excúsame China Hereje, pero ceso la fase hermenéutica de nuestra rela-

---

[218] *augusto palacio parlamentario de Puerta de Tierra:* se refiere al Capitolio, sede de la legislatura puertorriqueña. Véase nota 87.

[219] *bombas:* tipo de baile de origen africano o afroantillano que se acompaña del repique del tambor llamado *bomba* (MAN, págs. 303-306).

[220] *La Mallorquina:* uno de los más antiguos cafés y restaurantes del casco histórico de San Juan. Fundado en 1848, se encuentra en la calle San Justo.

ción e inicio la fase retozona. Excúsame China Hereje, pero la cucharada grande de Testivitón ingerida en mañanas sí mañanas no me tiene como me tiene.

¿CÓMO LO TIENE? ¿Cuentero? ¿Baboso? ¿Fequero?[221]. ¿Labioso?[222]. ¿Comeeme? Traquetea el ascensor, llavean la puerta y me pongo isi, rilás, redi[223] para el toqueteo, el grajeo[224] y otros eos: la Suavona me dicen. Vuelta y vuelta, vuelta al pero hoy tarda, tarda más que de costumbre, tarda más que, reflexión que interrumpe un estallido de comodidad: feliz como una lombriz y fabulosa como una lechoza enfilo el quinto cubalibre, me apipo de platanutre[225] y, qué cosa, hago un cerebro[226] húmedo con mis primos de La Cantera, macharranes[227] peludos como monos, que un pelo les falta para ser monos, macharranes de los que mandan y van, macharranes tofes[228] mis primos: primos conocidos desde la vez que llegaron a la calle del Fuego[229] en los tiempos de Humacao[230], calle del Fuego donde vivíamos Mother, yo y mi hermano Regino que yo le puse el Coreano porque fue en Corea que se lo llevó quien lo trajo. Y, como una lluvia persistente, el recuerdo de sus manos, todavía manitas, afanadas en endurecer, con equidad democrática los pipíes de los primos, de dos en dos los tres pipíes.

---

[221] *fequero:* mentiroso. Véase nota 211.

[222] *labioso:* de mucha conversación y mucha labia (MANhabla, pág. 323).

[223] *isi:* cómoda, tranquila, fácil. Adaptado de *easy*. *Rilás* y *redi*, de *relaxed* y *ready* = relajada y preparada (MV, pág. 145).

[224] *grajeo:* toqueteo erótico, *calentarse* mutuamente.

[225] *platanutre:* rueda fina de plátano verde, frita y espolvoreada con sal (RR, pág. 71).

[226] *hago un cerebro:* darse gusto con el fantaseo erótico.

[227] *macharranes:* el autor crea el aumentativo, superlativo de *macho*.

[228] *tofes:* fuerte, musculoso. Del inglés *tough* (JLG, pág. 644).

[229] *calle del Fuego:* antigua calle en el pueblo de Humacao.

[230] *Humacao:* pueblo al este de la isla, de donde es oriundo Sánchez. Se convirtió en municipio en 1793 (RTSI, pág. 87). Fue una importante zona azucarera.

...Y ES QUE, señores, amigas y amigos, nada hay tan tita-
nesco como un hombre del pueblo que hace valer sus talentos que Dios le dio y que no los compró en la Plaza de Mercado de Río Piedras[231] ni los compró en Bargain Town[232]. El
Macho Camacho es un talento innato, de los que no tuvo un
chupón para mamarse los washingtones[233], de los que tuvo
que mamarse... la pelambrera[234] bien mamadita.

---

[231] *Plaza de Mercado de Río Piedras:* localizada en la calle De Diego, la principal del pueblo de Río Piedras.

[232] *Bargain Town:* uno de los primeros *shopping centers* de Puerto Rico, localizado en la Avenida 65 de Infantería, en Río Piedras. Como indica su nombre, las rebajas eran su atractivo.

[233] *washingtones:* los dólares. Los billetes de un dólar llevan la efigie de George
Washington.

[234] *pelambrera:* escasez de dinero, quedarse sin recursos en un momento
dado (RR, pág. 69).

BUSTOS DE CUERPO entero de. Excuse la interrupción indebida y atolondrada pero, ¿oí bustos de cuerpo entero?, oyó bustos de cuerpo entero; las cosas que hay que oír. Teletipa el pensamiento vicentino: bruto y orgulloso de serlo. Bustos de cuerpo entero de Washington, Lincoln, Jefferson y demás titanes forjadores de la patria puertorriqueña, de manera que nuestros hijos y los hijos de nuestros hijos descubran en la majestuosidad de la piedra aporreada el. Excuse la interrupción indebida y atolondrada pero, ¿oí piedra aporreada?, oyó piedra aporreada: las cosas que hay que oír. Teletipa el pensamiento vicentino: animalo irredento. Descubran en la majestuosidad de la piedra aporreada el reposo de nuestra historia: estampó la firma, la espalda del animalo irredento fue escribanía, dio golpes de encomio en la escribanía del bruto y orgulloso de serlo, los golpes de encomio abrieron las compuertas de la efervescencia del animalo irredento, efervescido y efervescente, dijéranle Alka Seltzer, el bruto y orgulloso de serlo, brincó escaleras arriba del vetusto y augusto palacio parlamentario de Puerta de Tierra, brincó escaleras arriba después de estrujarle la chaqueta: abrazo. Broche que cierra el collar de molestias: retraso del encuentro ansiado con la corteja de turno: ansiado en el momento en que el animal insomne entre las piernas comenzó a mangonear y a repetir: vámonos. De una reunión del Comité para la Cimentación de una Ciudadanía Responsable: el tema escabroso requiere un periodo de reflexión moral que quiero que iniciemos esta tarde. Con la corteja de turno: con sus cortejas y querindangas tapadísimas él podría hacer un establo: cuántas potrancas: expansión de los cachetes como el sapo fabulado. Un engreimiento, una jaquetonería, un julepe padrote, un yo sí y qué pasa engalanan la palabra corteja.

LA PALABRA CORTEJA: y ni caras le salen porque las apunta en ésta o aquella nómina de la Secretaría ésta o aquélla: miembro es del poderoso comité legislativo de pesos y centavos. Un mulatón que no come cuento se arranca por sevillanas[235] cuando ve que la computadora perfora una tarjeta que remite a personal especial o personal de emergencia o personal temporero: el último polvete del Senador entra a nómina. La palabra corteja contamina unas fiebres machorras, cuarenta grados de machorrería, que ni el señorío voceado ni el apellido de primera ni la caballerosidad ni la finura ni demás notaciones del pedigrí, importunan: cuarenta grados de machorrería: con mano tentacular, el Senador Vicente Reinosa —Vicente es decente y su carácter envolvente— se saluda el animal insomne entre las piernas, saludo marcial: la mano en la cabeza, saludo, certificación y proclama: güevos prudentísimos, güevos venerables, güevos laudables, güevos poderosos, güevos honorables, güevos de insigne devoción, güevos que amparan y protegen. Corteja o ceremonias de ilícita mampostería donde reitero mi virilidad y el triunfo de ella: contradicción del idioma que una la sea tan él: carcajea y celebra su ingenio como nadie lo celebra: pleonasmo y dato a tomar en cuenta: nadie lo admira tanto como se admira él mismo: por las noches, cuando anda a la caza del sueño, émulo de Proust[236], se pregunta con un desconcierto que lo desconcierta: ¿por qué seré tan formidable?, ¿qué estofa me ha estofado? La corteja de ahora ochentava en su álgebra putaica, más parece filipina por el oblicuo inmoderado de sus ojos, barcarolas de una japonería literaria. Pero el trigueño[237] subido, restallante, brilloso es de aquí: aquí crecido sobre los reclutamientos de Bartolomé Las Casas:

---

[235] *arranca por sevillanas:* baile y cante festivo en la tradición del flamenco español.
[236] *Proust:* se refiere al novelista francés Marcel Proust (1871-1922), autor de la novela *En busca del tiempo perdido.*
[237] *trigueño:* mulato claro, por relación al color entre moreno y rubio del trigo. A veces se usa con carácter eufemístico, en lugar de *negro.* Generalmente se refiere a los hijos de blanco y negra o de negro y blanca (MAN, págs. 346-358). Véase nota 50.

BARTOLOMÉ LAS CASAS[238], reclutador de la negrada[239] de Tombuctú y Fernando Po, negrada que culea, que daguea[240], que abre las patas a la blanquería de Extremadura y Galicia, blanquería que culea, que daguea, que abre las patas a la tainería de Manatuabón y Otoao[241], tainería de Manatuabón y Otoao que culea, que daguea, que abre las patas a la negrada de Tombuctú y Fernando Po: chingueteo[242] y metemaneo[243] y el que no tiene dinga tiene porquero de Trujillo[244] y tiene naborí: todas las leches la leche[245]: el trigueño subido de aquí.

LAS HEMBRAS DE color me acaloran: el secreto peor guardado del Senado: el Senador Guzmán, par de un par de moteles, entre mofas y farfullas lo acusa de trata de negras: las hembras de color me acaloran: acepta el calor del color con el sentimiento trágico de la vida[246]: es orteguiano pero al-

---

[238] *Bartolomé de Las Casas* (1484-1566): dominico español, tuvo un papel destacado como fundador y crítico de la conquista y la colonización. Autor de la *Brevísima relación de la destrucción de las Indias* y de *Historia de las Indias*.

[239] *negrada:* término despectivo para referirse a un grupo de personas negras. Originalmente aludía al conjunto de esclavos de una hacienda (MAN, pág. 346).

[240] *daguea:* dar con la *daga*, uno de los términos frecuentes en Puerto Rico para referirse al pene. La *daga* es una variedad más corta y recia del machete (TNT, pág. 153).

[241] *tainería:* sustantivo creado por el autor, el conjunto de *taínos*, los habitantes indígenas del Caribe. *Manatuabón y Otoao:* nombres indígenas.

[242] *chingueteo:* de *chingar*, fornicar. En Cuba se usa *singar* (JSB, pág. 627). Los términos *chichar* y *clavar* también se usan en Puerto Rico para referirse al acto sexual.

[243] *metemaneo:* de *meter mano*, en sentido erótico y sexual. En Puerto Rico también se usa en ese sentido el verbo *bregar*.

[244] *porquero de Trujillo:* se refiere a los conquistadores españoles.

[245] *todas las leches la leche:* parodia del título del libro de cuentos *Todos los fuegos el fuego* (1966), del escritor argentino Julio Cortázar (1914-1984).

[246] *el sentimiento trágico de la vida:* cita del título de un extenso y famoso ensayo de 1913 del escritor español Miguel de Unamuno (1846-1936).

muerza con Unamuno. Suerte que ella, digo ella y pronombre mi barragana, mi mantenida, mi querida, mi corteja, en su escasa actividad reflexiva no se cree que me regala, me ofrece, me dona, me presta, me empeña, me vende, un gusto o fiestón que yo, el Senador Vicente Reinosa —Vicente es decente y su verbo es contundente— no pueda conseguirme donde quiera, como quiera, cuando quiera y en función virtuosa de mis talentos genéticos multiplicados: parábola del libro de Mateo: multiplicados por la voluntad del ser y amenes muchos. Suerte que ella, digo ella y: favor de volver a las líneas anteriores, ha aprendido que la calidad no se fabrica con celofanes de muchacho que recién empluma o muchacho que recién da paso a torpemente enfrentados placeres carnales. La calidad se produce, logra, cuaja, tras la repetición incesante de unos actos de materia experimental que culminan en el acto cualitativo, logrado, cuajado. Dicho de otra manera o dicho en lengua rufianesca: que hay que meter mucho y largo para meter bien: qué expansión la de mis adentros, qué fresca y qué frescota es mi morada interior. ¿Tereso de Ávila[247] en el horizonte?

UNA ESPECTACULARIDAD, MUCHA palabreja es ésa, superadora del más difícil todavía que aparece en los carteles de los circos cada nueva temporada: rumores que compiten en desproporción y ganas de joder la paciencia: una espectacularidad: volteando los aires que soplan a las cinco de la tarde con la espectacularidad de los Flying Sáucers del Ringling Brothers Circus: que no es que la luz esté dañada ni cosa por el estilo ni que la crisis energética ni que con qué se come eso. Que es que un camión transportador de petróleo se tiró, se fue, se cayó, se viró contra un Volvo nuevecito manejado por una mujer en estado interesante: el feto se le anudó en la boca. Que es que una guagua escolar estropeó unos

[247] *Tereso de Ávila:* juego con el nombre de la mística española Santa Teresa de Ávila (1515-1582), autora, entre otros, de *El castillo interior,* también conocido como *Las moradas.*

huelguistas. Que es que unos huelguistas estropearon una guagua escolar. Que es que un asaltante asaltó a un pagador: rumores catalíticos de unas impaciencias que tienen su centro de operación en el estómago: las cinco de la tarde de miércoles, miércoles hoy.

EN EL CRISTAL del parabrisas nada su cara narcisa. Nada o flota o se queda en la superficie del cristal, nunca zambullida, nada o flota cuando mira que te mira hacia atrás, hacia adelante, hacia los lados. Con el gremio de choferes atrapados, agarrados, apresados, comparte intenciones de posible descarga histérica pero se priva de la misma, se priva de las consecuentes formaturas exteriores de la misma por aquello de que es gobierno o lonja del y sus objeciones y disidencias han de orientarse por las vías establecidas para ello. El Senador Vicente Reinosa —Vicente es decente y su honor iridecente— liga en un instante o periquete a una estudiante que estará en la ronda de los quince cuando llegue a su casa y suelte en el lavabo la libra de colorete: transportada por un Mazda; jabón, agua y diez años que van a dar a la mar[248], contando con que la plomería esté en funciones que si no: Jorge Manrique, si te vi ya no me acuerdo. La estudiante no se está tranquila, la estudiante no se queda tranquila, la estudiante no se deja quedar tranquila, la estudiante no es epiléptica, la estudiante no es autística, la estudiante no es sanvitera[249]. Tampoco la posee un hongo alucinante ni la ha picado una serpiente amazónica ni la ha marcado la araña Black Widow que asienta su ponzoña en Ponce[250], ni la habita el espíritu

[248] *que van a dar a la mar:* verso de las *Coplas a la muerte de su padre* (1476), del poeta español Jorge Manrique (1440-1479).

[249] *sanvitera:* alusión al baile de San Vito.

[250] *Ponce:* una de las ciudades más importantes de Puerto Rico. Debe su nombre al conquistador Juan Ponce de León. Situada al sur, durante el siglo XIX fue uno de los principales puertos de exportación de café y azúcar. Conocida como la ciudad «señorial», fue también un baluarte del Partido Autonomista a finales del siglo XIX. Es un centro industrial, comercial y turístico (CC, pág. 17).

malgenioso de la Virgen de Medianoche, Virgen Eso Eres Tú[251].
No. La estudiante que estará en la ronda de los quince cuando llegue a su casa y suelte en el lavabo la libra de colorete, está ganada, irremisiblemente ganada por el culto a la guaracha del Macho Camacho. La estudiante masca guaracha como una vil chicletómana, hasta convertir las quijadas en castañuelas roncas. Pausa para que den audiencia a las roncas castañuelas de sus quijadas, pausa, pausa, pausa.

EL SENADOR VICENTE Reinosa —Vicente es decente y su hacer es eficiente— cree que debe preocuparse por el prójimo, solemnidades adjuntas al cargo: ¿necesita ayuda? Sólo eso: ¿necesita ayuda? Imposible decirle: vamos a jugar al gallo y a la gallina: él es fino y refinado, caballero y caballeroso: él opta por sonreír con una sonrisa acordeónica y asiente como quien propone. La estudiante se sacude las pupilas licenciosas y senatoriales que, como moscas o mimes o majes[252], la toquetean por los pechos y la galvanizan: exacto, pechos grandes como panapenes[253], pechos grandes como panapenes que parodian el burlesco californiano *Mother of eight*[254]. La estudiante se sacude con las manos, sacudida leve la primera, sacudida terremótica la segunda, sacudida histérica la tercera. Grito inquisitivo: oiga, qué me mira, qué le debo, qué tengo que no le doy, si es que le falta su amante, búsquela que no lo soy. Rimada la respuesta y recitada con una tonalidad equívoca y ambigua que escapa a la antena poderosa del Senador Vicente Reinosa —Vicente es decente y su estampa es absorbente. No la oigo señorita, no la oigo, separados por un muro hecho de bloques de la guaracha del Macho Camacho, no la oigo, no la oigo, no la: evóquese la escena final de *La dolce vita* en la que

---

[251] *Virgen de Medianoche:* bolero que cantaba Daniel Santos, del compositor Pedro Galindo.

[252] *maje:* mosquito muy pequeño cuya picadura produce ardor (RR, pág. 62).

[253] *panapenes: panapén:* fruto grande del árbol de pan y que se come como vianda (RR, pág. 67).

[254] *Mother of eight:* madre de ocho, anuncio de los años setenta que se refería a los senos protuberantes de esa madre.

Mastroianni[255] está sordo al llamado de la púber trenzuda, separados por un cuerpo de agua, en medio de una aurora confesora de desamparos, no la oigo, no la oigo, no la. Aunque no es cuestión de oír, no es cuestión de oírla, es cuestión de ver, verla apagarle los ojos, será el generation gap[256], el parricidio que todos consumamos, la moda unisex, la rabia de las generaciones emergentes, esta juventud de ahora.

EL SENADOR VICENTE Reinosa —Vicente es decente y nació inteligente— para espantar el pachó[257] propiciado por el desprecio de la estudiante que estará en la ronda de los quince cuando llegue a su casa y suelte en el lavabo la libra de colorete, pachó que se le enreda en el alma como guirnalda de papel crepé, pita. Pita con timideces luengas un sonito, un amago de compás de la guaracha que se ha quedado con el país, bebido el país, chupado el país. Truenos, relámpagos, centellas, eurekas, cáspitas, recórcholis, canastos, coñus, carajus, puñetum: cuando se percata de su caída moral estrepitosa. Mira. Remira. Requetemira. Por Dios y los que con él moran: las gracias y regracias sean dadas: nadie se ha percatado de su caída. La estudiante no interrumpe su actividad masticatoria, tampoco la disimula. La estudiante con un gesto redondo, con un gesto redondo porque sacude la mata de pelo, reverencia la guaracha del Macho Camacho, como reverencian la guaracha del Macho Camacho los cientos de choferes que. Avergonzado, apesadumbrado, abrumado porque ha tarareado la guaracha del Macho Camacho, himno orillero, repulsivo, populachero, alto o bajito, poquito o muchito, la guaracha: tiara de la vulgaridad, peineta de la broza, estandarte de los tuza[258], se ha posado en sus labios: qué importa que

---

[255] *La dolce vita:* film de Federico Fellini (1920-1993) estrenado en 1960, en el que se destacó el actor Marcello Mastroianni.

[256] *generation gap:* brecha generacional.

[257] *pachó:* situación ridícula, vergüenza, pasar un mal rato (RR, pág. 99).

[258] *tuza:* aquí apócope de *gentuza.* Equivalente de *tusa* = mujer u hombre indigno, que no vale nada (RR, pág. 80).

con alientos de fugacidad, el pecado es pecado aunque el tiempo utilizado sea. Pecador, cursillista, petitorio de misas dominicales, levanta los ojos pecadores para hallar un lugar abierto, un prado de romero, donde posarlos: verdura que amaine la locura. En la búsqueda de una redención por el paisaje descubre un letrero inmenso que dice, bíblico, letánico, apocalíptico:

Y SEÑORAS Y señores, amigas y amigos, ese hombre se sienta un día y escribe una guaracha que es la madre de las guarachas, sabrosona, dulzona, mamasona. Y esa guaracha por ser tan de verdad se va al cielo de la fama, a los primeros pupitres de la popularidad, al repertorio de cuanto combo[259] está en el guiso[260], a los cuadrantes de cuanto combo está en la salsa y el combo que no está en la salsa no está en ná.

---

[259] *combo:* una agrupación musical que reúne instrumentos de percusión, de viento, y cantantes. El *combo* por excelencia, desde los años cincuenta, fue el de Rafael Cortijo, uno de los grandes músicos puertorriqueños. Obtuvo una gran difusión en la radio y la televisión.

[260] *está en el guiso:* estar en algún negocio, generalmente turbio. Tener trabajo o recibir dinero se expresa humorísticamente con la frase *estar guisando.*

QUÉ, ÓYEME BIEN, Ciela, no vas a quitarte ni para hacer el fresco acto copulativo. ¿Qué es eso Mamá?, cruzacalle espantado de ojo a ojo. Eso es la carnal penetración de su vergüenza en la tuya. Un horror dráculo tumbó a Ciela; cuatro brazos, un abrazo y dos llantos sonados y temblados combinaron una figura solitaria en el que reinaba, campante, el terror. Ni Rizos de Oro perseguida por los tres osos gastó tanto sufrimiento, ni King Kong enamorado, ni el Hombre Lobo auspiciado por la conciencia crítica de su felonía, nada padecieron, opuesta la totalidad de su padecimiento a una fracción milésima del padecimiento de Ciela. Ciela, Graciela, la cabeza almacenada en los pulmones de la viuda de su madre, figuraba su cuerpo atravesado por una malvada faca churrasqueira que a él le saldría del lugar innombrado. El pelo, la manita de colorete, la cadena con crucifijo Salvador, el postín suizo, nevado y puro se le cayeron. Moco y llanto y espanto y admiración escupía: larva de emociones y homenaje anónimo al Etna. Y por la boca un humor gelatinoso, gelatinoso como caldo de sopa china, sopa china de huevo. Y por la nariz. La viuda de su madre: rejoneadora sin caballo: que tú no te refinaste en Suiza nevada y pura para volver a Puerto Rico a hacer justo eso. Con repugnancia moral pronunció el neutro y lo amarró con soguillas de un asco sagrado. La casa de la calle Luchetti[261], casa de dos aguas y palo de mangó[262], vendida

---

[261] *calle Luchetti:* paralela a la Avenida Wilson, en el sector El Condado, una de las antiguas zonas residenciales elegantes de San Juan (SJSN, págs. 124-130).

[262] *mangó: mango*, el árbol y la fruta. En Puerto Rico predomina la acentuación aguda, al modo del francés (MANhabla, pág. 275).

La guinda de Barranquitas[263] con tala de guineos congos[264], vendida. Las seis vacas de ubre radiante, vendidas. El lienzo *Bords de Sêine* de Frasquito Oller[265], vendido. Vendida hasta la vela de mi agonía para que en Suiza nevada y pura tú fueras una educanda solvente y respetada a pesar de tu procedencia de una isla que Isabel y Fernando, por Castilla y por León nuevo mundo halló Colón, no debieron autorizar a habitar y sí consentir como principado de mosquitos y descanso para el situado[266]: tan abrazado el abrazo que les dolió y se soltaron: huérfana de padre apenas si nacida mas jamás salida del carril exclusivo que acaba en las rodillas de Papá Dios. Se sobaron con un alcoholado de sonrisas querubinas y entonaron un himno miniaturo. Una fragancia mística, un tufillo a quedéme y olvidéme[267], un aluvión de ladillas de ángeles lo borronó todo.

CIELA MÍA, YA sé que sí lo eres[268], Ciela en cielo por siempre transformada[269], merecedora de preñez por espíritu santo o silfo generoso: prolegómenos viudo maternales al apóstrofe que sigue: con el temple de criatura a la que le trasiega la decencia por las venas, dejas a la ventura del aire el lu-

---

[263] *Barranquitas:* pueblo del interior de la isla, en la zona de la cordillera.

[264] *guineos congos:* una clase de guineo, carnoso y de color rosado (RR, pág. 41). Véase nota 119.

[265] *Frasquito Oller:* una de las grandes figuras de la pintura puertorriqueña, Francisco Oller (1833-1917). Se alude al óleo *Orillas del Sena* (1875), pintado mientras el artista vivía en París.

[266] *descanso para el situado:* el *situado mexicano* era la subvención que Puerto Rico recibía de la Corona española a través de México, para la construcción de las fortalezas militares. Estuvo vigente hasta principios del siglo xix.

[267] *quedéme y olvidéme:* cita del poema «Noche oscura» del místico español San Juan de la Cruz (1542-1591).

[268] *Ciela mía, ya sé que sí lo eres:* alusión al verso *Laura mía, ya sé que no lo eres,* del poema *A Laura,* del poeta puertorriqueño José de Diego (1866-1918).

[269] *Ciela en cielo por siempre transformada:* puede ser cita de un verso del poeta místico San Juan de la Cruz: *amada en el amado transformada.* O una reminiscencia irónica de un verso del poema *Puerta al tiempo en tres voces* del puertorriqueño Luis Palés Matos (1898-1959). El final de ese poema dice así: *Perdida y ya por siempre conquistada / fiel fugada Filí-Melé abolida.*

gar del pecado. Entonces, cierras los ojos y con voz inaudible para el hombre pero potente y llamativa para los serafines de la guardia, comienzas a rezar el Dios Te Salve Reina y Madre. La bestia que dormita en cada hombre despertará en tu hombre ante la ofrenda del pecado consternado. Gritos placenteros, jijeos de deleite enfermizo saldrán de su garganta, relinchos de lasciva contentura y uno que otro pedo hediondo y catingoso. Sorda tú para ellos, Ciela mía; muerta como un cadáver para ellos, Ciela mía; viva sólo para el Dios Te Salve María y Madre, Madre de Misericordia, Ciela mía.

LA PARADA EN la farmacia de Quebradillas[270] para comprar un relevo de agua de azahar. En Bayamón consumió el primer candungo[271]. De Bayamón a Manatí no dijo ni pío. En Manatí tomó dos Cortales y con una soltura artificial anunció, cantarina y campanera como locutora de la Colgate: *Cortal corta el dolor*. De Manatí a Arecibo no dijo ni ojos verdes tengo. Una vez en Arecibo volvió a abrir la boca para proclamar con sapiencia: *Arecibo es la Villa del Capitán Correa* y ante el asentimiento gentil del esposo, repitió, alegre, dicharachera, jovial, locuaz: *Cortal corta el dolor*. Recuerdo del lento mar de Guajataca transformado en sembradío de azules por la cursilería galopante del esposo. Recuerdo de la cabaña de adobe en la que aposentaron, transformada en casa de muñecas proscrita para Ibsen[272] por la cursilería galopante del esposo. Recuerdo de la bajada a la playa de Guajataca transformada en paseata de greda y flamboyán por la cursilería galopante del esposo. Recuerdo de la honestidad solemne e inmaculada de la camisola de aguja monacal y grave encaje, que no vas a

[270] *Quebradillas, Bayamón, Manatí, Arecibo y más adelante Isabela y Aguadilla*: son todos pueblos del norte de la isla, en la ruta de San Juan a la playa de Guajataca.

[271] *candungo*: recipiente hecho con el fruto del marimbo que es un calabacín largo y curvo producido por la planta llamada también *güiro* (MV, pág. 136).

[272] *casa de muñecas*: cita del título de un clásico del teatro moderno, cuyo autor es el noruego Henrik Ibsen (1828-1906).

quitarte ni para hacer el fresco acto copulativo. Recuerdo punzante de la gritería que armó cuando el esposo se desnudó y ella vio en la oscuridad el brillo como de una malvada faca churrasqueira que salía del lugar innombrado. Gritería: vino el hotelero, vino la hotelera. Gritería: vino la Policía de las comandancias de Quebradillas, Isabela y Aguadilla. La hotelera dijo: a ésa no la montan esta noche y bostezó. Recuerdo de que un mes después de la boda, instalados ya en la casa grande del Paseo de Don Juan[273], hicieron el fresco acto copulativo.

GRACIELA SE ARROPA con una manta de recuerdos cuando la recepcionista aduce: la excesividad del frío la causifica la cheverosidad de nuestro acondicionante de aires. ¿No le dijo el siquiatra cuando hubo de contratarla que escogiera, sopesara y mesurara el vocabulario porque la clientela de los siquiatras era high life, jaitona[274], mainly tiquis miquis y pagadora fiel de cuarenta dólares por hora de caucho[275] y oreja? La clientela de los siquiatras: fabulosa fauna de fabladores: la frustración por el frustrado fruto, la depresión, mi capacidad para conocer mi incapacidad, mis sueños con caídas desde espacios altos, pesadilla con un toro sebú[276] que me acosa, el país opera en mi sique un efecto inoperante, el trauma de mi inconsciente porque el cociente del país produce un no sé qué que me causa un que sé yo, la estrechez del medio, el surmenage de los domingos y. Vea usted que:

EL DOCTOR SEVERO Severino recostado de un ventanal mordido por olas atlánticas ataca el aria expositiva de su oficio. El Doctor Severo Severino es fornido, pinta de italia-

---

[273] *Paseo de Don Juan:* calle en el Condado, San Juan, entre la Avenida Ashford y la playa.

[274] *jaitona:* hispanización de *high class* = clase alta. Casi siempre es despectivo.

[275] *caucho:* sofá. De *couch* (MV, págs. 137-138).

[276] *toro sebú:* en los diccionarios figura *cebú*. Toro corpulento, de gran papada y cornamenta. Vive doméstico en la India y África.

no maduro, tipo Raf Vallone, tipo Rossano Brazzi: lindo que es, bronceada la tez a perpetuidad por soles que bebe en su casa de playa entre fósforos del mundo entero que colecciona y retratos de artistas del cine mudo que colecciona: roaring twenties[277] con Clara Bow, con Theda Bara, con Gloria Swanson, con Pola Negri, con Ramón Novarro, con Vilma Banky, con Anna May Wong, con Charlot y Buster Keaton: manías pequeñajas que compensan de alguna deficiencia o desventajilla que, el aria:

EL PELIGRO CONSISTE en que el siquiatra le corte al paciente los güevines del corazón. Pero, además de y a más de, de un siquiatra se esperan tantas composturas y milagros, tantas recuperaciones, tantos remiendos hilvanados con el descargo de la culpa. Porque se saca la mierda de la culpa y el alivio se mete dentro. El milagro consiste en que el siquiatra rasgue la venda que tapa la jodida culpa, roture el himen de la culpa. El salto de brujo de la tribu a brujo de la metrópoli ha sido llevadero: de la mascadura de coca a los cinco centavos de Freud.

CON DISIMULO BIEN disimulado, la recepcionista mira a Graciela encogerse: yo no la oiría hablar horas y horas, yo le pondría una escoba en una mano, jabón azul en la otra y un balde de ropa sucia entre las dos patas: nervios ni nervios, no me joda, loca lo que se dice loca no lo parece: loca como una cabra no lo parece: neurasténica lo que se dice neurasténica no lo parece, una uña no se ha comido, bien largas y cuidadas que las tiene: flaca sí lo parece. Flaca sí lo es: una delgadez regimentada por modistos obsesos que persiguen lo obeso, el pelo fijado con laca naturalidad montada sobre unas piernas blancusinas, los brazos envalentonados con pulseras, aros y esclavas.

---

[277] *roaring twenties:* los alegres o enloquecidos años veinte, expresión usada en los Estados Unidos.

Claro que el siquiatra dice que los ricos y los menos ricos pero que quieren cagar más arriba del joyete[278] son y que matizados de realidades varias y que escalonados por su interior. Y como yo no sé con qué se come eso me quedo fría como una barra de hielo. Para mí que las señoras ricas y las que no siendo ricas quieren dárselas de ricas tienen un fricasé de culo[279] en la cabeza.

GRACIELA CONTEMPLA LA radiografía inmensa que cubre la pared. La reducción a la pesadilla ósea es repugnante por lo que tiene de vaticinio acertado: la asombra su inédita profundidad: tres veces ha leído *Love Story*[280], está suscrita a *Vanidades, Íntima, Buen Hogar:* hace tiempo que quiere meterle el diente a algo de Enrique Laguerre[281] o algo de René Marqués[282]: también los del patio son hijos de Dios: objetiva, democrática, bien maquillada: si los del patio no fueran pesimistas y dramosos: dale con el arrabal, dale con la independencia de Puerto Rico, dale con los personajes que sudan: todo lo que se escribe debe ser fino y elevado, la literatura debe ser fina y elevada. La recepcionista le extiende el último *Time*. Graciela ojea el último *Time*. Graciela salta las páginas de noticias internacionales del último *Time*. Graciela salta las páginas de crítica literaria del último *Time*. Graciela vuelve con horror y asco unas instantáneas del Vietnam napalmizado reproducidas en el último *Time* porque ella no tolera ni un minuto de angustia: nada doloroso, nada pesaroso, nada miserable, nada triste: yo no nací para eso. Graciela se detiene fas-ci-na-da, he-chi-za-da, em-bru-ja-da, a mirar la fascinante,

---

[278] *cagar más arriba del joyete:* de *joyo* = ano, trasero. Presumir de lo que no se tiene

[279] *fricasé de culo:* guiso de culo, algo extremadamente caótico. Véase nota 197.

[280] *Love Story: best seller* de Erich Segal (1937-2010), novela y guión para un film, ambos de 1970.

[281] *Laguerre:* Enrique Laguerre (1906-2005), escritor puertorriqueño, autor de la novela *La llamarada* (1935).

[282] *René Marqués* (1919-1979): prominente cuentista y dramaturgo, autor de *La carreta* (1953), un clásico de la literatura puertorriqueña. En 1979, Sánchez publicó un ensayo titulado «Las divinas palabras de René Marqués».

hechizante, embrujante fotografía de la casa de Liz y Richard[283] en Puerto Vallarta[284]: típica y tópica: caserón nostálgico de los tiempos de Don Porfirio[285], ramas de buganvilia y nopales a cuya sombra esquelética hacen tortillas unas chinas poblanas, tortillas cocidas en comala roja como la tierra de que está hecha, recostados del balcón petroglifos amenazantes de Tlaloc y Quetzalcoatl[286], en una esquina un organillo con rollo musical de *La Adelita*[287]. Cien suspiros después, mareada por los devaneos de la musaraña, Graciela pasa otra página y: oh, oh, oh, oh: el terepetepe[288].

[283] *Liz y Richard:* las estrellas del cine Elizabeth Taylor y Richard Burton.

[284] *Puerto Vallarta:* situado en la costa mexicana del Pacífico, en el estado de Jalisco, es un centro turístico y de deportes. La presencia de Elizabeth Taylor y Richard Burton en los años sesenta le dio gran fama al lugar.

[285] *Don Porfirio:* Porfirio Díaz, presidente de México durante más de treinta años, hasta la rebelión de 1910.

[286] *Tlaloc y Quetzalcoatl:* deidades de la cultura azteca: dios de la lluvia y la Serpiente Emplumada.

[287] *La Adelita:* famoso corrido de la época de la Revolución mexicana.

[288] *terepetepe:* desbordamiento, repleto, estar «de bote en bote» (MV, página 152).

Y ESA LETRA, señoras y señores, amigas y amigos, esa letra de religiosa inspiración, esa letra que habla verdades, esa letra que habla realidades, esa letra que habla las cosas como son y no como tú quieras. Porque, vamos a ver, señoras y señores, amigas y amigos, ¿quién me discute discutidamente que la vida no es una cosa fenomenal?

QUÉ COSA —DIJO La Madre, la cabeza que no, que no.
Lo que es gustarle a uno el vacilón —dijo La Madre, la cabeza que sí, que sí. Cuando esa guaracha dice que la vida es una cosa fenomenal es que más me come el cerebro —dijo La Madre, trabazón de pies con vuelta quebrada y remeneo de cintura y unas gesticulaciones en las que se hablaba de alegrías y francachelas. El día que Iris Chacón cante y baile la guaracha del Macho Camacho será el día del despelote —dijo La Madre, mordido el labio inferior por los dientes de arriba y los dientes de abajo, la cabeza que no, que no, la cabeza que sí, que sí. Dios nos ampare ese día —dijo Doña Chon, limpiaba una muñeca trajeada de sevillana que hacía dos años ocupaba la misma butaca, muñeca feísima, volantes y lunares, muñeca regia en la ocupación de la butaca. Ese día Iris Chacón tendrá que contratar un convoy de guardias de seguridad o apalabrar seis judokas[289] porque ese día se la comen cruda —dijo La Madre. Cruda —repitió La Madre y estalló la palabra como un triquitraque. Doña Chon juramentó, el signo de la cruz viajó a la sien, el ombligo, el hombro derecho, el hombro izquierdo: El Padre Celestial tiene que estar hasta las teleras de tanta indecencia. Doña Chon sacudía con un pañito de bayeta el mendrugo de pan clavado a los pies santísimos de San Expedito, mendrugo vecino del vaso de agua del que bebía San Expedito. La carne de Iris Chacón es carne natural —dijo La Madre, lindo vaivén de manos y cachas de culo regueteadas[290] por el piso y cachos y cachitos de la guaracha

---

[289] *judokas:* que practican el judo.
[290] *regueteadas:* desordenadas de *reguerete* = desorden, confusión de cosas (MV, pág. 150).

del Macho Camacho gateando por los tabiques. Porque Iris Chacón sí que no usa silicone como otras artistas de variedades y vodeviles que usan silicone —dijo La Madre, molinillo huracanado por las costillas, vorágine por los dedos. Doña Chon, la nariz aventada por un soplo de desconfianza, corona de humos inquisitoriales, rígida como curita español, el vaso de agua de San Expedito exprimido como un chupón de china[291], enjorquetada[292] en una silla que enjorquetó en la butaca que hacía dos años ocupaba la muñeca feísima trajeada de sevillana: ¿qué es silicone? La Madre, los labios fruncidos en forma de corazoncito, voce de diva sin cultivo, voce de María Félix en *El peñón de las ánimas*[293], manoseo de los muslos; modal de Ninón Sevilla, modal de Meche Barba, modal de María Antonieta Pons, modal de las Dolly Sisters, modal de Amalia Aguilar, modal de Tongolele, modal de Isabel Sarli, modal de Libertad Leblanc, modal de Evelyn Souffront, modal de Iris Chacón[294]: silicone es una medicina que se prepara para que las mujeres nos crezcamos el busto y el caderamen. Doña Chon convocó todo el pavor del mundo en una pavorosa exclamación: —¡qué barbaridad! Horrorizada, descubridora del continente de las fresquerías desconocidas, Cristóbala Colona, olvidó poner agua al sediento San Expedito, se desenjorquetó de la silla que enjorquetó en la butaca que, hacía dos años, ocupaba la muñeca feísima trajeada de sevillana, y se fue hasta los fogones a voltear el caldero de cuajo y de morcilla que se mandarían de una sentada los taxistas en huelga, invocante de puniciones y escarmientos y dichos y redichos del mundo se está acabando: entre gloriados sonsones de la guaracha del Macho Camacho: huéspeda permanente de su casa.

---

[291] *chupón de china: de chupón* se refiere a la manera de comer una fruta haciéndole una abertura por la cual se chupa el jugo. *China* es el nombre dado en Puerto Rico para referirse a «la naranja dulce». A variedades agrias se les llama «naranja» (MV, pág. 141).

[292] *enjorquetada:* montada sobre, de *enjorquetar* = poner a horcajadas (AM, pág. 164).

[293] *María Félix en El peñón de las ánimas:* se refiere a la conocida estrella del cine mexicano de los años cuarenta y cincuenta. María Félix se destacó en el género melodramático.

[294] *Ninón Sevilla, Meche Barba, María Antonieta Pons, las Dolly Sisters, Amalia Aguilar, Tongolele:* vedettes del cine mexicano.

COMO UN REPTIL manchado por escamas y llagosidad
abrupta; como un reptil desempatando el rabo estriado: len-
titudes, torpezas: como un reptil desperezándose, poniéndose
de pie y despatarrado, vómito y baba bajando vómito y baba
escurriendo, obsequio los ojos al mosquero, mosquero que le
borda manto y halo, como un Bobón Niño de las Moscas: despierta la idiotez, despierta y amenizada con cubos de más baba
y más legaña: en medio de un cayo en que verdece el desampa-
ro: despatarrando y resbalando y cayendo y cayendo y cayendo: caído y vomitando el rabo de otro lagarto.

ESTA TARDE ME toca —dijo La Madre, no pudo atrapar
un eructo, limpiada la boca con la manga de la blusa, contem-
pladas las flores lilas del mangle[295], las flores del sargazo. Yo que
tú me tomaba un buen purgante de aceite de castor —dijo
Doña Chon, escurría una dita de guineos verdes[296]. Yo voy a to-
marme un purgante de unos purgantes que vienen en forma de
bombón —dijo La Madre, removió un lagarto ahogado en la
baba del Nene, limpió el pocero de baba en la nariz del Nene.
El Nene cabeceaba. Tanta monería quién ha visto —dijo Doña
Chon, echaba el cuajo en palangana soberbia y las morcillas en
lata de manteca de cerdo. Purgante en bombones, inyecciones:
para engordar el trasero, baños de sol —dijo Doña Chon, saca-
ba de un macuto[297] el picador y lo lavaba: muestras de contra-
riedad y de sorpresa, tono expresivo de yo es que me quedo
muda. Baños de sol —dijo Doña Chon, la cabeza que no, que
no. Fiebre de la caliente le va a dar: médica y vatisa. Tabardillo
del malo le va a dar: sabia y orácula. En el lindo rotito del lindo culito le nacerá un nacidito: reiterativa y Mita de la Cantera, María Lionza de Venezuela, honguera María Sabina azteca.

---

[295] *mangle:* planta de dos o tres metros de largo que crece en los sitios de aguas
salobres de la costa oriental de Puerto Rico. Tiene flores amarillas (MV, pág. 147).
[296] *guineos verdes:* una clase de guineo. Véase nota 119.
[297] *macuto:* cesta honda hecha de bejucos (MV, pág. 146). También bolsa
de papel.

El sol le quema la monguera —dijo La Madre, ahuyentaba el mosquero con un pañito de bayeta. El sol le espanta la bobación —dijo La Madre. La Madre se rascaba la pelambrera tenaz del sobaco. El sol sirve para todo como la cebolla que hasta para la polla —dijo La Madre. Los ojos de La Madre, pendientes uno del otro como los malos acróbatas, saltan e inspeccionan y tropiezan y corretean por la gran cabeza del Nene.

EN EL BAÑO de sol está ahora El Nene, rodeado de la muchitanga[298] que encontró en su imbecilidad el juguete perfecto: juguete que llora, que gime, que se encoge, juguete perdido y encontrado en el parquecito de la calle Juan Pablo Duarte la tarde apurada de un abril doméstico: un niño, un niño cualquiera, aguerrido Lanzarote[299] en flamante velocípedo, le preguntó ¿qué te pasa? cuando lo vio mirar, lo veía mirar, a través de una soga de baba que le nacía en la puntita de la lengua, una procesión india de hormigas. La pregunta no llegó a sitio alguno. La pregunta flotó un segundo y luego se integró a la zona de los olvidos. La pregunta ¿qué te pasa? El niño cualquiera, el aguerrido Lanzarote en flamante velocípedo volvía a preguntar con impaciencia respaldada por la ingestión de complejos vitamínicos y emulsion de Scott. También volvió a preguntar ¿qué te pasa? un pecoso, imagen y semejanza de un diablillo tutelar, que enriquecía su imagen volátil con una chiringa excitada. También le preguntó ¿qué te pasa? una niña de dientes cómeme[300]. Pudo ser la baba o los ojos resortados o el cuerpo atrincherado en el cuerpo lo que produjo el descubrimiento. Un enjambre acosado no se atropella como las voces descreídas que gritaron, dichosas: ES BOBO, las letras mayúsculas chisporroteando un alegrón que era nave de muchos alegrones. Se batieron palmas, se pellizcó el ambos a dos, se hizo ronda sonora de la guaracha del Macho

---

[298] *muchitanga:* equivale a muchachería (MV, pág. 148).
[299] *Lanzarote:* uno de los caballeros de la Tabla Redonda.
[300] *dientes cómeme:* persona que tiene los incisivos superiores muy salientes. Criollismo (MV, pág. 138).

Camacho *La vida es una cosa fenomenal*, la mayoría se ofreció para jeringarlo, la niña de dientes cómeme tribunó que en su casa había una jaula vacía donde ella podía guardarlo pero corrigió: donde todos podemos guardarlo: altruista, abnegada, yo le pedí a Santa Claus un bobo pero no me lo trajo: razonadora, saludable, desayunada con corn flakes[301], jugo de pera Libby, chocolatina y huevos fritos con jamón.

TRAJERON VARITAS Y hojas, lo hurgaron, lo mordieron, lo orinaron, pisotones, muecas, risería, risería, risería. Y multisónico acompañamiento de la guaracha del Macho Camacho reducida ahora a corro perverso: una sinfonía apoteósica de crueldad. El Nene se estuvo quieto para añejar un ronquido infinito y protestante que se arrancó de la garganta envuelta en llanto. Doña Chon, llena eres de morisquetas[302] y bendita la verruga de tu vientre, alcantarilla del cáncer, y bendita tú eres entre todas las vecinas del Caño de Martín Peña, vino a buscarlo, vino a rescatarlo, buscarlo y rescatarlo tardísimo porque el abogado de Tutú le vino con un blablá y unas ajoraciones[303] y un abóneme más a menudo Doña Chon que yo tengo seis barrigas que mantener.

NO ME LO trago y no me lo trago y si me lo almíbaran con melao[304] no me lo trago. Que no me lo trago que los baños de sol chijí chijá[305] —dijo Doña Chon. Doña Chon buscaba con la mano en la repisa más alta de la alacena: frasquito en el que guardaba los imperdibles. Pues yo le noto el cambio —dijo La Madre, los rolos en la ternura del regazo. Más como durito —dijo La Madre. La Madre contaba los rolos en

---

[301] *corn flakes:* copos de maíz. Siempre en inglés en Puerto Rico.

[302] *morisquetas:* mueca (MV, pág. 148).

[303] *ajoraciones: ajoración,* sustantivo sobre el verbo *ajorar,* con el significado de «apurar a una persona» (MV, pág. 134).

[304] *melao:* miel de la caña.

[305] *chijí chijá:* hurra, bravo. Expresión de aliento.

la ternura del regazo. Menos como mongo —dijo La Madre, sacándole a los rolos un pelito o dos de la enrolada anterior, soplándolos. Parte el corazón verlo tirado en el pasto —dijo Doña Chon. Doña Chon encontraba el frasquito en el que guardaba los imperdibles. Como un buey tirado en el pasto —dijo Doña Chon. Doña Chon colocaba el frasquito de imperdibles en la mesa de comedor, mantelito de hule. Que pasa un perro y lo olisquea —dijo Doña Chon. Doña Chon buscaba lo que no encontraba en la repisa más alta de la alacena, repisa más alta en donde convivían, en armonía fácil, tres gatos de embuste decorados con manzanitas coloradas y un gato de verdad: bribón desconsiderado, temeroso de los ratones, gato Mimoso mimado como si fuera bibelot de Rosario Ferré[306]: qué gato desayuna con butifarrón de bacalao, qué gato, gato sato[307], gato arrastrado. Pues si pasa un perro y lo olisquea pues El Nene aprende a conocer el olisqueo del perro —dijo La Madre. La Madre separaba las greñas, repartía las greñas en partes iguales para comenzar a hacerse los rolos. En los parques hay niños de su edad que juegan con El Nene —dijo La Madre. La Madre mojaba el mango de la peinilla. Jugar ni jugar —dijo Doña Chon. Doña Chon guardaba la chavería[308] reticente en los gatos de embuste. A menos que jugar sea recibir una gaznatada por aquí, una pezcozada por allá —dijo Doña Chon, Doña Chon cogía el peso de los gatos de embuste para calcular la suma de la chavería reticente. El Nene también dará su galleta —dijo La Madre. La Madre se hacía el primer rolo.

EL NENE TAMBIÉN dará su galleta[309] —argumentó El Viejo del que La Madre era Corteja. Galleta defensiva que es la galleta ideal —argumentó El Viejo del que La Madre era

---

[306] *Rosario Ferré:* escritora puertorriqueña, autora del libro de relatos *Papeles de Pandora* (1976) y de los poemas incluidos en *Fábulas de la garza desangrada* (1982). Su padre, Luis A. Ferré, fue gobernador de Puerto Rico de 1968 a 1972.

[307] *gato sato:* gato callejero. Véase nota 76.

[308] *chavería:* de *chavo.* Véase nota 214.

[309] *galleta:* aquí en la acepción de bofetada, gaznatada. En Cuba se usa *galletazo* (FOnuevo, pág. 265).

Corteja. Así está entre la muchachería juguetera de su edad —argumentó El Viejo del que La Madre era Corteja. Que no se lo va a comer —argumentó El Viejo del que La Madre era Corteja. Así anima en su inteligencia escasa el sentido de pertenencia y grupo correspondiente —argumentó El Viejo del que La Madre era Corteja. Por otro lado es bueno y saludable que tome, a la mayor brevedad posible, baños de sol —argumentó el Viejo del que La Madre era Corteja. ¿Baños de sol? —dijo La Madre. La primera vez que me lo tiro —dijo La Madre. Fiebre de la caliente le va a dar —dijo La Madre. Tabardillo del malo le va a dar —dijo La Madre. En el lindo rotito del lindo culito le nacerá un nacidito —dijo La Madre. Bah —argumentó El Viejo del que La Madre era Corteja. Ttt —argumentó El Viejo del que La Madre era Corteja. Leyendas al margen de toda consideración científica —argumentó El Viejo del que La Madre era Corteja. Primitivismo insensato de quien opone superstición a razón —argumentó El Viejo del que La Madre era Corteja. La exposición a los rayos solares resulta en beneficio neto a la piel expuesta —argumentó El Viejo del que La Madre era Corteja. Los baños de sol son formas terapéuticas antiquísimas —argumentó El Viejo del que La Madre era Corteja. En la Francia anterior a la República se utilizó el recurso del baño de sol como tratamiento para alienados benignos —argumentó El Viejo del que La Madre era Corteja. Alienado benigno es la categoría síquica a la cual incorpórase El Nene —argumentó El Viejo del que La Madre era Corteja.

PORQUE SEÑORAS Y señores, amigas y amigos, lo que el Macho Camacho ha puesto en su guaracha es su alma suya, su corazón suyo que es también el corazón grande de un hombre que ha pasado hambre. Sí, señoras y señores, amigas y amigos, hambre como la pasa el hombre que es pobre sudoroso y tiene la mancha del color sufrido. Que mulato es lo que no es, que negro es lo que es, negro de apaga y vámonos.

O SEA PAPI, que si tú haces una pista bien hecha donde la juventud pueda envenenar sus paletas con un millaje tipo Marysol Malaret: puertorriqueña Miss Universo y hasta gloria nacional por decreto de la Barbizon School of Modelling[310] y una Telefónica[311] ladrona y golpista y por la encendida calle antillana[312], estafa tras estafa, entre dos filas de negras caras. O sea Papi que la juventud te estaremos agradada. O sea Papi que lo que pasa es que la juventud tenemos el corazón apolillado porque los viejos se arman a no salirse de la vida y la juventud tenemos que empujarlos. O sea que menos mal que uno oye la guaracha del negro caripelao ése y como que se pone en algo y el coraje se le enfría de estar en este tapón. Enfriado hasta que llegue hasta mi Ferrari aquel Cristoteama de la sotana color quenepa[313], afeitada la cabeza. Cristoteama o la madre de los tomates que pide en nombre de Jehová, enfriado hasta que llegue hasta mi Ferrari aquel narcómano rehabilitado que pide en nombre de los Hogares Crea[314]: ayú-

---

[310] *Barbizon School of Modelling:* escuela de modelaje femenino que se encontraba en la Parada 18, en Santurce.

[311] *Telefónica:* la Compañía Telefónica estaba situada en la Parada 16, en Santurce.

[312] *por la encendida calle antillana:* cita del primer verso del poema *Majestad Negra*, del libro *Tuntún de pasa y grifería* (1937), del poeta puertorriqueño Luis Palés Matos (1898-1959). A continuación se cita otro verso del poema: *entre dos filas de negras caras.*

[313] *quenepa:* fruto del quenepo: verde, redondo, en racimo, generalmente agridulce (AM, pág. 252).

[314] *Hogares Crea:* residencias para tratamiento de drogadictos. Fueron fundados por Juan José García en los años setenta, y son una presencia importante en casi toda la isla.

denos a construir un Hogar Crea en cada pueblo del país medio país en la fumadera y la inyectadura: o sea que a mí no me pidan que yo soy de los que no doy.

LA GUARACHA DEL negro caripelao ése y como que uno se pone en algo. O sea que ya no soy musiquero. O sea que yo lo que soy es carrero. O sea que eso de que la vida es una cosa fenomenal es como una ciencia que tiene sus pro y sus contras pero yo no soy un elemento de hacerme un pantano en la cabeza por ponerme a filosofar esa filosofía: o sea que lo mío es trobol[315] segundo y Ferrari primero. O sea Papito, Papitito, Papitín, Papitote, Papitete, Papititi, Papitoto, Papitutu. O sea que yo veo que la situación por la que atraviesa el país es de atángana[316]. O sea que en Puerto Rico se forma y es ya mismo o dentro de un ratito. Porque los obreros quieren ser los ricos y los ricos no pueden ser los obreros porque los ricos son los ricos. O sea que los ricos son los wilson wilson que quiere decir que los ricos son los que son. O sea que las tantas huelgas hacen daño y dan pena[317]: no añadió como las noches de ronda porque Benny, el pobre Benny, el insaboro Benny, el insoluble Benny.

TIENE EL CORAZÓN virgo: intolerable virginidad. Ocurre que Benny tiene un pecho en el que no ocurre algo desde que, en la etapa fetal, le ocurrieron las tetillas. Quince años después le ocurrió un pelo, uno. Créame, yo lo conozco: Benny o la callosidad por dentro, Benny o el muchacho costrado por la indiferencia y la antipatía. Ejemplo pueril: Benny no ha cantado nunca en la ducha para olvidar el frío

---

[315] *trobol:* anglicismo, de *trouble* = problema, dificultad.
[316] *atángana:* interjección que suele usarse para indicar alguna conmoción, o entre músicos para animar a que siga la alegría.
[317] *hacen daño y dan pena:* cita el bolero *Noche de ronda* (1935) del compositor mexicano Agustín Lara (1897-1970) (JRS, págs. 64-68).

del agua. Ni en la guagua que transporta a Luquillo[318] una clase graduanda ha cantado la plena *Qué bonita bandera*, la plena *Mamita llegó el Obispo*[319]. Pero imposible: Benny no formó parte de clase graduanda alguna aunque se graduó. Benny no ha cantado *Noches de ronda* porque Benny no ha cantado un bolero, Benny desconoce el título de un bolero. Benny desconoce lo que es desconocer. Benny desconoce que desconoce un bolero desmigajado sutilmente por las manos de Rubén Escabí[320], con galanura bohemia, en noches de ron y cerveza, en el bar recoleto de la esquina del Callejón de la Capilla[321]: tímpanos para lo dulce y cadencioso no los tiene. Benny desconoce que desconoce el cadencioso júbilo, el júbilo repartido como un pan grande[322]: Benny desconoce que desconoce un poema de Neruda, dulce y cadencioso, soltado a la suerte del viento por la garganta de Samuel Molina[323] en unas doce de la noche en el café La Tea[324]: abandonado como los muelles en el alba: o sea que con qué se come eso, un poema de Palés

---

[318] *Luquillo:* pueblo localizado al nordeste de Puerto Rico, en la costa. La *Playa de Luquillo* es una de las más famosas de la isla.

[319] *la plena Qué bonita bandera:* la *plena* es un género musical bailable muy propio de Puerto Rico desde comienzos del siglo XX, con letras que comentan la vida social y política. Véase introducción a esta edición.

[320] *Rubén Escabí:* pianista puertorriqueño, reconocido por su repertorio de boleros, y sus presentaciones en los bares y cafés de la bohemia artística del Viejo San Juan, como el *Ocho Puertas;* y también en el restaurante *La Rotisserie* del Hotel Caribe Hilton.

[321] *Callejón de la Capilla:* situado en el casco histórico de San Juan entre las calles San Francisco y Fortaleza. Ahí se encontraba una Capilla que fue fundada en 1756. En la esquina del callejón con la calle Fortaleza se encontraba, en los años setenta, *La Fonda del Callejón,* el «bar recoleto» al que alude el texto. La *Galería Colibrí,* importante para las artes gráficas, se encontraba en el Callejón.

[322] *el júbilo repartido como un pan grande, Neruda:* cita de las *Odas elementales* (1954) de Pablo Neruda (1904-1973). Poeta chileno, autor de *Residencia en la tierra* (1933) y del *Canto General* (1950).

[323] *Samuel Molina:* actor y declamador puertorriqueño. Ha trabajado en el teatro y en la televisión.

[324] *café La Tea:* un café teatro, muy popular entre artistas, estudiantes e intelectuales durante los años setenta. El local se encontraba en la calle Sol esquina Tanca en el Viejo San Juan. En él se dieron a conocer grupos de la Nueva Trova y la música experimental puertorriqueña.

Matos[325], un poema de Julia[326], un poema de Corretjer[327]: o sea que.

REPETIR CORAZÓN VIRGO, añadir corazón deshabitado del milagro de estar vivo: sacarino pero exacto. Deshabitado de la angustia, de la rabia verdadera, de la ternura. Sueño o brillo soñador pero que nada. Sueño vivo, sueño agazapado en la mirada como el sueño vivo, agazapado en la mirada de los muchachos y las muchachas que altisonan y venden *Claridad* y *La Hora*[328], indiferentes al carro que chilla y huye: *comunista, vete pa Cuba*. Menos el sueño trémulo y hondo de los muchachos y las muchachas que se citan en el café La Tahona[329] a aplaudir al Trío Integración, a aplaudir a Silvia Del Villard[330]. Sueño vivo, sueño trémulo o esa transparencia agresiva que se muda o demuda en los rostros que oyen hablar a Mari Bras[331]: deslumbrados porque la historia los invita a hacer el viaje: habla Mari Bras y ellos lanzan el pecho hacia el mañana porque en las manos les conversa la construcción de la libertad; rostros que desarman la noche en

---

[325] *Palés Matos:* Luis Palés Matos (1898-1959). Poeta puertorriqueño, autor del *Tuntún de pasa y grifería* (1937). Véase la introducción a esta edición.

[326] *Julia:* Julia de Burgos (1914-1953). Poeta puertorriqueña, autora de *Poema en veinte surcos* (1938) y *Canción de la verdad sencilla* (1939).

[327] *Corretjer:* Juan Antonio Corretjer (1908-1985). Poeta puertorriqueño y militante nacionalista. Autor de *Amor de Puerto Rico* (1937) y *Alabanza en la torre de Ciales* (1953).

[328] *Claridad y La Hora:* publicaciones independentistas puertorriqueñas. *Claridad,* fundado en 1959, ha sido el órgano del Movimiento Pro Independencia (MPI) y del Partido Socialista Puertorriqueño (PSP). El semanario *La Hora* (1971-1973), fundado por César Andreu Iglesias y Samuel Aponte, estuvo vinculado al Partido Independentista Puertorriqueño (PIP).

[329] *café La Tahona:* otro café teatro localizado en el Viejo San Juan, en la calle Cruz. Lugar de encuentro de los nuevos músicos, gente del mundo del teatro y escritores durante los años setenta.

[330] *Silvia Del Villard:* artista puertorriqueña dedicada al rescate de la cultura afrocaribeña.

[331] *Mari Bras:* Juan Mari Bras, prominente líder separatista puertorriqueño. Fue Secretario General del Movimiento Pro Independencia (MPI), fundado en 1959, y del Partido Socialista Puertorriqueño (PSP), fundado en 1971.

una pasquinada, rostros hermanados en el odio a Nixon y Pinochet. Pero Benny: qué va. Benny es un porco. Benny es un closet bellaquito[332] para quien toda abnegación es pamplina: o sea que revolucionario y otros mierderos es reventarse una puñeta con la mano mojada: o sea que yo soy un elemento wash and wear[333]: ¿no les digo?

BENNY NO FUE este semestre a la Universidad de Puerto Rico, ni fue el otro. Benny destacaba los libros en la trinchera del sobaco y confiaba en que el conocimiento le llegara por el fenómeno de ósmosis: ¡qué mamey[334]! Ejemplo: Benny, asustado porque mañana por la mañana tomará un examen final, se deposita esta noche en la Sala de Resúmenes de la Biblioteca General de la Universidad de Puerto Rico: o sea que si *Don Quijote de la Mancha* viene en tamaño familiar de veinte páginas yo no voy a gastar la vida leyendo el de verdad: o sea que yo aprendí de niño que los libros se quedan y uno se va, o sea que yo no soy un estofón[335], o sea que yo soy un tipo listo, o sea que en sexto grado me decían Benny Listerine. Benny volaría a la casa con los bolsillos llenos de des y efes[336]: Mami de Benny decía: antes con un donativo para restaurar el altar tal de la Purísima o La Altagracia se arreglaba el majadero asunto de las notas: por eso yo estoy de acuerdo con una elegante Asociación de Padres y Maestros de Niños Universitarios. Papito Papitín decía: celebrar en fecha a con-

---

[332] *closet bellaquito:* véase nota 23.

[333] *wash and wear:* para lavar y ponerse. Se dice de la ropa que no requiere planchado.

[334] *¡qué mamey!:* ¡qué fácil! El *mamey* es el fruto, muy apreciado, del árbol del mismo nombre. Se usa también la expresión *vivir del mamey,* con el sentido de vivir de algún empleo lucrativo o prebenda (AM, pág. 210).

[335] *estofón:* persona que estudia mucho; persona esforzada, muy trabajadora (MV, pág. 143).

[336] *des y efes:* se refiere al sistema de calificaciones basado en las letras A, B, C, D y F usado en Puerto Rico sobre el modelo norteamericano. Por tanto, las *des y efes* son las peores notas.

venir un get together[337] de maestros en el molto bello jardín de tu Mamá: get together con mozos uniformados, cold cuts[338] de *La Rotisserie*[339], toneles de Beaujolais y Lambrusco espumoso: get together que cargo a mis gastos de representación senatorial. O sea que los maestros de la Universidad de Puerto Rico la han cogido conmigo[340]: o sea que cuento chino la Universidad de Puerto Rico, basura en tarjetitas. O sea que hay que copiar tanto que duele la mano. O sea composiciones sobre los fenicios que inventaron el arte de salar el pescado, libros gordos y algunos maestros quieren que uno piense. O sea que yo pienso que si uno piensa se le acaba el pienso y después cómo piensa lo que le falta por pensar. O sea que la Universidad de Puerto Rico está controlada por los fupistas[341], los marxistas, los comunistas, los fidelistas, los maoístas, tantos istas que perdona que yo insista en la pista.

O SEA QUE de dónde salió ese enano de carro choferado por choferito negrito: se puede en un Volkswagen; esa cucaracha de carro que se pega cucarachamente a la goma trasera izquierda de mi maquinón de maquinones. Ferrari panita[342]: qué es esto que es, Ferrari panita: dile a ese Volkswagen que no se meta contigo porque eso es meterse conmigo. O sea que ¿te atreverás? ¿Se atreverá el Ferrari a monoxidar a su enemigo trasero o a preguntarle ¿qué tengo yo que mi amistad procura?[343]. O sea que ahora sí que me salvé yo. O sea que no

---

[337] *un get together:* una fiesta, entre amigos, generalmente celebrada en la casa.

[338] *cold cuts:* del inglés = platos fríos, fiambres de jamón o pavo, servidos en bandeja, generalmente acompañados de quesos.

[339] *La Rotisserie:* uno de los restaurantes más elegantes de San Juan, que estaba localizado en el Hotel Caribe Hilton. Véase nota 479.

[340] *la han cogido conmigo:* de *cogerla con alguien* = ensañarse con alguien, molestarlo con obstinación.

[341] *fupistas:* miembros de la Federación de Universitarios Pro Independencia. La FUPI se fundó en 1956, y ha tenido una larga historia y un lugar prominente en el movimiento separatista puertorriqueño.

[342] *panita:* de *pana* = compañero, amigo íntimo, equivalente al *cuate* mexicano.

[343] *¿qué tengo yo que mi amistad procura?:* cita del primer verso de un soneto de las *Rimas sacras* (1614) de Lope de Vega (1562-1635).

210

puedo soltar el freno ni para rascarme la puntita del. O sea que qué pugilateo[344] se trae ese carrito. O sea que ese Volkswagen es un osado de tamaño y el choferito negrito mira lo que hace. Lo que hace es que suelta el guía para intentar tocarle el trozo de joyo[345] a una enfermerita que le ha puesto el trozo de joyo en la cara: casi. O sea que qué carajo pasa allá alante que los carros no se. O sea que esta calle es tan tan y ese enano de carro quiere pasarme. O sea que qué es lo que quiere: gritado. Sapristi: abracadabra de Hércules Poirot: otro enano que se pega por la goma trasera derecha de mi maquinón de maquinones y: racimo de puñetas y repuñetas, sarta de coños y recoños: tras el Ferrari, como si fuese acompañamiento nupcial numeroso, enfilan dos docenas de Volkswagen: si Benny leyera los periódicos se enteraría.

O SEA PAPI que lo mío es que mi Ferrari se sienta bien en Puerto Rico, que lo mío es que mi Ferrari tenga un ambiente cheverón en Puerto Rico, que lo mío es que mi Ferrari no se vaya a acomplejar porque le falta, porque no tiene la autostrada que construyó para el deslizamiento de los Ferrari el inmortal Benito Mussolini: oído y celebrado en cátedra fascista: mucho de cizaña hubo por parte de uno que otro noble, herido porque su heráldica no resistió el examen del *Almanach Gotha,* muchas infidencias hubo por parte de uno que otro pariente lejanísimo de Claretta Petacci. Pero la obra sustantiva y adjetiva está a la vista de todos, pero el esplendor sustantivo y adjetivo de la Roma eterna salvada por el Duce está a la vista de todos: el hecho que Luigi Pirandello[346] fuera fascista comprueba la solvencia moral del fascismo, el hecho escueto de que Ezra Pound[347] fuera fascista comprueba la sol-

---

[344] *pugilateo:* lucha, molestia, problema. De *pugilatear(se)* = molestar(se) o preocupar(se) (RICHARD, pág. 438).

[345] *joyo:* ano, trasero (RR, pág. 95).

[346] *Luigi Pirandello* (1867-1930): dramaturgo y narrador italiano, autor de *Seis personajes en busca de un autor.*

[347] *Ezra Pound* (1885-1972): poeta norteamericano, autor de los *Cantos,* y de los ensayos reunidos en *El ABC de la lectura.*

vencia moral del fascismo. Fellini, Bertolucci, Moravia[348]: pagliacci, bambolotti, cocchi di mamma.

BENNY OCUPA LAS mañanas en el lustre meticuloso de su Ferrari. Un cuidado pormenorizado con atención atenta a los guardafangos, los parabrisas, los tapabocinas, los aros, la capota: atención atenta con amonia para el brillado, cera para la carrocería, aspiradora para los asientos, escobilla para los rincones inaccesibles a la aspiradora. La gran tarea toca a su fin cuando la carrocería lanza cuchillos de luz por toda la marquesina. Benny almuerza en el comedor de diario habilitado en un rincón sobrante de la gran cocina: mimbre y cristal y cestones de frutas del cosecho[349] inmediato y pareja de almireces. El comedor de diario habilitado en la cocina se separa de la marquesina enrejada que acomoda tres carros por un ventanal que oculta treinta o cuarenta celosías: o sea que me gusta que mi Ferrari me vea comiendo, o sea que me gusta ofrecerle cucharaditas de comida a mi Ferrari. O sea que el Ferrari me dice que no quiere comida porque el Ferrari tiene un tigre en el tanque: jipea, rojos los cachetes, ríe. Benny ocupa las tardes en llevar al Ferrari de San Juan a Caguas y de Caguas[350] a San Juan. Benny ocupa las noches en acostarse, arroparse y rezar.

FERRARI NUESTRO QUE estás en la marquesina, santificado sea Tu Nombre. Tirado en una cama anchísima, dos plazas, reflejado en un espejo que decora una pared larga,

---

[348] *Fellini, Bertolucci, Moravia:* cineastas y narrador italianos, respectivamente. La novela de Alberto Moravia (1907-1990), *El conformista* (1951) fue llevada al cine en 1970 por Bertolucci.

[349] *cosecho:* cosecha (MV, pág. 138).

[350] *Caguas:* pueblo fundado a finales del siglo XVIII. Es palabra de origen indígena, y asociada con el cacique *Caguax*. Hasta mediados del siglo XX Caguas fue una región productora de azúcar y tabaco. Es principalmente una zona industrial y comercial, y el eje del transporte regional (CC, pág. 15).

Benny descubre la fofa desnudez de su cuerpo: unos chichos magros caen por la cintura, un cuerpo que anuncia ramales de grasa por las flexiones. Soba que te soba, un jugueteo por las bolas, como el que no quiere la cosa se plancha los muslos. Lista la erección, Benny coloca en la orilla de la cama un ejemplar del *Mundo*[351] de ayer. Dale que te dale que te dale que te dale: ayyyyyyyyyy.

---

[351] *Mundo: El Mundo,* uno de los diarios puertorriqueños más influyentes en los años sesenta y setenta, propiedad de la Fundación Ángel Ramos.

Y SEÑORAS Y señores, amigas y amigos, el inmedible popularísimo es el Macho Camacho en persona, el que tiene la fiebre de estar encima, el que pone a mirar la vida desde cerca y desde lejos y la vida mirada desde cerca y mirada desde lejos es, es, es, cómo decirlo de manera que diga diciendo lo que la vida es. Bueno, señoras y señores, amigas y amigos, yo no soy un Macho Camacho que es un filósofo de los sentimientos que se sienten. Pero tengo el feeling[352] de la vida apretada, de la vida del comecable[353].

---

[352] *feeling:* sentimiento, afectos. También un estilo más íntimo de interpretar las canciones, especialmente los boleros.

[353] *comecable:* necesitado, o muy pobre. La expresión *comerse un cable* es frecuente en Puerto Rico.

HAGO UN CEREBRO con mis primos de La Cantera, macharranes peludos como monos, que un pelo les falta para ser monos macharranes selváticos, macharranes de los que mandan y van, macharranes jugosos mis primos: primos conocidos, ea rayete[354], desde aquella vez que llegaron a la calle del Fuego, en los tiempos de Humacao, donde vivíamos yo, Mother y mi hermano Regino, que yo le puse El Coreano porque fue en Corea que se lo llevó quien lo trajo: reginos borinqueños por montón atomizados en Corea y Vietnam, la historia del aquí quién la creyera: oscuro pueblo sonriente: el verso de Guillén[355].

Y, COMO UNA lluvia persistente, el asombro lento de un recuerdo henchido de recuerdos: fragmento de un recuerdo de acrobacias sobre trapecios de muslos, fragmento de un recuerdo de maromas en rodillas, recuerdo Kodak de sus manos todavía manitas afanadas en endurecer; con equidad democrática los pipíes de los primos, de dos en dos los tres pipíes: dale que te dale que te dale que te dale: con el tesón de quien hace helado en garrafa[356], un dale que te dale tesonero para que ni uno solo de los pipíes de los primos abandonara la posición hidalga de pipí parado o paradito, un dale que te dale bajo la casa

---

[354] *ea rayete:* interjección: expresa sorpresa, miedo o frustración.
[355] *Guillén:* Nicolás Guillén (1902-1989). Poeta cubano. Cita del verso *éste es un oscuro pueblo sonriente* del poema *West Indies Ltd.* que figura en el libro del mismo título, publicado en 1934.
[356] *garrafa:* heladera manual provista de una manivela con la que se bate hasta lograrse el helado (MV, pág. 144).

de zocos[357], dale que te dale a los viajeros de la chalupa[358] *Vente conmigo,* dale que te dale a un placer que era esperanza de placeres: seis años: ella y los primos sometidos a una oscuridad tenebrosa, ella y los primos indiferentes a la gallina echada para empollar doce pollitos, ella y los primos olvidados de los murciélagos y la murcielaguina, de dos en dos los tres pipíes: como ella peinaba rizos la ricería dificultaba la equidad democrática de la faena, dificultaba pero no impedía: puta congénita no; si acaso, generosa congénita con sus poderes congénitos.

ELLA ES UNA viajera que transita entre los tiempos, tumbando caña como el alacrán, pisoteando la maleza, arrebatadora como Dora, caminando por la calle con una cinturita como la cinturita de Ofelia la Trigueñita[359], bella como una camella, fabulosa como una lechoza y: carajo que son las cinco y El Viejo no llega. Otras veces a mí plin si llega o no llega o llega tarde pero hoy yo quiero que llegue cuando tiene que llegar: para hacer el cuadro que El Viejo quiera que hagamos, anisarle el colgajo y chuparle el colgajo anisado. Lo que quiera que hagamos para que me afloje unos chavos extras y comprar un linoliun y tapar el piso que se ve tan. Es que el Caño de Martín Peña: viento de las trompetas, alarde imperial de las trompetas, entrada de la voz del Macho Camacho: *lo mismo pal de alante que pal de atrás:* ella gusta de la penetración de la guaracha del Macho Camacho.

FABULOSA COMO UNA lechoza: símil hermético, enfilo el cuarto cubalibre, el sexto cubalibre, el octavo: nadie diría que los baja por pares, por tríos los baja si la dejan, tiene el

---

[357] *zocos:* cada uno de los pedestales o estantes de madera o concreto que sostienen el cuerpo inferior de un edificio (MV, pág. 153).
[358] *chalupa:* canoa angosta. Es un criollismo procedente del léxico marinero (MV, págs. 139-140).
[359] *Ofelia la Trigueñita:* guaracha muy popular en Puerto Rico. Véase introducción.

aguante largo y combativo. Felisss como una lombrisss: nacionaliza la zeta y confronta un superávit de eses, me apipo de platanutre, me paso una lata de salchichas, me papeo una latita de jamón picao: relamida. Y, qué cosa, mira tú por dónde, como quien escupe, sin que se mueva una uña o impaciente una pestaña, hago el cerebro del siglo con mis primos de La Cantera con los que tengo un ajuste quincenal de aquéllo: la lengüita, trajinosa de insinuaciones puercas asoma al sobrelabio; desde ese jardín de alcázar envía noticias de contentura a unos ojillos chinitos que se apagan del susto: lengüita y ojillos chinitos reaccionan a una ortodoxia del placer refrendada por el calendario para el que posara la Monroe cuando no era la Monroe: la falda levantada por un golpe de viento que sube de una alcantarilla, ¿lo han visto?, calendario solicitado por Joe Di Maggio para efectuar un acto público de fogátil exorcismo, dicen que contrató el Yankee Stadium: pero nadie se deshizo del trampolín de sus fantasías masturbantes. Los primos de La Cantera: primos de la molleración[360] protuberante, habladores, decidores, ruteros y Mamita qué bueno tú y Mamita qué es lo que te: agresiones verbales que pagan dividendos altos y altísimos: opinión de los primos macharranes de La Cantera que mejoran su oficio chulatorio mediante la lectura del mensuario *Sexología*, la comparecencia semanal a los cines Miramar, Rialto y New San Juan[361] y el careo de los resultados individuales: yo le mamo la oreja antes de preguntarle si ella quiere el filete, si ella quiere el brillado de la hebilla, si ella quiere brocha: ustedes dirán que son primos desclasados, yo les diré que en la viña de los primos también los hay desclasados.

DESGLOSE SELECTIVO DEL cerebro que ella hace con sus primos de La Cantera con los que tiene un ajuste quincenal de aquéllo: secuencia de los tres macharranes cortados por la cintura a la usanza de las fotografías de las cédulas de iden-

---

[360] *molleración*: musculoso, de *mollero*, que en Puerto Rico se refiere a los músculos del brazo (MANhabla, pág. 301).
[361] *cines Miramar, Rialto y New San Juan:* cines de San Juan.

tidad: camisas mamitoescas[362], gafas ahumadas, cabeza ladea-
da. Corte. Secuencia de los tres macharranes tendidos en una
cama cubierta con colcha de motitas, cama cubierta con colcha de chenil, cama cubierta con colcha de retazos. Frente a
las camas cubiertas con colcha de motitas, colcha de chenil,
colcha de retazos un almanaque del Cafetín *La Taza de Oro*,
Trujillo Alto, Puerto Rico. Cámara al rostro del macharrán
mayor, recorrido de la cámara por la cara del macharrán mayor: barba cerrada, patilla operativa escapada del coro de las
sombrillas de *Luisa Fernanda*[363], bigotazo villista[364], ojos brotados por el deseo. Viaje veloz de la cámara hasta las partes del
macharrán mayor; estaciones recorridas: tetillas sepultadas en
maraña de pelos, ombligo sepultado en maraña de pelos, partes pudebundas sepultadas en maraña de pelos. Corte. Secuencia del macharrán mayor en escalada everéstica de la autora del cerebro. Corte. Tomas intermitentes del humor llamado sudor brotando a chorros por los poros de la pareja.
Corte. Plano primerísimo de un poro sudado. Corte. Plano
primerísimo de un poro sudando. Corte. Toma abrasante del
macharrán mayor mientras parte en dos gajos el conducto
membranoso y fibroso que se extiende desde la vulva hasta la
matriz de la autora del cerebro. Corte. Toma panorámica de
cuerpos en convulsión culminante: interés especial en el fro-
tado de los vientres: ombligo con ombligo: así se chicha[365].
Corte. Toma del cuerpo del macharrán mayor mientras bicicleta con agilidad maratónica el cuerpo de la autora del cerebro. Corte. Toma panorámica del cuerpo de la autora del cerebro, cuerpo resbaloso, cuerpo vaselinado, cuerpo aceitado
con bronceador Coppertone, cuerpo aceitado con fijador
Johnson. Corte. Toma final de la mano de la autora del cerebro durante la ejecución de caricias desesperadas y desespe-
rantes de la melena tarzánica del macharrán mayor. Adverten-

---

[362] *camisas mamitoescas:* de *mamito*. Véase nota 29.
[363] *Luisa Fernanda:* una de las más populares zarzuelas, de Federico Moreno Torroba, estrenada en 1932.
[364] *bigotazo villista:* de Pancho Villa, el Jefe de la División del Norte durante la Revolución mexicana.
[365] *así se chicha:* tener relaciones sexuales. Véase nota 242.

cia: repítase la lectura de la escena anterior tras la sustitución del cerebrado macharrán mayor por el macharrán intermedio y el macharrán menor: los primos macharranes de La Cantera son trillizos idénticos, la diferencia de edad se computa a base de minutos, no hay diferencia fálica alguna. Cuando se edite el cerebro de ella utilícese la guaracha del Macho Camacho *La vida es una cosa fenomenal* como música incidental y accidental, los primos se llaman Hugo, Paco y Luis: exactamente, de un paquín[366] del Pato Donald lo tomó el Tío Hormiga Loca.

PRIMOS CONOCIDOS DESDE la vez que llegaron a la calle del Fuego, en los tiempos de Humacao, donde vivía ella, Mother y su hermano Regino. Primos hermanos por la parte de Mother, hijos del hermano menor de Mother, hijos de Tío Hormiga Loca: afamado Tío Hormiga Loca porque tenía el poder de preñar con la mirada: mito popular suscrito por los numerosos corifeos de barra, atrio de iglesia y mesa de dominó; Tío Hormiga Loca que viajaba la isla toda con una quincalla a cuestas en la que exhibía un fracatán[367] de araberías y en cada pueblo y en cada campo dejaba una cuenta por mor de ésta o la otra chuchería y dejaba un corazón roto y dejaba una barriga compuesta: piropero, picaflor, enamoriscado andarín: fama de famas: cuando una picoreta le decía a Mother que el budinero y el listero de la Central[368] y el caminero eran hechura segura de Tío Hormiga Loca: hijos con pinta heredada de desasosiego y oficio de ir y venir, ésta respondía, melindrosa, resistida a tercerías: conozco y reconozco como sobrinos a los tres mellizos que Miga le hizo a Petra Buchipluma en el Hotel Venus en los altos del Correo Federal de Humacao, conozco y reconozco como sobrina a la nena que salió bizca de los dos ojos y que Miga le hizo a Petra Buchiplu-

---

[366] *paquín:* revista de tiras cómicas (JLG, pág. 643).
[367] *fracatán:* sinnúmero, montón (MV, pág. 144).
[368] *la Central:* central azucarera.

ma en la casita de la Revuelta del Diablo[369], conozco y reconozco como sobrino al nene que Miga le hizo a Petra Buchipluma en el Hotel Euclides de San Juan[370], y que estudió para maromero y es el maromero número uno del Circo de los Hermanos Marco[371]. Yo conozco y reconozco como sobrinos los sobrinos hechos en cama, los realengos hechos en el pasto, los realengos hechos de pie al pie de cualquier ceiba ni me van ni me vienen ni me vienen ni me van: sacudía las manos para manifestar una abstención copiada sin remilgos del higiénico Poncio Pilatos. Manos sacudidas de Mother, manos

SUCIAS DE SARTRE[372], recuerdo notorio de las manos suyas: manos todavía manitas empeñadas en endurecer con equidad democrática, los pipíes de los primos, primos que no volvieron a la calle del Fuego de la ciudad de Humacao porque Mother, escandalizada, ido el aire, aniquilada por una jiribilla bien illa, trancado el oxígeno en los pulmones por las sesiones prolongadas que efectuaron los primos bajo la casa, escribió a su cuñada Petra Buchipluma una carta protestante en la que le decía entre otros decires: la nena no está rota de milagro según el examen de orina que le hizo Lázara Cuvertier, tus tres hijos tienen malas costumbres y la obligaron a hacer fresquerías debajo de la casa que como tú tendrás que acordarte está trepada en zocos. Te mando a Hugo, Paco y Luis tal como tú me los mandaste, sin una carta de aviso, sin una tarjeta de a chavo como aviso. Mother tenía su espinita desde que vio a Hugo, Paco y Luis apearse de la *Línea La Experiencia*[373] lo

---

[369] *Revuelta del Diablo:* barriada pobre de Santurce, cerca de la Parada 25.
[370] *Hotel Euclides de San Juan:* era uno de los pequeños hoteles para (vendedores) viajantes del Viejo San Juan, en la calle Fortaleza. Los viajantes también eran conocidos como *comisionistas*.
[371] *Circo de los Hermanos Marco:* un circo que se presentó por los pueblos puertorriqueños hasta comienzos de los años setenta.
[372] *manos sucias de Sartre:* alusión al título de la obra de teatro *Las manos sucias* de Jean-Paul Sartre (1905-1980).
[373] *Línea La Experiencia:* una de las flotas de autos para el transporte público en Puerto Rico, generalmente para distancias más largas.

más campantes, como Pedro por su casa, sin una cajita de dulces, sin un saquito de palitos de Jacob, sin un engañito de Padín[374], sin una fundita de galletitas cucas[375], sin un paquetito de galletitas ciento en boca: nada y ella como una misma pen. Como una misma pentecostés buscando por toda la calle del Fuego, por toda la calle de la Ermita[376], por toda la calle Font Martelo[377] una hamaca, un coy, una colchoneta, una camita sandwich, ay deja eso, y después dedicarse a hacer fresquerías que si Regino los coge los hace carne para pasteles[378], ay deja eso: a Rosa Berberena en una sola emisión de aire. Años después,

EN UNA VENTA especial de zafacones[379], se encontró, de sopetón, que hasta un susto se llevó del sorpresón, con uno de los primos, el primo que se había metido a bombero, primo bombero con un pecho como una cancha, primo bombero que le dio chino sin ser del oriente, primo bombero que la saludó con una pregunta que era una afirmación: pero ¿tú no eres la hija de Tía Eulalia, la que nos botó a mí y a mis hermanos de la casa de la calle del Fuego en Humacao? Ella, zandunguera, gustosa del pegamiento y la chinería, le contestó,

---

[374] *Padín: González Padín*, uno de los primeros, y famosos, almacenes o tienda por departamentos, localizado en el casco histórico de San Juan, frente a la Plaza de Armas. La fuente de sodas (de *soda fountain)* anexa a González Padín, famosa por sus helados, era también lugar de reunión de personajes de la vida puertorriqueña (JLGluna, pág. 142).

[375] *galletitas cucas:* una variedad de galletas *dulces* (MV, pág. 139).

[376] *calle de la Ermita:* calle de Humacao, famosa porque allí se despedían los duelos.

[377] *calle Font Martelo:* calle principal del pueblo de Humacao, de donde es oriundo Sánchez.

[378] *coy... pasteles:* un *coy* es un trozo de lona en forma de rectángulo que se cuelga y sirve de cama a bordo (MV, págs. 138-139). Los *pasteles* son un plato típico puertorriqueño. Se prepara una masa de guineos o yuca rallados que se rellena con carne de cerdo picada, se envuelve en hojas de plátanos, y luego se hierve en agua (MANhabla, pág. 349).

[379] *zafacones:* plural de *zafacón,* recipiente para la basura. Formado sobre la palabra inglesa *safetycan,* con el mismo significado (MV, pág. 152).

volviendo la cabeza con destapados visos putañeros: la misma que viste y calza, y se humedeció los labios porque calculó, cálculo de santiamén, que humedecida los labios se vería más seductora. Ella le contestó mientras abandonaba el turno en la fila para ir a recostarse, chorreada, ofrecida, en una estiba de calabazas plásticas: mediados de octubre, Halloween en el horizonte. El primo bombero, discípulo de Jalisco y Jalisco nunca pierde y cuando pierde arrebata, abandonó también, el turno en la fila porque se le encendió la chispa que se enciende en estos casos; liviano, provocador, matador, mordiéndose un poco del bigotazo, fue a lo que siempre iba y a lo que siempre iba era a lo suyo: qué cosa, a los cinco ya tú me lo parabas. Ella, divertida, como quien gira en un carrusel, le respondió, con arrobo interdental: bandido, hombre malo, aprovechado, muñeco, y le cayó un mal de risa que el primo bombero aplacó con pulsado grajeo de la cintura: —a los cinco y a los treinta. Desde el clandestinaje del bolsillo el primo bombero intentó serenar los aspavientos del tolete. El primo bombero la empujó con disimulo bien disimulado hasta una estiba de pavos plásticos: Thanksgiving en el horizonte. Ella, humedecida de labios, seductora, lo detuvo con un susurro cálido que invitaba a más grajeo, contradicción de contradicciones todo es contradicción: aquí no, sweetie pie, un pavo plástico como cinturón de castidad. El primo bombero le prometió un tumbaíto el jueves entrante: qué ratón bueno vamos a pasar. Promesa que cumplió con creces e intereses en el Hotel Embajador de Cupey Bajo, frente a la represa[380].

---

[380] *Hotel Embajador de Cupey Bajo [...] represa:* uno de los nuevos moteles de San Juan, cerca de la represa de Carraízo. Véase nota 143.

Y SEÑORAS Y señores, amigas y amigos, ese trío de trompetas trompeteras que integran esos tres terríficos de la trompeta que son el propio Macho Camacho en persona, el Zancudo Marcano y Edi Gómez, no tiene rivalidad cuando a soplar llaman. Rivalidad ni comparación. Y esa batería, señoras y señores, amigas y amigos, qué batería mas batería es esa batería.

EL SENADOR VICENTE Reinosa —Vicente es decente y nació inteligente— para espantar el pachó propiciado por el desprecio de la estudiante que estará en la ronda de los quince cuando llegue a su casa y suelte en el lavabo la libra de colorete, pachó que se le enreda en el alma como guirnalda de papel crepé, pita, silba. Pita, silba con timideces luengas, un son, un sonito, un sonitito, amago, mero amago de compás de la guaracha que se ha quedado con el país, bebido el país, chupado el país: del Macho Camacho. Casi un acto reflejo, casi un acto indispuesto, de los que se hornean en la cocina de la inteligencia, él me huele pero no me sabe: bien atrás e inconsecuente, seso arriba. Pero de peros: el Senador Vicente Reinosa —Vicente es decente y respeta al disidente— glorifica su venida a la tierra, interprétala como designio providencial, glósala como andadura mesiánica e inacepta entretener el ocio cabrón que le impone el tapón con el tarareo de. Truenos, relámpagos, centellas, eurekas, cáspitas, recórcholis, canastos, coños, carajum, puñetum; cuando se percata de su estrepitosa caída moral, cuando acude a apagar la sed en los fueros de la razón, Job que se lamenta, Lear que se acongoja, Rodrigo en las Cortes de Toledo[381]: digamos que se diarrea. Izado por el horror y horrorizado, vuelve la vista a siniestra y diestra: nadie lo oyó pecar, lo vio pecar; alabados sean los ángeles de la guarda: cinco tiene asignada su condición privilegiada de senador por acumulación, nadie lo oyó pecar, lo vio pecar, porque

---

[381] *Rodrigo en las cortes de Toledo:* se refiere a la historia del Cid, Rodrigo Díaz, el héroe castellano del poema épico y de los romances. Alude a la reparación de su honor en las Cortes de Toledo.

EL CHOFERÍO COMPLETO, la grey pasajeril completa, está encaramada, sobre las capotas, para averiguar qué carajo pasa allá adelante: pregunta desorbitada preguntada por los que no tienen acceso a las posiciones privilegiadas desde las cuales se aprecia qué carajo pasa allá adelante. Pero qué se ve, qué se ve. Un carajo de nada clarito es lo que se ve. Pero qué se ve, qué se ve. Se ve como si toda la Avenida fuera un parkin subterráneo. Pero qué se ve, qué se ve. Un mar de chatarra se ve. Pero qué se ve, qué se ve. Se ve que el mundo se va a acabar trancado en un tapón. Prevaricador: grito y acusación funesta de testigo de Jehová que aguarda el juicio final sentado en un Dodge Colt: el mundo finiquitará en fuego: descuartizado el rostro por estertores y bibliadas y el nacimiento de un destemplado cántico abortado de seguido: la guaracha del Macho Camacho calienta todas las antenas. Nadie lo vio pecar, lo oyó pecar, a pesar de la secretividad, a pesar de que no. La vergüenza cae sobre la nobleza de su cabeza. La guaracha del Macho Camacho, su furor vulgar, lo ha maculado, contaminado, asolado: altito o bajito, poquito o muchito, la guaracha: tiara de la ordinariez, peineta de la broza, estandarte de los tuza, se ha posado en sus labios. Con aliento de fugacidad, cierto. Pero se ha posado: el pecado es pecado aunque el tiempo utilizado sea. Pecador, cursillista, petitorio de misas dominicales, para penitenciar la culpa, a falta de cilicio o sambenito, el Senador Vicente Reinosa —Vicente es decente y su pudor erubescente— levanta los pecadores ojos de la pecadora cara para hallar un lugar abierto, descanso ameno, prado de romero, donde posarlos. En la búsqueda de paisaje redentor, superior en tamaño a los tablones propagandistas del Pan Holsum y el Queso Kraft, el First National City Bank y la Esso Standard Oil Company, descubre un letrero heroico, con cursivas de tabla de Moisés que, alto, predica:

MUÑOZ MARÍN[382] VIENE, ARREPIÉNTETE: escrito con luminoso spray de letanía. MUÑOZ MARÍN VIENE,

[382] *Muñoz Marín:* Luis Muñoz Marín (1898-1980). Fundador del Partido Popular Democrático (1938), y el más prominente de sus líderes. Fue gobernador

228

ARREPIÉNTETE: como versículo saetado hasta el mondongo[383] de la conciencia. MUÑOZ MARÍN VIENE, ARREPIÉNTETE: como fulminante te aguarda la cagazón, hermano. MUÑOZ MARÍN VIENE, ARREPIÉNTETE: que no viene de Suecia como la Greta ni de París como los bebés. MUÑOZ MARÍN VIENE, ARREPIÉNTETE: que viene de Via Veneto y de Via Condotti donde anduvo historiándose. MUÑOZ MARÍN VIENE, ARREPIÉNTETE: arrodíllate puertorricón.

QUIÉRALO QUE NO, niégalo que no, afírmalo que no, el Senador Vicente Reinosa —Vicente es decente y su entraña es contundente— hace un oscuro y manual garabato sobre su frente, un jeroglífico volátil que emparenta con panderetazos temerarios como una mojiganga parecidísima a la señal de la cruz, que no es la señal de la cruz pero que quiere ser la señal de la cruz, sin serlo ni parecerlo: como lo han leído. Zape. Lagarto verde, Pateco el Irisado, Espíritu de la Sola Vaya: el Senador Vicente Reinosa —Vicente es decente y la impiedad le es repelente— retira, desenchufa la vista, del letrero heroico con cursivas de Tabla de Moisés que, alto, predica. Para desterrar genuflexiones expresas de su beatería insular, acepta entretener el ocio cabrón con zampada olímpica en los culazos olímpicos de unas hembrazas que han formado bonita pareja para jorobar la pita[384] sobre la capota de un Mustang azul. Sonsoneada la joroba de la pita por la escalofriante guaracha del Macho Camacho *La vida es una cosa fenomenal*, gente sesivana las hembritas, bailoteras esperanzadas en que dos pejes

---

de Puerto Rico desde 1948 hasta 1964. En 1972 regresó al país después de una ausencia de dos años, y pronunció un discurso en Plaza las Américas que contribuyó decisivamente al triunfo de su partido en las elecciones de ese año. Véase la introducción a esta edición.

[383] *mondongo:* guisado de los intestinos de la res (JLG, pág. 643). Generalmente acompañado de viandas, verduras y patitas de cerdo. Muy frecuente en Puerto Rico, al igual que ocurre con el sancocho entre dominicanos y el ajiaco entre cubanos.

[384] *jorobar la pita:* molestar, fastidiar, enredar (AM, pág. 245).

de agallas le organicen el fun and games[385]: me llamo Sole, me llamo Sole: las dos se llaman Soledad, afro que gime, senos retóricos, ojos que hablan un lenguaje cargado de intenciones, me llamo Sole, me llamo Sole: hijastras de Eco.

PERSIGUIÉNDOSE LA UNA a la otra, brincando por sobre las capotas, levantándose las faldas, soltando sudor por los goznes, retando al sol, jugando, bailando, gritando, haciendo banderines con tiras de los culazos: las Soles: este país es la hostia: no olvidar que el difunto Juancho Gómez pidió la iglesia pa un baile. Zampada olímpica en los culazos olímpicos de las hembrazas Soles: el Senador Vicente Reinosa —Vicente es decente y de honrado sacó patente— contempla y siente un sunsunbabaé[386] entre las piernas: el animal insomne puesto de pie, contempla y oye la cháchara danzada de las hembrazas y a empellones razona: justo ahora, ahorísima que marcho loco de contento con mi cargamento[387] a encontrarme con la querida de turno, la caoba de turno, la cobriza de turno, ahorísima que son las cinco en punto, el tapón supera lo humanamente tolerable: sencillamente no hay salida para la Avenida Roosevelt, sin salida: ladrillos existencialistas pavimentan la salida, ladrillos de Jean Paul y Simone, ladrillos de la Greco fabricados en el Café Flore, no hay salida, no hay salida, sobre las capotas, en la suavidad de los asientos, en el ombligo del calor, en el arreglo multifónico de las bocinas, colgados de las puertas como monos rebelados, los choferes y los pasajeros se lanzan a un bembeteo boricua[388], que ya es

---

[385] *fun and games:* la diversión y el juego.
[386] *sunsunbabaé:* letra y título de un número extraordinariamente rítmico del repertorio de la Sonora Matancera, interpretado por Celia Cruz y otros. Compuesto por Rogelio Martínez, segundo director de la Sonora.
[387] *loco de contento con mi cargamento:* verso de la canción *Lamento borincano*, compuesta en Nueva York por el puertorriqueño Rafael Hernández (1891-1965) en 1930, y desde entonces se convirtió casi en un himno para los puertorriqueños. La canción empieza así: *Sale, loco de contento con su cargamento para la ciudad.*
[388] *boricua:* puertorriqueño, generalmente con connotaciones afectivas y de solidaridad. Del nombre más poético de la isla, Borinquen. También *borincano* y *borinqueño.*

mucho decir: tanto cuchi cuchi[389], tanto ay virgen santa, tanta opinionera, tanto agitador vellonero[390], tanto cuando los policías dirigen el tránsito lo cagan bien cagao, un tren elevado o un subway[391]: pero es que los de la legislatura tienen cerebro de mimes: sin ofender que aquí hay parientes y dolientes de los legisladores: dobla que te dobla una manga de chaquetón porque el sol jode lo suyo, sépase que el sol de Puerto Rico no es un refresquito de piña. Cerrado hasta Bayamón: dice una mujer flaca a la que cuatro cajeros de banco, cuatro tellers[392], levantan para que atalaye, hizo un fotuto[393] con las dos manos e informó, alarmista: cerrado hasta Bayamón, cuchi cuchi y guaracuchi, guaracuchi de los radios de los carros, como una obertura majestuosa de guaracuchi, así. El Senador Vicente Reinosa —Vicente es decente y su calma estremeciente— dice: llegaré tarde, llegaré tarde: redice. Ella, ella es la corteja de turno, ganada por impaciencias y terrores a asaltos y ultrajes y secuestros y latrocinios y tiroteos y francotiradores, el menú fijo del país, se irá, es muy capaz de irse. Ida hoy, hoy ida que estoy en la necesidad de la venida. Con la esposa ya se sabe:

TANTA PECA Y blancura, tanta negación misteriosa, tanto cuidado y despacio y suave y acaba y cuándo vas a acabar y déjame rezar una Dios te Salve Reina y Madre, déjame rezar una Santa María y déjame rezar un Padrenuestro o se hace la dormida o se hace la desentendida o me exige un silencio sepulcral porque anda en el expedienteo de la meditación trascendental e impuso las camas gemelas para que en el cruce de

---

[389] *cuchi cuchi:* cuchicheo, habladurías.
[390] *vellonero:* poco serio. La palabra está formada sobre *vellón,* «moneda de cinco centavos de dólar» (MV, pág. 152). Se usa la frase *echarle un vellón* a alguien, en el sentido de gastarle una broma, de fastidiar. Véase nota 510.
[391] *subway:* el tren subterráneo, o metro de Nueva York.
[392] *tellers:* cajero de un banco, la persona que cuenta el dinero. Anglicismo usado en Puerto Rico.
[393] *fotuto:* trompeta. Indigenismo de origen quechua (MV, pág. 143). Se usa también para cualquier objeto cuyo nombre no se conoce o no se recuerda.

ese abismo glacial se murieran las eróticas disposiciones: una cama grande es natural: repara en que el roce de una pierna, el abandono de una mano: nada, no insistas, que no me, que no te qué, que no me, que me pones nerviosa, embarrada en Crema Ponds, embarrada en Eterna Veintisiete, embarrada en Second Debut, mascarada con mascarilla de, medias de lana gruesa porque tengo frío o principio de artritis, toldo con ruedo en el que se colocan unas planchitas de plomo: mosquitos, cucarachas, insectos: pero estás delirante, pero soy una señora, buenas noches: se duerme o se hace que se duerme: molesto, despreciado, voy a la nevera, restallo la puerta de la nevera, bebo un vaso de leche, me como un trozo de bizcocho Sara Lee, no. No voy a despertar a la sirvienta, no soy un canalla, soy un señor: me atrevo o no me atrevo, me atrevo o no me atrevo: Hamlet con la calavera, yo con el trozo de bizcocho de Sara Lee, me atrevo o no: el Testivitón, promesa de doce de la noche: dejar de tomar Testivitón o tomarlo cada cuatro días. Fino y refinado, caballero y caballeroso.

EN CAMBIO, QUE cambio con la querida a cambio de un patrocinio financiero garantizado por las arcas del país, qué respuestas abrasadas a su Eros dinámico, qué recibimientos cálidos a las peticiones insospechadas: qué talento en la pirueta: pirueta de la cama, pirueta de la butaca, pirueta del suelo, pirueta del borde del lavabo, pirueta de la bañera: precursoras dignísimas del *Último tango en París*[394]: el botiquín atestado de esponjas, la nevera atestada de barritas de mantequilla Blue Bonnet: qué versatilidad asombrosa para la composición y el sostenimiento de figuras inverosímiles: con tal de que la querindanga sea negra o mulata. Negra o mulata el requisito y la esposa tanta peca y blancura. Negra o mulata: el secreto peor guardado del Senado o Augusto Palacio Parlamentario de Puerta de Tierra: en los interminables cofi breiks,

---

[394] *Último tango en París:* film dirigido por Bernardo Bertolucci; obtuvo un gran éxito en 1973.

en los pases de lista, en el Whiskyrato que es la oficina del ponderado y respetado Senador Guzmán, en los ágapes, el farfullero y sempiterno Senador Guzmán, par de un par de moteles, líder de los patronos, líder de los obreros, sonetista en alejandrinos telúricos, chanzaba: Vicente el Negrero. Vicente el Mucarero: toses ahogadas de los Senadores Felipe Bengocosta y Raimundo Velázquez, huéspedes permanentes de hoteles y cabarets donde su caché paga el cachete[395] de las salutaciones licoreras. Negrero, mulatero, mucarero. Y dale con la jodida guaracha: pero es que en esas discotecas radiales no hay otros discos: la popularidad, amigo, la popu.

INTERRUPCIÓN DEL HIT parade de la primera emisora de la radio antillana para lanzar a la histeria y a la historia un extra bien extra: bomba en la Universidad. Estalla bomba en la Universidad de Puerto Rico. Estalla bomba en la Facultad de Ciencias Sociales de la Universidad de Puerto Rico. Estalla bomba en la Facultad de Ciencias Sociales Ramón Emeterio Betances[396] de la Universidad de Puerto Rico. Los efectos de la bomba no han sido determinados pero efectivos del Cuerpo de Investigación Criminal, efectivos del F.B.I., efectivos de la Fuerza de Choque han tendido un cinturón protector al complejo de edificios que alberga, entre otras, a la Facultad de: interrupción para encarecer mil perdones por la interrupción anterior, interrupción de la arrebatación del momento, la arrebatación surca el cuadrante, arrebatación que nos recuerda que la vida es una cosa fenomenal. Bela Lugosi, Frankenstein, El Monstruo de la Laguna Negra,

---

[395] *cachete:* la frase *de cachete* significa gratis, o casi gratis, una ganga. Un *cachete* es, por ejemplo, una fiesta o una comida, en la que alguien paga por todo.

[396] *Facultad Ramón Emeterio Betances:* Betances (1827-1898) fue un destacado médico puertorriqueño, y un separatista y abolicionista radical. Vivió casi toda su vida en París, donde había estudiado, y desde donde conspiró por la independencia de Cuba y Puerto Rico. En 1968 se celebró el centenario del Grito de Lares, un intento separatista de rebelión armada contra la colonia española, en cuya concepción Betances desempeñó un papel prominente.

Y LA ARREBATACIÓN del momento, señoras y señores, amigas y amigos, fugada del cacumen del Macho Camacho para imponérsele a la imposición del dúo de quejosos Sandro y Raphael, a la Reina de la Canción Latina Lucecita, por encima del fabulón Tom Jones, deja botadísimo a Chucho Avellanet, la que canta por cantar en la cola se fue a quedar, la pela le da a Serrat, no se salva ni el grandioso Danny Rivera[397], todos liquidados por el empuje arrollador del Macho Camacho que es como decir el cura o el pastor o el evangelista de la cosa.

---

[397] *Lucecita, Chucho Avellanet, la que canta por cantar y Danny Rivera:* conocidos cantantes puertorriqueños, muy populares ya en los años setenta. En 1969 Lucecita Benítez obtuvo el premio en el Festival de la Canción Latina en México, con la canción *Génesis,* de Guillermo Venegas Lloveras. *La que canta por cantar* alude a Nydia Caro.

GRACIELA OJEA EL último *Time:* People have got to know whether or not their President is a crook. Well, I'm not a crook[398]. Graciela salta las páginas de noticias internacionales de *Time:* Allende or death in cold blood[399]. Graciela salta las páginas de crítica literaria de *Time:* Vonnegut's *Breakfast of Champions*[400]. Graciela vuelve con horror y asco unas instantáneas del Vietnam napalmizado reproducidas por *Time* porque ella no tolera ni un minuto de angustia: nada doloroso, nada pesaroso, nada miserable, nada triste: yo no nací para eso: bueno que es no nacer para mirar los niños achicharrados por la candela y el espanto, gente que tiene suerte, coño pero qué bueno. Graciela se detiene fas-ci-na-da, he-chi-za-da, em-bru-ja-da, a mirar la fascinante, hechizante, embrujante fotografía de la casa de Liz y Richard en Puerto Vallarta publicada como suplemento gráfico de *Time.* Típica y tópica: caserón nostálgico de los tiempos de Don Porfirio con orificios máuseres de un batallón de las huestes de Victoriano Huerta[401], ramas de buganvilia y nopales a cuya sombra esquelética hacen tortillas de maíz unas chinas poblanas, tortillas cocidas en

---

[398] *People have got to know...:* La gente tiene que saber que no soy un delincuente. Declaración del Presidente Richard Nixon cuando intentaba defenderse de las acusaciones del escándalo llamado Watergate (1972-1974).

[399] *Allende or death in cold blood:* el Presidente de Chile, Salvador Allende, fue asesinado durante el golpe militar dirigido por el general Augusto Pinochet en 1973. Se cita del título del libro *In Cold Blood, (a sangre fría)* del escritor norteamericano Truman Capote (1924-1984).

[400] *Vonnegut:* Kurt Vonnegut (1922-2007) novelista norteamericano, autor de *Slaughterhouse-Five [Matadero cinco]* (1969).

[401] *Victoriano Huerta:* general y político mexicano, usurpó la presidencia después del asesinato de Francisco Madero en 1913.

comala roja como la tierra de que está hecha, recostados del balcón petroglifos amenazantes de Tlaloc y Quetzalcoatl: ¿*Time* o una novela de Carlos Fuentes?[402]. En una esquina se está un organillo oxidado con rollo musical de *La Adelita*. Cien suspiros después, mareada por los devaneos de la musaraña, la cabeza asediada por una mortificación ajena a caspas e insectos hemípteros, Graciela pasa otra página y. Oh. Oh. Oh. Oh; el terepetepe. Una arañita suspendida de su hilo no queda tan suspendida, oh, oh, oh, más suspendida que un papel escrito en puntos suspensivos:

HABÍA UNA VEZ y dos son tres, una princesita llamada Jacqueline que se casó con el Rey de la Isla del Escorpión[403]. El Rey de la Isla del Escorpión era compadre de Midas y tenía los ojos de oro y tenía la nariz de oro y tenía la boca de oro y tenía el pecho de oro y tenía el ombligo de oro y la cabeza de la pinga no la tenía de oro pero la tenía orificada. Graciela edita orgasmos inéditos, Graciela edita calorizos uterinos, Graciela edita secreciones mucosas: la Princesita Jacqueline en traje de montar en jabalí, la Princesita Jacqueline en traje de comer papitas fritas, la Princesita Jacqueline en traje de dar limosna a los pobres, la Princesita Jacqueline en traje de quitarse el Tampax, la Princesita Jacqueline en traje de llamar por teléfono a la Baroness Marie Helène Rothschild. Cosas hay que siendo cosas no son para narrarlas: los piojos del placer punzante pican y pican y pican el amor propio de Graciela Alcántara y López de Montefrío. Graciela Alcántara y López de Montefrío picada y picada y picada y picada por el placer punzante de los piojos del placer tira al aire el *Time*, bota al aire el *Time*, lanza al aire el *Time*, chilla dolida, chilla resentida, chilla chillada: eso es vivir, eso es vivir, eso es vivir, Graciela

---

[402] *Carlos Fuentes:* (1928-2012) narrador mexicano, autor de *Las buenas conciencias* (1959) y de *La muerte de Artemio Cruz* (1962).

[403] *Jacqueline:* Jacqueline Lee Bouvier (1929-1994), la viuda del presidente John F. Kennedy. En 1968 contrajo matrimonio con el empresario griego Aristóteles Onassis.

Alcántara y López de Montefrío da saltos de mona en celo o saltos monos, da saltos de gorila en celo o saltos gorilos, eso es vivir, eso es vivir, eso es vivir. Resumido: el amor propio se le hace confetti.

LA RECEPCIONISTA: EL patatús: si era loca mosquita muerta, si era loca a lo sucusumucu[404]. La enfermera y la recepcionista, confundida y sorprendida por la loquera de la loca quietecita, la loca mosquita muerta, la loca a lo sucusumucu, ni se da cuenta de que sube el volumen del transistor hasta chocar con la rayita que indica que el volumen no sube más: tautológico. Quién no lo sabe: la guaracha del Macho Camacho inflama los diplomas plastificados que cuelgan de las paredes como acreditación de la capacidad del Doctor Severo Severino para el enfrentamiento a las emociones suculentas; inflamado por las fusas y semifusas de la guaracha del Macho Camacho arde el certificado brilloso que certifica que el Doctor Severo Severino asistió y aprobó el cursillo *Cómo influir en los demás y ganar amigos,* ofrecido por las escuelas de Dale Carnegie; inflamado por las corcheas y semicorcheas de la guaracha del Macho Camacho arde el certificado brilloso que certifica que el Doctor Severo Severino asistió al y aprobó el cursillo *Cómo ser feliz en siete días.* Naturalmente: el pandemonium avisa al Doctor Severo Severino quien echaba una rondita del juego Monopolio con una paciente latifundista, paciente que, además de tener un fundus latus tenía una manía depresiva que se aliviaba con jueguitos de mesa: parchís, monopolio, brisca, treintiuno: el pandemonium y la Enfermera y la Recepcionista y la violación de la puerta del estudio donde se destilan las emociones suculentas y: Doctor, se desmadró la Tiquis Miquis. El Doctor Severo Severino: pero no le he dicho que el lenguaje y el manejo de la palabra y la. La Enfermera y la Recepcionista: Doctor, que se le salió el calce a la blanca pechiseca. Vean y miren, miren y vean: la latifundista maníaco-depresiva baja por una ventana y desde la acera reclama la devolución de los hoteles. El Doctor Severo Severi-

---

[404] *a lo sucusumucu:* con cautela, a lo callado (AM, pág. 270).

no tira por la ventana los hoteles que ella apresura a guardar en la cartera. La latifundista maníaco-depresiva exige las casitas del Paseo Tablado, las casitas de la Avenida Madison[405]. El Doctor Severo Severino tira por la ventana las casitas. La latifundista maníaco-depresiva exige el dinero todo. El Doctor Severo Severino tira por la ventana papel moneda por valor de cincuenta mil pesos y corre y vuela y vuela y corre con su mejor sonrisa plástica a dar atención reglamentaria a Graciela Alcántara y López de Montefrío. Graciela Alcántara y López de Montefrío parte en dos su salto orangutánico ciento doce para preguntar: Doctor, ¿por qué Liz sí y yo no?, ¿por qué Jacqueline sí y yo no? Si usted no puede contestar a esas preguntas me coloca en el mirador del suicidio. La Enfermera y la Recepcionista: el helado de chocolate es buenísimo para los nervios y con sirope de piña es todavía mejor: susurro. La Enfermera y la Recepcionista: ¿por qué el Doctor me apagaría los ojos?

VAMOS AL DESPACHO, mujer guapa, mujer bien puesta, mujer bien calzada, mujer bien maquillada, mujer tomada por la cintura, la cabeza de Graciela Alcántara y López de Montefrío descansa en el hombro del Doctor Severo Severino, un desaprensivo sospecharía que se inicia el segundo acto del *Lago de los cisnes:* Albrecht y Odile encaminados hacia los laterales para iniciar el gran pas de deux. La grabadora, el cuaderno de apuntes, una laxitud tan fabricada que incide en la tensión, suspiros, tos, un dicho como quien no quiere la cosa ayer pensaba en usted, un recholero los nervios suyos son nervios elegantes, un no se ría de mí que la risa de la humanidad me hace daño, un no me río de usted, un me río con usted, un la vida es tan cruel, un uno quiere que la vida no sea tan cruel y: tras un suspiro que recapitula cientos, la vista ramonea por el plafón y el hielo hace crac: en febrero. Graciela extrae del bolso encantador de cabritilla, el delicadísimo y carí-

---

[405] *Paseo Tablado y Avenida Madison:* se refiere al juego del *Monopolio* o *Monopoli*. Son las *propiedades* más caras.

simo, la pitillera de oro coronario comprado a crédito en la Joyería William Cobb[406]. Graciela extrae de la pitillera el pitillo que enciende por el extremo desfiltrado, otro que daña.

DOCTOR, NO SE trata, propiamente, de los nervios. Soy una mujer equilibrada, dueña y señora de cada uno de mis actos, actos sobre los cuales ejerzo un control y manejo envidiables, tonificada por mi misa de doce en Catedral, mi donativo de ropa vieja a los pobres, el sobrecito con dos dólares mensuales que envío para caridades al Asilo de Ancianos Desamparados. El hielo hace crac y se rompe: en febrero comenzó el aquél. A veces, pocas, no pasaba de ser una incomodidad manifiesta en ahogos repentinos, escalofríos súbitos a la manera peculiar de enfrentar las situaciones más simples: el café ralo o el café cargado o el café ni ralo ni cargado o el café caliente o el café frío o el café que no sabe a café o el café que sabe a madera o el café que sabe como a flores de muerto o el café que sabe como a lechuga. Alocadamente, abochornadamente, aterradamente, pensé en un embarazo otoñal.

LA PALABRA OTOÑAL le hipoteca la memoria con bizcochos de a dos pisos y crestas de cupidos saltones y figuritas amerengadas de Filemón y Baucis con ojitos de pasa y salteaditos de gragea. Falsísimo, la palabra otoñal le trae memoriones de películas en blanco y negro de la cómica pelirroja que fue suegra de Liza Minelli, no, de Bette Davis no. De Bette Davis sí, Bette Davis encinta de Gary Cooper o encinta de Bogart, Bette Davis encinta de Clark Gable y vestida con batitas de estameña y una cola que le daba la vuelta al Cine Riviera[407] y saquitos de pop corn y. Mentira. La palabra otoñal

---

[406] *Joyería William Cobb:* se encontraba en la calle Fortaleza en el Viejo San Juan.
[407] *Cine Riviera:* cine, y teatro, situado en la calle Loíza en la zona de Santurce, en la capital.

la atosiga de recuerdos conmovidos, recuerdos lastimosos de una novela de televisión protagonizada por la profunda trágica Madeline Willemsem[408], la gran Madeline Willemsem destruida, capítulo tras capítulo por la perversidad absoluta de un ingeniero canalla que empeña el precioso collar de perlas que le regala un conde austríaco, conde austríaco que no era tal conde austríaco pero sí un apache de los bajos fondos de París, Telemundo presenta a la profunda trágica Madeline Willemsem y, Falso, falso, falso, amnésica, olvidadiza, la estrella de la novela era la gran Lucy Boscana, Telemundo presenta a la excelsa primera actriz Lucy Boscana y la Boscana salía en toda la novela con una gargantilla de perlas con la que se ahorcaba en el último capítulo tras descubrir, una escena naturalista, que era coja de nacimiento. La novela se llamaba *Perlas otoñales,* la novela se llamaba *El otoño de las perlas,* la novela se llamaba *Perlas para mi otoño,* Telemundo presenta.

DESPUÉS DE AQUÉL vino la vomitera, muchísimo peor: la sensación de un vómito inminente que se arrepentía cuando ya había entrado en el jardín del esófago, cuando ya había amargado las entrañas, cuando ya había amargado la periferia de las amígdalas. Por dios y los que con Él moran: imposible un embarazo tardío, pese al desvarío relatado. No. Además, su esposo y ella no. Tiempísimo. Su esposo devorado por la actividad política. Además, mi hijo tiene, tiene, tiene. Soy tan torpe para las fechas. Además, yo no soy la clase de señora para la que *eso* es importante. Con repugnancia moral pronuncia el neutro y lo amarra con soguillas de un asco sagrado. Yo soy demasiado señora y como señora trato *eso* con su cuota de asquito, me siento aliviada cuando mi esposo se duerme sin acudir a la insinuación mínima de interés en *eso*. Además, lo quiero, no hay duda de que lo quiero porque es mi esposo y Dios manda querer al esposo y yo quiero mucho a Dios. Pero una cosa es con violín y otra cosa es con gui-

---

[408] *Madeline Willemsem:* y más adelante *Lucy Boscana,* connotadas actrices puertorriqueñas de la radio, la televisión y el teatro.

tarra y tres cosas son con cuatro[409]. *Eso* me pareció siempre barato. Barato no. Bajo. Bajo no. Rebajado. Rebajado no. Arrastrado. Arrastrado e infernales las voces que orientan la sangre desvestida, pecado *eso,* uyyy: como si tuviera mierda en el zapato, ganas de escupir por tanto asco.

NO ESCUPE PORQUE en Suiza nevada y pura aprendió a no escupir. Porque en Suiza nevada y pura no se escupe, en este bendito Puerto Rico sí: reflexión que la pincha en periodos diarios: en este país se escupe mucho, en este país se escupe demasiado, en este país se escupe donde quiera, en este país se escupe de maneras mil, el pobre y el rico, el hombre y la mujer, a todas horas en la ocasión inesperada, en la galería refrigerada de la Plaza Las Américas lo ve, en el café parasolado Las Nereidas[410] lo ve: escupir: costumbre desclasada de país desclasado: Isabel y Fernando nunca debieron.

---

[409] *cuatro:* instrumento musical de cuerdas, que se toca con plectro. Pertenece a la familia del laúd, y es central en la híbrida tradición jíbara puertorriqueña.

[410] *café Las Nereidas:* un café elegante, que estuvo situado en la Avenida Ashford (antes Nereidas) frente al Hotel La Concha, en el Condado, en San Juan.

Y SEÑORAS Y señores, amigas y amigos, qué bien castiga, fuetea, tortura los cueros ese atacante ejecutante que es el Corino Alonso. El criminal del bongó es llamado, el mamito del pellejo reseco, el papasón del curtido, el fuápete[411] de las nenas.

---

[411] *fuápete:* expresa la idea de pegar o golpear, parecido a *fuácata* (MAN, pág. 253).

PAF —ARGUMENTA EL Viejo del que la madre era Corteja, ruedas en el aire con las manos, con los brazos. Tttt —argumentó El Viejo del que La Madre era Corteja, poniendo hielo en la hielera. Dislates, leyendas al margen de toda consideración científica —argumentó El Viejo del que La Madre era Corteja, pamplinas, pamplinadas, concepción descabellada de la realidad: gesticulador. Primitivismo insensato de quien opone superstición y razón —argumentó El Viejo del que La Madre era Corteja, ordenando tres cubitos de hielo en un vaso largo, vaso largo de jaiból[412], vaso largo de jaiból con inventados dibujos egipcios sobre héroes y tumbas[413]. La exposición a los rayos solares resulta en beneficio neto a la piel expuesta —argumentó El Viejo del que La Madre era Corteja, el dedo gordo del pie derecho inaugurando una ruta pedestre por el pezón de La Madre que era Corteja del Viejo. Los baños de sol son formas terapéuticas antiquísimas —argumentó El Viejo del que La Madre era Corteja, colocando el vaso con jaiból en la mesita colocada al extremo del sofá con el fin de colocar en ella los vasos con jaiból, el dedo gordo del pie izquierdo inaugurando una ruta pedestre por el pezón derecho de La Madre que era Corteja del Viejo. En la Francia anterior a la república se utilizó el recurso del baño de sol con tratamientos para alienados benignos —argumentó El Viejo del que La Madre era Corteja, ciñendo la cintura de La Ma-

---

[412] *jaiból:* hispanización de *high ball,* una bebida alcohólica, preparada con whisky, hielo y agua.
[413] *sobre héroes y tumbas:* cita del título de la novela del escritor argentino Ernesto Sábato (1911-2011), publicada en 1961.

dre que era Corteja del Viejo, ceño con los pies, jugueteando que paretando, gozando el mareo de los pies, la cosquilla. Alienado benigno es la categoría síquica a la cual incorpórase El Nene —argumentó El Viejo del que La Madre era Corteja, arrodillándose, semillando los muslos de La Madre que era Corteja del Viejo, semillando los muslos con mimos y alientos, semillando los muslos, separándolos: cena opípara en la zona sagrada.

LA MADRE OBEDECE. La Madre bien que obedece. La Madre es obediente. La Madre deja al Nene en el parquecito de la calle Juan Pablo Duarte. La Madre deja al Nene acostado en un recodo del parquecito de la calle Juan Pablo Duarte. La Madre deja al Nene acostado, soleado en un recodo del parquecito de la calle Juan Pablo Duarte porque el Nene es una plasta. No faltaba más: La Madre no desaparece así así como si fuera madrecita de cualquier miércoles. Nada de eso, de eso nada, nada de nada de eso. La Madre sabe muchas canciones de las madres, La Madre sabe muchos pasodobles de las madres, La Madre sabe muchos tangos de las madres. La Madre ha visto mucho cine mejicano. La Madre es punto fijo del Cine Matienzo, del cine New President[414]. La Madre mima al Nene: Mamá mía, Mamá mia, bésame bésame, todos los días: Sara García, Libertad Lamarque, Mona Marti, Amparo Rivelles[415]. La Madre lo tongonea. La Madre le jura que Dios Todopoderoso lo premiará si se porta bien, que Dios Todopoderoso lo querrá mucho si se porta bien, y otras sandeces pías que rebotan sobre la cara en la que no asoman la pena, la alegría, el humano sentimiento.

_____

[414] *Cine Matienzo, cine New President:* cines que estaban localizados en Santurce y en Río Piedras, en San Juan.
[415] *Sara García, Libertad Lamarque, Mona Marti, Amparo Rivelles:* actrices del cine y de la televisión.

BAJO UN SOL irritado por su propia candencia, ¿Apolo rubicundo avecindado in spite of himself[416] en una ciudad llamada San Juan[417]?, ¿Apolo rubicundo taumaturgo de los soles truncos[418]?, ¿Apolo rubicundo por la combustión de otro día nuestro[419]?, relumbra tamaña la burla: juegos de escarnio, juegos de pullas y puyas representados sobre una tarde aparatosa: batida de azules y nubes escalando maleza y basurero y atravesando una casa de dos plantas y sorteando unos perros que pasan: relinchada y malsana felicidad, cuando una varita seca hace su entrada en el lóbulo y El Nene se achica como un gongolí[420], pasteurizada mala leche y hervida en veinte ojos abiertos a todo mal, mala leche revuelta con aullidos; cacareos de intención homicida de los niños que halan los bracetes toninos y deshuesados del Nene. Hasta que el empeño de romperlo se rompe y se frustra, maullidos de gozada ruindad de los niños sobrantes que apostados en una chorrera[421] contemplan el gozo y lo gozan. Y aguardan: niños ahijados del old west con sombreros de ala entornada, ala entornada en la tradición de Gene Autry, cartucheras de plata en la tradición de Hopalong Cassidy, maullidos de gozada ruindad de las pistolas y revólveres amontañados en la tradición arsenal de Capone, Dillinger y Bonnie and Clyde, Bonnie and Clyde redivivos en la balada pespuntada en una camisa:

> Un día caerán juntos
> y los enterrarán uno al lado del otro;
> para algunos no será motivo de pena,
> para la ley, de alivio.
> Pero para Bonnie and Clyde será la muerte.

---

[416] *in spite of himself:* a pesar de sí mismo.
[417] *en una ciudad llamada San Juan:* título del libro de cuentos *En una ciudad llamada San Juan* (1969), del escritor puertorriqueño René Marqués (1919-1979).
[418] *los soles truncos:* título de la pieza teatral *Los soles truncos* (1959), de René Marqués.
[419] *otro día nuestro:* título del libro de cuentos *Otro día nuestro* (1955), de René Marqués.
[420] *gongolí:* gusano de anillos escamosos. Palabra africana procedente del bantú, en el que significa «ciempiés» (MV, pág. 145).
[421] *chorrera:* tobogán (RICHARD, pág. 152).

Maullidos de gozada ruindad de una muñeca Barbie tétricamente sentada en el puesto más alto de la chorrera: balidos enriquecidos por la rabieta de los niños que mojan los dedos en la baba, dedos babosos restregados en el mahón o el tirante de un jompersito[422], bien lindo, todo a cuadros escoceses; croares de competida vileza, mugidos cuando el brinca la tablita, graznidos cuando el a escupirlo todos: todos apeados y saltados de la chorrera y de los columpios y de un algarrobo y esa amazonía demente que solevantan diez niños sanos: todos son rollizos jabatos, fornidos lobeznos, salvajes potros, ágiles gallitos de pelea, magníficos tigrejuanes y johnnies sin afelinar, tozudos pichones de granuja, rubios proyectos de maffiosi y libre empresarios: estatua de saliva compusieron, retorcida brevemente y de saliva.

SE RASCABA LA falda, le picaba una tableta: impresión comunicada por el entusiasmo o la desesperanza con que se rascaba la falda, la piel sin inmutarse, piel inmutada de Doña Chon. Doña Chon, clériga suma del arroz y la habichuela, invicta hacedora de rellenos de papa, depositaria del secreto del bacalao guisado con huevo más rico del mundo, mater et magistra del asopao[423] de pollo, mano santa para las tortitas de calabaza, revolvía un dron de mondongo que daría el gustazo de la época a los albañiles en huelga. Yo que creía que los que estaban en huelga eran los taxistas del aeropuerto —dijo La Madre, lustra que te lustra el cabezote que soportaba el pelucón rubio, mal sentada en una silla de tijeras que arrastró desde su casa, la casa donde dormía. Porque la vida de día a día la hacía en la casa de Doña Chon, frente por frente las casas, diez metros escasos entre una puerta y la otra, el patio era de agua: el mangle. Los taxistas del aeropuerto, los taxistas de la flota de Blanca Tirado, las bluseras de la calle Guano, los em-

---

[422] *jompersito:* diminutivo de *jomper,* del inglés *jumper* = traje informal con pantalones y tirantes, como el *overol.*

[423] *asopao:* sopa espesa hecha con carne (de pollo, por ejemplo), arroz y habichuelas (AM, pág. 92). Muy popular en la tradición puertorriqueña.

pleados de Obras Públicas, los muchachos que hacen los jamberges[424] a la entrada del Caserío Llorens[425] —dijo Doña Chon, el húmero comiéndole los ojos. Medio país en huelga y el otro medio organizándola —dijo Doña Chon, los ojos comidos por el húmero. Ahora viene la huelga de los bomberos, después viene la huelga de los maestros —dijo Doña Chon: profética. Y los bomberos no se quieren pa na —dijo La Madre: experiencia de muchas horas de vuelo. Después viene la huelga de la luz —dijo Doña Chon. Abría la nevera de lejitos porque es que el yelo[426] me pasma —dijo Doña Chon. Menos mal que se terminó la huelga de los locos —dijo Doña Chon. Doña Chon le daba pases brujeriles al mondongo y abría la mano y desde una altura considerable y sospechosa dejaba caer en el manjar hirviente hojitas de culantro y mascullaba vocales inciertas dirigidas a la Sabrosa Virgen del Recao. La huelga de los locos duró poco —dijo La Madre, lustra que lustra el cabezote que soportaba el pelucón negro. Doña Chon, el as de ganar en la mano, el dron de mondongo como barra para apoyar un turn out[427] de extensión rigurosa: porque eran locos federales, mija, gente hecha loca en Corea y Vietnam. Aquí lo federal[428] es el cuco, el cuco, el cuco —dijo Doña Chon, dijo desgañitada porque en el cafetín *El Pecado de Ser Pobre*[429] la guaracha del Macho Camacho imponía un régimen absolutista. La Madre, lustra que lustra el cabezote que soportaba el pelucón rojizo, suspirosa: ¡ay madre!:

---

[424] *jamberguers:* hamburguesas.

[425] *Caserío Lloréns:* uno de varios conjuntos de vivienda pública construido en los años cincuenta. El nombre honra la memoria del eminente poeta Luis Lloréns Torres (1878-1944). Situado al final de la calle Loíza en el extremo este de San Juan, cerca de la zona de Isla Verde (SJSN, págs. 102-111).

[426] *yelo:* hielo.

[427] *turn out:* del inglés, término que se usa para una de las posiciones en el ballet clásico = con los pies y las rodillas apuntando hacia fuera.

[428] *federal:* relativo al gobierno *federal,* las instituciones del gobierno de los Estados Unidos, como el correo y las aduanas. Todo lo *federal* tiene en Puerto Rico el aura del poder colonial.

[429] *cafetín El Pecado de Ser Pobre:* nombre inventado por el autor sobre el modelo de las radionovelas o los melodramas del cine mexicano de los cuarenta y los cincuenta.

EL CUAJO Y las morcillas y los guineítos verdes[430] para ir abriendo —dijo Doña Chon. Los platones de bacalaítos fritos[431] para acabar de abrir —dijo Doña Chon. El mondongo y el butucún de pan[432] con ajo para enfrentar el estómago abierto —dijo Doña Chon. La olla de funche[433] y los azafates de dulce de lechoza[434] para empezar a cerrar —dijo Doña Chón. Los potes de café para cerrar de una vez —dijo Doña Chon: escoltada por ocho fogones sobre los que crepitaban sartenes, mantecas y calderos. Uno es lo que come —dijo Doña Chon. Doña Chon metía la cuchara en el casito que amaba. Doña Chon comía como llaga mala. Una cosa es comer y otra cosa es sentir que la comida se ha sentado en los pies del estomago —dijo Doña Chon. El cristiano debe parar de comer cuando siente que se le va a salir la comida —dijo Doña Chon. Doña Chon, ruega por nosotros los gordinflones ahora y en la hora de las dietas adelgazantes de los Weight Watchers. Lo mío es comer y vacilar —dijo La Madre, limpiándose los restos del mondongo en la manga de la blusa, satisfecha como una perra. Lo mío es comer hasta cagarme —dijo La Madre, expansiva y confianzuda, chupa que te chupa un hueso de patita de cerdo. Severa, perturbada, Doña Chon: en la mesa no se dicen cosas indeseables. La Madre, azorada, el rabo metido entre las patas, oculta tras el hueso de patita de cerdo, en idioma inglés chapurreado, en idioma inglés metralla: excuse me[435]. La Madre, arregladora, suavizadora, contentadora: Doña Chon, si me recoge El Nene esta tarde le doy su alguito y el alguito le ayudará a pagar el abogado de Tutú. Tutú —suspiró Doña Chon. Doña Chon retiró el casito que ama-

---

[430] *guineítos verdes:* una variedad de guineo. Véase nota 179.

[431] *bacalaítos fritos:* frituras muy populares en Puerto Rico.

[432] *butucún de pan:* pan en abundancia, un montón.

[433] *funche:* comida hecha con harina de maíz, leche, sal, azúcar y mantequilla (MAN, pág. 273).

[434] *azafates de dulce de lechoza:* de la fruta del lechoso, que se ha llamado en Puerto Rico de dos maneras: *papaya* y *lechosa* (TNT, pág. 135).

[435] *excuse me:* fórmula de cortesía que cuando se usa en inglés en Puerto Rico puede tener sentido irónico, de sospecha o incredulidad.

ba. Doña Chon soltó la cuchara. Doña Chon devolvió una greña rebelde al greñerío Tutú —repitió Doña Chon, un brazo en los ojos, como si los alambres del corazón se le hubieran zafado, como a la espera de que la cara se le llenara del aserrín que la rellenaba, muñeca grande hecha trizas, muñeca descoñada por el resto de la tarde, entristecida por el nombre pronunciado. Metáfora manoseada y posible: tal la niebla que podía cortarse con un cuchillo. La Madre devolvió el hueso de patita de cerdo a una orilla del plato donde otros huesitos levantaban una comunidad.

LA VIDA ES un lío de ropa sucia —dijo Doña Chon: definidora, de la mirada se le colgó una hoja de tristura. La vida es como un lío de ropa sucia pero de problemas —dijo Doña Chon: académica y juiciosa en la matización. Los hombres no se dan cuenta de que la vida es un lío de ropa sucia pero de problemas —dijo Doña Chon: discriminadora. Doña Chon, usted es una persona que sirve para escribir guarachas —dijo La Madre: soñadora, respetuosa como la prostituta[436]. Doña Chon: yo soy una mujer de mi casa: respondido en tonalidad neutra de interpretación imposible. Un hombre no sabe ni así, tomó una pizca de yema de dedo, lo que es el dolor —dijo Doña Chon, argumentosa. Ningún hombre podrá parir nunca —dijo Doña Chon, bombástica en la formulación del histórico aserto. A los hombres les falta el tornillito de la pujadera que es un tornillito que la mujer trae en su parte —dijo Doña Chon: ginecóloga. El día que un hombre quiera saber lo que es parir que trate de cagar una calabaza —dijo La Madre: eufórica, un kindergarten en los ovarios, fanfarria con las trompas de Falopio.

---

[436] *respetuosa como la prostituta:* alusión al título de la pieza dramática de Jean-Paul Sartre (1905-1980), *La prostituta respetuosa* (1946).

Y AHÍ FUE Troya, señoras y señores, amigas y amigos. Porque vengan discos y más discos, entrevistas en revistas de artistas, invitación a representar nuestra islita en el festival de la gozadera caribeña y el acabóse de los acabóses: invitación a tocar en Loíza Aldea el día mismísimo del Apóstol Santiago[437] y exponerse al juicio exigente y sabio de la negrada cangrejera, dueña del sabor que es.

---

[437] *Loíza Aldea... del Apóstol Santiago:* Loíza es un pueblo al norte de la isla, cuya población es descendiente de esclavos y libertos. Se le rinde culto a Santiago Apóstol en las fiestas patronales en las que se mezclan tradiciones indígenas, africanas y españolas.

BENNY DICE AL mediodía: qué lindo es mi Ferrari y hace un acróstico salutatorio con las letras de una sopa Campbell. Benny dedica toda la tarde a pasear en su Ferrari, de San Juan a Caguas, de Caguas a San Juan, de Cataño a Dorado[438], de Dorado a Cataño. Benny no pasea de Barrio Obrero a la Quince porque de Barrio Obrero a la Quince un paso es[439]. O sea Papi que me voy a volver loco si no castigo el acelerador, si no clavo la paleta hasta donde dice: usted acaba de efectuar la clavada perfecta. Por la noche, tras un duchazo tibiado en la saudade del Ferrari: si estará pensando en mí como estoy pensando en él, tras el bye bye que dirige a la marquesina en la que el Ferrari está solo y espera[440], Benny se encamina a la habitación, tras volverse cuatro veces a dar al Ferrari miradas que traducen un que descanses, suspiradas las miradas y empalagadas con ternezas, arrumacos y puterías mixtas. Por la noche, tras ritualizar lo susodicho, Benny entra en la cama, se arropa y dice: feo, católico y sentimental[441]: Ferrari nuestro que estás en la marquesina, santificado sea Tu Nombre, o sea que venga a nos el reino de tu motor y tu carrocería. Y man, perdona el pecado de correrte como si fueras tortuga, amén. Amén y es a voltear el corpachón para en-

---

[438] *de Cataño a Dorado:* pueblos del norte de la isla.

[439] *de Barrio Obrero a la Quince un paso es:* letra de salsa que nombra zonas populares de San Juan. Cantada por Chamaco Rivera, con orquesta de Willie Rosario, fue muy famosa en los años setenta.

[440] *está solo y espera:* cita del título del libro del escritor argentino Raúl Scalabrini Ortiz (1898-1959), *El hombre que está solo y espera.*

[441] *feo, católico y sentimental:* descripción del Marqués de Bradomín, el personaje de las *Sonatas* de Ramón del Valle-Inclán.

frentarse a la pared decorada con espejo sobre la que se recorta el cuerpo policromo, polifacético, polifónico, poliforme, polipétalo, polivalente de su Ferrari. Amén y es a voltear el corpachón boca arriba y exhalaciones impacientes porque la noche se interpone:entre el Ferrari y él. Amén y es a voltear el corpachón hacia el gavetero, de nuevo hacia la pared, de nuevo hacia la lámpara que pende del techo, perturbado por un insomnio craso, amén y

LA MANO QUE juguetea con la fofa desnudez del cuerpo, desnudez asaltada por los accesos fáciles repartidos entre botón y botón del pijama, mano que se pavonea por el solar vacío que tiene entre las tetillas, la mano que caracolea por los chichos magros remanentes de la cintura, sobo y arrullo y juego del engaño porque no permite que la mano irrumpa en el altar ni roce ni acaricie al oficiante. Sobo y arrullo y mano que, de buenas a primera, invade la pubescencia: run run provechoso que se extiende hasta las bolas, la mano sensacionada asiste al nacimiento de un deleite retazado todavía. Deleite retazado avisado en la dureza mediana del oficiante. Oficiante que, ahora, se levanta y se cae como un borracho, se levanta y se cae como un borracho, se levanta y se estira y pone en pie como un huso: la erección completada. Benny, enviajado por fantaseos puñeteros, tomado por una bellaquera matadora busca el ejemplar del periódico *El Mundo* que colabora en estos menesteres. Benny vuela al lavabo porque revolucionario y otros mierderos es jalarse una puñeta[442] con la mano mojada. Benny se entrega a un desvarío invocatorio, la mano alcanza la velocidad automotriz negada al Ferrari: Ferrari cromado, Ferrari cerado, Ferrari niquelado, Ferrari interceptado por los besos confusos de Benny, Ferrari roturado, Ferrari penetrado por el deseo de Benny, el depósito de gasolina desgajado por el deseo de Benny, por el oficiante de Benny, Ferrari

---

[442] *jalarse una puñeta:* masturbarse. En Puerto Rico es frecuente la expresión *hacerse la puñeta.*

ahíto de sémenes de Benny. Ayyyy o grito hacia dentro y la ascensión de Benny a una fiesta inigualable: una de las grandes venidas de nuestro siglo. La mano rendida por el millaje sacado al placer, la mano rendida agarrada al oficiante que se cae y se levanta como un borracho, se cae y se levanta, se cae y la convulsión y los latidos y un sueño que lo capea y lo invita.

O SEA QUE lo importante es que la juventud moderna tenga voz, que la juventud moderna está necesaria de oídos, los jóvenes tenemos material que decir, ideas del arreglo de la vida que los jóvenes tienen escondidas en el seso. O sea que los jóvenes tenemos un gran futuro en el porvenir. O sea que por ejemplo no es bien que todo muchacho de dieciocho años no tenga su maquinón. O sea que yo no digo que tenga un Ferrari que sería lo justo ya que uno no vuelve a tener dieciocho años que es uno de los problemas bien problemas. O sea pero que realísticamente hablando que tenga su Ford, que tenga su Toyota, que tenga su Datsun, que tenga su Cortina, que tenga su Cougar, que tenga su Rambler, que tenga su Chevy, que tenga su Comet, que tenga su Renault: lo importante es que tenga su carro o su cacharro o su cascarita o su cascarito con cuatro ruedas. O sea que la rebeldía o la furia o la corajina son naturales porque ningún tineger puede pasarse sin la amistad de su carro o su cacharro o su cascarita o su cascarito. O sea que los jóvenes somos más jóvenes que los viejos. O sea que si se pudiera llegar a un arreglo para que los viejos fueran tan jóvenes como los jóvenes el mundo sería de otro empañetado: punto de vista incitante que revela la agudeza de Benny, punto de vista salomónico, no dudemos que su logro y adopción estremecería la farmacopea gerontóloga, haría anacrónico el vocablo envejeciente, jodería la industria cremosa de la Max Factor y la Clairol, reduciría a interés de bibliofilia antediluviana el libro último de la Beauvoir. El autor: te pido Benny que recapacites. O sea que si los viejos: técnica de disco rayado, ñapa para los críticos y los reseñistas.

BENNY MONOLOGA SIN aliento, conste que no es Belmondo[443], monologa, monolora: igual, como si fuera personaje de vida interior abultada, contradictoria, ambigua, negada tras afirmada. Benny, visto lo han y lo han oído, es personaje unidimensional[444]: vínculos no hay con Emma ni con Carlos, no los hay con el Buendía más simplón, Lazarillo no es, Ana Ozores tampoco, menos Goriot o Sorel, ni un pelo de Robert Jordan, imposible un Usmaíl o un Pirulo[445]. Benny unidimensional vive y muere por la justificación de su pereza, pereza que es vagancia al cubo. La familia, hijo único, place de gratificarlo por la pereza sustentada: familia consentidora, familia tongoneadora[446], familia amapuchadora[447]. La familia, padre y madre, elude nombrar la pereza. La familia, padre y madre, alude a conflictos propios de la edad conflictiva[448], a tropiezos en el proceso de adaptación, a la hostilidad del ambiente, al surgimiento de un igualitarismo repugnante, cosas de muchacho travieso, travesuras de muchacho coso[449], amistades dañinas. La familia auspicia su indolencia para distraerlo de actividades a las que solamente sus relaciones particulares con las ramas judicial, legislativa y ejecutiva han impedido cárcel o malos ratos: familia empuñadora de la sartén por el mango y el mango también. Las juntillas, claro, las juntillas que: juntillas llama la fa-

---

[443] *Belmondo:* Jean-Paul Belmondo, actor francés, conocido por su trabajo en películas de Godard y otros.

[444] *unidimensional:* alusión al libro del filósofo Herbert Marcuse, *El hombre unidimensional* (1964), uno de los más influyentes de los años sesenta y setenta del siglo XX.

[445] *un Usmaíl o un Pirulo:* protagonistas, respectivamente, de las novelas *Usmaíl* (1959), de los escritores puertorriqueños Pedro Juan Soto (1928-2002) y *La víspera del hombre* (1959), de René Marqués (1919-1979).

[446] *tongoneadora:* de *tongonear,* mimar a los niños pequeños (MAN, páginas 270-271).

[447] *amapuchadora:* encubridora. De *amapuchar,* con el significado de acudir a tapujos, tratar de ocultar la verdad (RR, pág. 31).

[448] *de la edad conflictiva:* alusión al título del libro del historiador español Américo Castro (1885-1972), publicado en 1961.

[449] *coso:* juego con *cosa.* En Puerto Rico se usa para referirse a cualquier objeto cuyo nombre no se conoce o no se recuerda. Véase nota 393.

milia al resto de la humanidad que comparte con Benny el planeta tierra; no olvidar que Benny, entre otras cosas, es un terrícola. Juntillas con las que armó, allá para febrero, el atentado que aquí se cronica, atentado que no excedió los límites del círculo familiar: somos o no somos gobierno, somos o no somos una de las familias prominentes del país, somos o no somos portadores de un apellido de primera, somos o no somos gente de sociedad. Por la rama Reinosa llegas al tronco de La Beltraneja, por la rama Alcántara llegas al tronco de Guzmán El Bueno: acto trinante de fe de Papito Papitín.

LA IDEA LA ideó Bonny, íntimo amigo de Benny. Convinieron los convenientes nada menos que Willy y Billy. Willy era amigo de Benny, Billy era amigo de Bonny. Amiguetes finalmente, Benny, Bonny, Willy y Billy. Benny, Bonny, Willy y Billy eran, además de Billy, Bonny, Willy y Billy, organizantes vitalicios de los ritos de iniciación de una fraternidad que era, además de fraternidad piscinatoria y cumbanchera[450], tabernáculo de la hombruna idiotez: repercutidos por los perfiles agregados o narices exoneradas de chatura, los hijos de los padres cuyos padres fundaron las beneméritas pasaban el grueso de sus flacas vidas en el montaje y coreografía de tenidas azules en los que los aspirantes o frates mostraban la reciura de su carácter y su voluntad mediante pruebas rigurosas como eran la colocación del pasaje nalgado en barra de hielo, gárgaras de prístino orín, carreras en saco y desde luego: investigación de los pasados inmediatos y anteriores de los neófitos: alto al negro.

IDEÓ LA IDEA Bonny, íntimo amigo de Benny: aprovechar las sombras de la noche, aprovechar la indiferencia policíaca para reducir a escombros, para cenizar o convertir en ceniza las oficinas de los separatistas, lacra antisocial, las ofici-

---

[450] *cumbanchera:* de *cumbancha:* orgía, jolgorio, fiesta ruidosa. Voz de origen africano (FO, pág. 153). Palabra asociada a la rumba y la guaracha.

nas y los talleres donde se imprime y hace su prensa, envenenadora; del sentimiento nordofílico. Explosivos, carga de dinamita, farmacéutico de derechas, reloj, comilona en pizzería. ¡Y qué bien que hicieron lo suyo! ¡Y cuánto que la risa les encalló las mejillas! ¡Y cuánto que burlaron y gozaron y fiestaron cuando la prensa, ulalá, en partecillo colocado en la página de las esquelas mortuorias, prensó que los incendiarios no dejaron huellas por lo que el atentado se investiga: *la vida es una cosa fenomenal*: versículo de la guaracha a todas horas.

SEGUNDA HAZAÑA PELIGROSA y achacada a las malas juntillas, pese a secreto bien guardado: la idea la ideó Benny: polvo por partida cuádruple, polvo celebrante del éxito de la bomba, polvo en el que sería empolvada una putona de fama grande porque jugaba billar y tenía un lunar de pelos en el pecho y lucía en los muslos de jamónica contundencia tatuajes artísticos de un barco naufragando entre dos olas. La Metafísica nombrada, La Metafísica ultrajante, La Metafísica insolente que sucia y descompuesta y coronela levantaba pesas los sábados. Puta que tenía en el cuarto una tabla con el peso de Muhamed Alí, Esteban de Jesús y George Foreman[451] y tenía en el cuarto un gallo giro[452] que preparaba para pelearlo en la gallera *La Buena Suerte* del pueblo de Fajardo[453]. Puta valerosa que cobraba los polvos a la entrada y repetía —músico pago toca mejor. Puta retadora que, con una confianza temeraria y deslumbrante dejaba el dinero ganado en una caja de tabacos. A la vista descarada de todos: fuera muchachería desvirgosa, fuera el macherío experimentado, fueran los Tres Reyes Magos: a quien mire los chavos le rompo un brazo o le arranco el pescuezo. Así tronaba. Y machota, se frotaba los

---

[451] *Foreman:* nombra a tres campeones del boxeo.
[452] *gallo giro:* gallo que tiene el plumaje matizado de amarillo (AM, página 180).
[453] *pelearlo en la gallera:* se refiere a la pelea de gallos, que en Puerto Rico es la expresión para la riña de gallos, muy popular en Puerto Rico. La *gallera* es el edificio construido expresamente para ello (AM, pág. 177). *La Buena Suerte* es el nombre de una gallera en *Fajardo,* un pueblo en la zona este de la isla.

molleros. Uno a uno, los cuatro celebrantes, hicieron lo suyo, sin gracia porque la gracia era la sorpresa. No bien se encaramó Bonny en los muslos de jamónica contundencia, no bien sus muslos de pollo tropezaron con el barco naufragando entre dos olas, Benny irrumpió en el cuarto y gritó un *apéate* terrible. Apeado Bonny, contado luego entre ataques de risa, pusieron en el lugar consternado de La Metafísica, una barrita de estrellas lumínicas que hubo de convertirla, instantáneamente, en puta iluminada. Rabió, jadeó, escupió el recuerdo de ellos, de sus madres, abuelas, hermanas y demás parentela femenina a la que deseó final espantoso. La Metafísica, servidora de jueces y alguaciles, fue a la corte y pidió justicia para ella e indemnización para el negocio que hacía entre las patas. La querella fue desoída por juez desoidor y en lo adelante, la amistad de los cuatro jinetes del apocalipsis se vino abajo o recesó: consejo del concejo de padres reunidos para examinar la gravedad del acontecimiento: sepárense, por si los cala un camarón[454], por si los cala un chota[455]. Y para acompañarlos en su pena: un carro a cada uno.

---

[454] *camarón:* policía encubierto, vestido de civil (RICHARD, pág. 105).

[455] *chota:* delator, soplón (RR, pág. 89). También se usa en Cuba. En Puerto Rico el verbo *chotear* se usa en la acepción de delatar.

Y SEÑORAS Y señores, amigas y amigos, sientan en la carne que está dentro de la carne, es decir en el albondigón que nos humaniza mientras nos hacemos humanos, sientan la puntada de la guaracha. Porque señoras y señores, amigas y amigos, uno cierra los ojos bien cerrados y cuando viene a ver berrea de la contentura y de la altura a que lo ha encampanado esta ópera en tiempo de guaracha que es la guaracha del Macho Camacho.

EL PRIMO BOMBERO, discípulo de Jalisco y Jalisco, nunca pierde y cuando pierde arrebata, abandonó, también, el turno en la fila porque se le encendió la chispa que se enciende en estos casos; liviano, provocador, matador, mordiéndose un poco del bigotazo, fue a lo que siempre iba y a lo que siempre iba era a lo suyo. Con voz de dame lo mío Filomena, soltó lo que aquí se suelta: qué cosa mariposa, a los cinco ya tú me lo parabas. Peste a chulo tenía. Ella, divertida, como quien gira en un carrusel, le respondió, con arrobo interdental: bandido, hombre malo, aprovechado, muñecote. Y le cayó un mal de risa que el primo bombero aplacó con grajeo pulsado de la cintura: a los cinco y a los treinta. Desde el clandestinaje del bolsillo el primo bombero intentaba serenar los aspavientos del tolete. El primo bombero la empujó sin disimulos hasta una estiba de pavos plásticos: Thanksgiving en el horizonte. Ella, humedecida de labios, seductora, lo detuvo con un susurro cálido que invitaba a más grajeo, contradicción de contradicciones todo es contradicción: aquí no, sweetie pie[456], un pavo plástico como cinturón de castidad. El primo bombero le prometió un tumbaíto el jueves entrante: qué ratón vamos a pasar. Promesa que cumplió, con creces e intereses, en el Hotel Embajador de Cupey Bajo, frente a la represa. Ella alargaba el recuerdo y alargaba el buche de cubalibre en la boca y en la boca sentía el fantasma de otra lengua, de otras lenguas, lengua y ron en un ambos a dos, otro cubalibre por favor: a ella misma.

---

[456] *sweetie pie:* cariño, amor, forma de tratamiento que se considera cursi.

LOS APURAS CON apuro, sentenciará El Viejo cuando llegue, ¿que si sentencia por imperativo moral o cicatería? Nadie lo sabe porque es personaje autónomo, eso sí, la besa en la mejilla como si fuese su señora: patinado de la chola[457] o sublimación o aduana de la mala maña, el maletín de piel de avestruz depositado en la butaca reclinable, dos dedos de ron en el fondo del litro. Los apuras con apuros: repetición o variación sobre tema a la Ravel o rasgo de estilo para comentar en tesis doctoral: anáfora. El Viejo observará la aventura del desorden: en el cenicero, junto a un colillero humeante, yace una lata vacía de salchichas; bajo el sofá se intuye el hocico de un zapato, el brasier cuelga de la perilla de la puerta principal; noticiero de una intimidad en la que se alberga la desnudez rasa de ella, las tetitas majadas con miel como prenda del juego que jugarán, en un gancho colgará la chaqueta y el pantalón en otro, que no se estruje, no, enunciados tomados y soltados como el balón del baloncesto, como bocadillos de drama, como obra en un acto para dos actores únicos, igualito que en el último drama de Tennessee Williams, pero en *Outcry* eran dos hermanos, como hermana y hermano vamos los dos cogidos de la mano, me besa en la mejilla como si yo fuese su señora y con la otra mano me aprisiona la cintura, regresa al pelucón rojísimo una crencha cimarrona, cuando El Viejo llegue.

A UN RELOJITO en el que viven dos rubíes fingidos que le envió su marido desde el norte: engatusarla, un aguaje[458] para que a ella no le arañara la sorpresa. Si lo sabría ella: a ella le soplaron que su marido vivía en un basement[459] con una chi-

---

[457] *chola:* cabeza, casi siempre en un sentido humorístico.
[458] *aguaje:* gesto con que se engaña a alguien, ostentación, pose (RICHARD, pág. 32).
[459] *basement:* del inglés, sótano.

cana[460] pero a ella todo plin. Psss. Otra mirada tierna a los rubíes que, a fin de cuentas, no son rubíes, pero que bien imitan rubíes, bien que aparentan rubíes, bien que dan un palo[461], material sintético y qué: lo que importa es que aparenten: su fe es la apariencia, su religión es la apariencia, su slogan vital es la apariencia: el destino es un fandango y quien no aparenta es un pendango. Apariencia, fingimiento y pasemos a otra cosa. Cada lunes, cada miércoles, cada viernes, la película de las películas, Oso de Berlín, Concha de San Sebastián, León de Venecia, Óscar de Hollywood, tanda vespertina únicamente, filmada en el lugar donde los hechos ocurrieron, los hechos ocurren. Hoy, hoy, hoy: estreno monumental del monumental superespectáculo en radiante sexocolor *Las tetitas majadas con miel.* Tomas nunca tomadas. Olvide las simplezas exhibicionistas de Hedy Lamarr en *Éxtasis:* boberías. Olvide el virtuosismo bucal de Linda Lovelace en *Deep throat:* niñerías. Olvide la preferencia anal de Marlon Brando en *Last tango in Paris:* antigüedades. Olvide la acostadera horizontal decimonónica: gente genésica. Adéntrese en la curvatura parpadeante de nuestra era, el posicionismo múltiple de nuestra era, el pluralismo erótico de nuestra era. Hoy, hoy, hoy: las nalgas gastadas del Viejo trepadas a caballito sobre la barriguita de ella, barriguita de bombín. Hoy, hoy, hoy: El Viejo, director de orquesta, hazme el solo de clarinete. El Viejo, mientras ella, instrumenta el solo de clarinete, vocalista, con agudos: placer de los dioses, dioses del placer. Ella, mal educada, habla que te habla con la boca llena: pero usted. Él interrumpiéndola: cuándo me vas a decir tú, tutéame, tuteémonos, el tuteo es el atrecho, el ustedeo no va con el cameo, pideo y exigeo el tuteo que para eso pagueo, ¿bieneo?, monopolio de dientes, doble seis del dominó. El Viejo brinca como un cangurito. El Viejo es gracioso como un elefante. El Viejo gracioso como un elefante le fajó en el supermercado porque ella andaba pantalonada con unos jeans pegadísimos. Un Viejo me fajó en el supermercado, liquidadito el

---

460 *chicana:* de ascendencia mexicana, radicada en los Estados Unidos.
461 *dan un palo:* causar sorpresa, deslumbrar.

hombre, modelo de hombre pasado de moda, liquidadito pero con guille de levantador[462]. Me voy a tirar El Viejo y el que gane que grite bingo: resolución tomada cuando El Viejo la siguió por todas las góndolas o escaparates o tenderetes del supermercado. Resoluta que fue pues va para seis meses que se arrancó con El Viejo. El Viejo la siguió y le hizo una guiñada, es

CUESTIÓN DE UNOS pagarés y el linolium[463] y el jueguito de comedor que lo quiero de cromium[464]: pincela lujos menores como una mesita velador cubierta con tapetito bordado con repollito tejido. No es que vaya a pasarse la vida con El Viejo, El Viejo le produce náuseas. Pero El Viejo le remite el chequecito verde de las esperanzas. Seis meses: tanto tiempo sujetá no le piace. La ventaja de estar sujetá es que se tiene la chaúcha[465] sujetá. La desventaja de no estar sujetá es la obligación de amanecer todos los días a lo mismo: el lavao, el planchao, el cocinao. Por eso es que yo admiro a Iris Chacón: habla de la artista Iris Chacón y le da asma. Porque Iris Chacón no está sujeta más que al impulso bailotero de su cuerpo. Por la noche sueña que la artista Iris Chacón, envuelta en emanaciones guarachiles, viene a buscarla: quedito, callandito, secretera, la artista Iris Chacón le dice. Nunca sabe lo que la artista Iris Chacón quiere decirle porque despierta, ay deja eso terminados los pagarés y si te vi ya no me acuerdo. Las cinco y: y qué más da, los pies conjuntan una bullanga[466] como si el eructo fuera la luz verde para el brincoteo, el eructo o la acojonante guaracha del Macho Camacho *La vida es una cosa fenomenal,* guaracha que le prende el fogón a los que no están en nada. Los pechos golpean las costuras del brasier, ricamen-

---

[462] *guille de levantador:* que presume de don Juan. Véase nota 98.
[463] *linolium:* alfombra de linóleo, a imitación de las tejidas, que cubre el suelo de una habitación.
[464] *cromium:* muebles de metal.
[465] *chaúcha:* comida. En distintos lugares de América, y en Puerto Rico, se emplea también *el chauchau.*
[466] *bullanga:* fiesta bulliciosa.

te nervudos aunque amasaditos en la base. Las caderas se dejan caer en remolino y la cintura las recoge en remolino. La cabeza dibuja uno, dos, tres círculos que se corresponden con los tres chorros de ventosidad regocijada que expelen las trompetas; una alegría ceremonial, culto oficiado en cada rincón del cuerpo, cuerpo elevado esta tarde a templo del sudor con nalgas briosas como ofrendas ovaladas y tembluzcas. Recordaba:

UN MANOSEO DE uvas plásticas: puestas dentro de un boul[467] de cristal se ven lo más nice. No, no era la única mujer en pantalones, aunque los suyos, blanquísimos, se pegaban, se ajustaban, con poca, qué decir, poca prudencia. Poca decencia —rezongó una de las cajeras, protegida por la blusa solemne que diseñó la esposa del norteamericano dueño de este supermercado y muchos otros, una bostoniana cachanchana, miembro prominente de los grupos *Clean,* mormona, a la que espantaba y ponía a solicitar médicos y sales reconstituyentes la proclividad sexual del antillano: *dirty bunch they are*[468]. Recordaba, trepa la derecha sobre la izquierda: piernas. El Viejo se pasó las manos por la cabellera blanca, con un gesto de estudiado desinterés, perfeccionado en la intimidad de su ropero de dos lunas. Con el mismo gesto de estudiado desinterés, se engafó, desbrochó la guayabera de hilo blanco[469], para que un cartelito de virilidad con texto de pecho atlético le hiciera la vanguardia, curioseó su apariencia en una de las vidrieras gigantes y entró en el supermercado a tiempo para verla doblar el recodo de las manzanas de Pennsylvania; ella lo vio antes, ligona, pendiente a la machería

---

[467] *boul:* anglicismo, de *bowl* = tazón, plato hondo para servir ensaladas o sopas.
[468] *dirty bunch they are:* son unos sucios.
[469] *guayabera de hilo blanco:* una camisa «tropical», de manga corta o larga, de tela muy ligera, con pliegues verticales en el frente y a menudo con bordados. Las de hilo blanco son consideradas las más elegantes, y se han usado mucho en todo el Caribe.

siempre, dudaba si comprar una pasta de guayaba o una pasta de naranja o una pasta de batata[470], cuál iba mejor con el queso blanco: ahí justo, en el lapso de tiempo inmerso en las dudas saetadas por el queso mismo, lo descubrió, cuando se enfrentaba a uno de los grandes dilemas de su existencia: maridar un dulce empastado con el Queso Indulac. Muchos años después, porque años le parecían, frente al pelotón de fusilamiento[471], porque fusilamiento y no otra cosa era la aceptación de que El Viejo la poseyera, El Viejo le dijo que se dijo cuando la vio: una hembrita es una hembrita, es una hembrita, el carrito surtido de galletitas finas, un tarrito de alcachofas finas, varias latitas de ostras ahumadas finas, latas de salchichas finas, jamón picao fino, sidra fina. Muchos años después, porque muchos le parecían frente al pelotón de fusilamiento y no otra cosa era la aceptación de que El Viejo la poseyera, ella le dijo al Viejo que se dijo: nnnnnmmmmm. Y planeó una estrategia rápida de conquista: esperó que El Viejo cruzara, pavo que se pavonea, frente a la nevera de las chinas de Florida para dar un grito llamativo de atención: oiga, a una cajera, ¿las Campbell están en especial?, más guerrero el grito que el Santiago y cierra España, solariega, chillona, pueblerina, una Campbell[472] Vegetable Soup como pendón belicoso. Explosión popular la tuya, savia y entraña de la tierra mía, clarinazo a mi núbil corazón, el vendaval de tus besos: dijo El Viejo semanas después. Ella pensó, milésima ocasión: este jodío hombre habla en griego.

ESPERA DESCALZA, FERVOROSA, cree que los zapatos imponen la vuelta a la calle por un instinto andariego requedado en cada suela: aprendido en el Horóscopo Semanal que pu-

---

[470] *pasta de guayaba, de naranja, de batata:* dulces de esas frutas, muy típicos de la tradición puertorriqueña. Se suelen servir como postres. Se llama *pasta* cuando está en conserva, amembrillado (MANhabla, pág. 353).

[471] *Muchos años después... frente al pelotón de fusilamiento:* cita de la primera oración de la novela *Cien años de soledad* (1967), de Gabriel García Márquez.

[472] *chinas de Florida... Campbell:* un *collage* de referencias, desde las *chinas*, que son naranjas dulces, hasta las sopas enlatadas Campbell. Entre ambas, la referencia al grito de guerra de los cristianos en España cuando invocaban a *Santiago Matamoros*. Véase nota 291.

blica en la prensa de todo el continente el Profesor en Ciencias Ocultas, Narciso Liquiñaco, ocultista que aprehendió el dato mediante el estudio del relincho de las potras nacidas bajo el signo de Escorpión. El Horóscopo prestigió la noción de que el fuego fatuo del amor entra por la planta de los pies: el sujeto amatorio debe descalzarse para bien auspiciar el divino suceso: ella, hambrera de misterios, minga de las carambolas, escribió una carta extensa de pliego y cuarto al Gran Hierofonte Walter Mercado[473] en la que le suplicaba luces astrales sobre el curioso dato con potras y relinchos. Pero el Gran Hierofonte nunca le contestó. ¿Raptaría la carta el rabo del cometa que también raptó a la vieja en camisa? Cosas hay que no llegan a saberse: el misterio del mundo es un mundo de misterio: cita citable. Corrección: ella, previo a descubrimientos y estrategias rápidas de conquista, lo vio descender de un maquinón que paraba los pelos. Mi Mercedes —dijo él, las orejas enhiestas, maquinón de maquinones: ella piensa que pensó. Para dar tiempo a que el amo del maquinón de maquinones inspeccionara si había dejado espacio a los lados, para dar tiempo a que el amo del maquinón de maquinones cruzara con una rítmica específica dijo él, con un pasito cachendoso[474], dijo ella, la boca de ella procuró hallar un poco de espacio en la vidriera monumental del monumental supermercado: por razones de distancia y clase a ella le correspondía comprar en otro lado pero: listilla, sabidilla, trepadorilla, prefería hacer su comprilla en el monumental supermercado donde se apertrechaban de comestibles los ri y los que tenían sus pe en el ban, ella dijo que pensó: aunque me gaste dos pe en un ta. Procuró hallar un poco de lugar sin la interrupción de los anuncios de los especiales de la semana: jamón de Virginia, papas de Idaho, uvas de California, arroz de Louisiana, carnes de Chicago, manzanas de Pennsylvania, chinas de Florida. Aguzaba la boca, un piquito tacaño y acalorado, tacañísimo, un eructo bizarro le vino. Pero el empeño resultaba inú-

---

[473] *Walter Mercado:* astrólogo puertorriqueño. Ha tenido gran difusión a través de la prensa y la televisión.

[474] *cachendoso:* elegante, aunque de manera ostentosa. La expresión frecuente es *tener caché.*

273

til. Una ni se ve —masculló ella, achinando penosamente los ojos, chinos siempre, en un intento definitivo por precisar los lindes del crayón descuartizado. Con un gesto de rabieta insuperable, cerró la cartera. Otra acción realizada fue cagarse en la madre del diablo. Otra acción realizada fue detener un rolo que bajaba por la oreja. La cartera era negra, rectangular y blanca y tenía la ventaja de que podía combinarse con pantalones negros, rectangulares y blancos.

LAS FRUTAS PLÁSTICAS puestas dentro de un boul grande alegran la mesa y se compra un mantel plástico que imita encaje y cogen una apariencia que hay que tocarlas porque parecen bajadas de los palos, como las flores artificiales que uno las rocea y aparentan ser flores cortadas del jardín. Un jueguito de cromium, un linolium, jueguito de cromium o algo más presentable, imitación caoba, imitación cedro, imitación lo que sea: lo importante es que aparente y que lo pueda pagar a plazos cómodos: tres préstamos tengo en tres financieras y le pedí a Faíco el Berrendo cuarenta pa cincuenta: préstamos para comprarme las pelucas en el Finitas Fashion que se cree que tiene el ventorrillo en el Condado. Y los cuarenta para pagarle el set de pantalones que me hizo La Paloma, una mariquita muda que cose divino, descontado que hay que sacarle la mano de la caja de las lentejuelas. Tal vez en las Mueblerías Mendoza, el que compra en Mueblerías Mendoza de más facilidades goza. Las cinco y no viene. Salgo de deudas y lo mando a que se. Un mes más y. Ella pensaba que te pensaba que te piensa: irme de artista con el nombre de La Langosta, y hacerme famosssss y dar opinionesssss y firmar autógrafossss; pero tengo que mejorar la letra. Yo empezaría hasta en un cine meaíto[475] donde hay que enseñar los pelos. Atrevida, ambiciosa, excesiva: ¿cuánto me apearía Iris Chacón por montarme los pasos de la guaracha del Macho Camacho? Si se vuelven ahora, recatadas la vuelta y la mirada, la verán esperar sen-

---

[475] *cine meaíto:* cine de barrio humilde, barato y maloliente.

tada: la mirada viajera: para pagarme la ropa de vedet tendré
que tirarme unos machos en La Marina[476]. A lo mejor el sába-
do. No tendría que abrir las patas si Doña Chon tuviera. Pero
Doña Chon es una derrotá igual que yo. Cara de ausente tiene y cuerpo de desconcierto.

[476] *La Marina:* la zona de la bahía del Viejo San Juan, frente a los muelles
1, 2, 3 y 4. Era una zona prostibularia. Hasta los años cincuenta, la estación
terminal del ferrocarril se encontraba en las inmediaciones del puerto (JLGluna,
pág. 51).

Y SEÑORAS Y señores, amigas y amigos, si esta Discoteca Popular que se transmite de lunes a domingo, de doce del mediodía a doce de la medianoche por la primera estación emisora o primera estación difusora del cuadrante antillano tuviera tele tele ustedes iban a ver lo que es un microfoniático chupado por el son chuchinesco[477] y el cheveresco sabor que ha hecho época.

---

[477] *chuchinesco:* de *chuchin:* bueno, formidable, chévere (RR, pág. 46).

BOMBA EN LA Universidad: un bombazo propinado por el puño diestro de Muhamed Ali no surte el efecto abrumador que surte la noticia en el ánimo de. Mandíbulas que se guarecen en la antesala de la catatonia, ojos encabritados, nariz sísmica: el rostro senatorial. Y el torso: una guazábara[478], manada de latidos, punto de taquicardia. Solicitar, encarecer, rogar mil perdones por la interrupción anterior. Dos mil perdones no saldan, no abonan la deuda por la interrupción, maldita, de la arrebatación del momento, la arrebatación surca el cuadrante; arrebatación que avisa, arrebatación que recuerda que la vida es una cosa fenomenal. Bomba en la Universidad: lo que faltaba. Pero son los mismos. Bela Lugosi, Frankestein, El Monstruo de la Laguna Negra, hermosos varones si se tolera la comparación con. Jurado que son los mismos: los fupistas, los fupistas, los fupi, los fupi, los fu, los fu, los f, los f: burbujas hace con la consonante como un bebé congestionado. Indignado: pero, pero si, pero si no, pero si no hay, pero si no hay que, pero si no hay que investigar: la oración segmentada por duchazos de rabieta. Pero si no hay que julepear, pero si no hay que gatear por entre los entresijos de un proceso, pero si no hay que permitir que la Comisión de Derechos Civiles estropee y desfigure con su pelea monga la claridad meridiana de los acontecimientos. Ira en allegro, ira molto appassionata, ira que lo empinga: pero no sé cuántas veces he hablado el asunto con los excelentísimos miembros del excelentísimo Consejo de Educación: en los vestíbulos de los Bancos que presiden en los cócteles de las Industrias que ma-

[478] *guazábara:* lucha, motín, algazara (AM, pág. 186).

nejan, en las popas de los yates que adueñan, en el ocio entu-
mecedor de las islas estivales de Saint John y Caneel Bay, en
las zambullidas de la playa privada del Hilton[479], en las comi-
lonas del Cerromar; botar a los fupistas, ahogado con copa
de Pommard blanco de la cosecha del cuarenticinco, botar a
los fupistas, atosigado con el Chivas Regal bebido en sorbo
único, botar a los fupistas, aturcado por la cordial magia enemiga[480] de un Grand Marnier, botar a los fupistas: ojos de
pescado frito, hocico de puercoespín, lomo de rinoceronte:
descabezarlos. Cantar de gesta: portones universitarios que
se abren para recibir a la Fuerza de Choque, a la Guardia Nacional: fanfarria del Anchors Away My Boys, fanfarria del From
The Halls of Moctezuma, fanfarria del Over Hills. Y si corre
la sangre que se seque y que se limpie. *El Mundo* está con nosotros, *El Nuevo Día,* ni hablar, Viglucci[481] está con nosotros,
A. W. Maldonado[482] está con nosotros, los cañones están con
nosotros.

PERDONES, MIL PERDONES, cinco mil perdones no pa-
garán el precio tamaño de otra interrupción pero interrumpi-
mos para comunicar que, según la opinión opinionísima de
observadores imparciales imparcializados, la bomba de alto
poder destructivo que estalló en la Facultad de Ciencias Sociales de la Universidad de Puerto Rico no fue colocada por
los estudiantes políticos, agitadores, extremistas de siempre

---

[479] *Hilton:* Hotel Caribe Hilton, obra de los arquitectos puertorriqueños
Osvaldo Toro y Miguel Ferrer, inaugurado en 1949. Definió el proyecto del
nuevo turismo. Situado en la isleta de San Juan, entre La Laguna del Condado y el mar (SJSN, págs. 144-155). *Cerromar:* hotel localizado en la carretera de
Dorado, al norte de la isla.
[480] *cordial magia enemiga:* título de un libro de cuentos del escritor puertorriqueño Tomás López Ramírez.
[481] *Viglucci:* Andrew Viglucci. Durante los años setenta del siglo xx, fue director del influyente diario *The San Juan Star,* publicado en Puerto Rico, propiedad de la E. W. Scripps Co.
[482] *A. W. Maldonado:* Alex W. Maldonado. Periodista puertorriqueño.
Durante muchos años mantuvo una columna, en inglés, en el diario *The San
Juan Star.*

dado que la bomba de alto poder destructivo estalló en las oficinas de los profesores políticos, agitadores, extremistas de siempre. En añicos, en reguerete desparramado, en constelación de cantos: efigie de los barbudos Betances y Hostos y De Diego; la bandera puertorriqueña fraccionada en trapería roja y blanca y azul; los discursos de Albizu Campos[483] ennegrecidos por la chamusquina. Extra: el Decano de la Facultad de Ciencias Sociales ha solicitado una investigación, el Rector de la Universidad de Puerto Rico ha solicitado una investigación, el Presidente de la Universidad de Puerto Rico ha solicitado una investigación, el Presidente del Consejo de Educación Superior de Puerto Rico ha solicitado una investigación, el Presidente de la Cámara de Representantes de Puerto Rico ha solicitado una investigación, el Presidente del Senado de Puerto Rico ha solicitado una investigación, el Gobernador de Puerto Rico ha solicitado una investigación. Señoras y señores, la bomba se investiga. Amigas y amigos, por tratarse de una bomba que si patatín que si patatán, la investigación de la bomba no tomará un año, la investigación de la bomba tomará muchos años. El Senador Vicente Reinosa —Vicente es decente y razonado hasta la muerte— recuesta la cabeza sobre el volante. El fracaso temporero de su epopeya de sangre lo desinfla. Vuelta y vuelta, como un cirquero derrotado recoge en cubetas la sangre acariciada: de las cabezas molidas por la libertad de las macanas, de las caras momificadas por la fraternidad de las macanas, de las espaldas corcovadas por la igualdad de las macanas. Vuelta y vuelta, como un archivero de orquesta, recoge la partitura para pechos precursores: hematomas, moretones, cardenales. Vuelta y vuelta, como un evangelista; desahuciado, se traga las palabras ensayadas: porque el orden clamado en las urnas, porque el espejo de la ley, porque domésticamente hablando, porque el socialismo ateo, porque el terrorismo de las ideas, porque no pasarán, porque por qué

---

[483] *Betances [...] Campos:* se nombran los patriotas separatistas puertorriqueños de los siglos XIX y XX: Ramón Emeterio Betances, Eugenio María de Hostos, José de Diego, Pedro Albizu Campos.

PROMESAS DE CAMPAÑA electoral: que los buitres y las auras tiñosas innominadas vilipendien mi postrera forma si este hombre que hoy les habla, Vicenteesdecente, Vicenteescedente, Vicenteesdecente: cohetes unísonos elevados por el Comité de Damas con Vicente. Si este hombre que hoy les habla no consigue la ansiada paz en la Universidad: el dedo infamante, el dedo inflamatorio: los mercaderes del templo echemos: mingos de moscovitas, el compadrazgo con Mao, fámulos de Fidel: sulfurado, necesitado de vaso de agua, repercutido por la bravura de los aplausos y los comentarios que titilan en el cielo de las bocas: ése es, no hay pa más nadie, tres veces inteligente, agarrado a la verdad como a un bollo de pan, ése es, las caras destornilladas como muñecones de guiñol. Promesa de campaña electoral: traer al terruño amado, traer al lar borincano, traer al bay puertorriqueño, traer a la tierra favorita de Dios la paloma de la paz: Vicenteesdecente, Vicenteesdecente, Vicenteesdecente. Promesa de campaña electoral: la liquidación definitiva de las formas nacionalistas, aislacionistas e independentistas. Recholera la negra adelantada: traigamos el estado cincuentiuno[484] que pa eso somos jamericanos[485]: aleluya zarrapastrosa, con ascensión de brazos que manifiestan apoyo y vuelta y vuelta el Vicenteesdecente, Vicenteesdecente, Vicenteesdecente. Promesa de campaña electoral: qué bromaza ésa del hombre insular, del hombre de este país: el potrero en estampida, jaleo en las cajas torácicas: mueran los independentistas, la negra recholera adelantada se sueña del brazo de George Wallace y Betsy Rose. Redondea el orador: qué tomada de pelo el hombre puertorriqueño cuando en el extremo alter está el hombre universal, el ciudadano del globo, qué simpleza el localismo, la necia limitación: Vicenteesdecente, Vicenteesdecente, Vicenteesdecente. Sacado en hombros, sacado en río de vítores, sacado en las primeras

---

[484] *estado cincuentiuno:* el estado 51 sería el de Puerto Rico, anexionado a los 50 de los Estados Unidos.

[485] *somos jamericanos:* somos americanos. Burla de la pronunciación de la frase por el orador.

páginas de la prensa de este país: de tú a tú con el Che Perón y el Rey Faisal, peleándole el recuadro central al temido asesino Toño Bicicleta[486]: hélo aquí que viene saltando por las montañas el ¿futuro gobernador?: go especulativo de columnista influyente que en el reparto de papeles del gran teatro del mundo se asignó el papel de Vate: vate totémico en el pronunciamiento de sus acertijos: ¿futuro gobernador?: recorte recortado y pegado en scrap book y contestado con pluma Parker y ambición delatada por una grafología tiesa como un bofetón en la cara: sí.

SÍ, SÍ, SÍ: como novio que reitera el asentimiento hasta parecerlo al hambre, sueño diurno de mando, sueño nocturno de mando, una pupa la ambición que lo corroe, ambición mimada y mudada de culero con la industria de una hormiguita, ambición cultivada mediante actos de gentileza espumosa: un cómo está la nena espetado en el corazón movedizo de padre primerizo: qué criatura hermosa, qué precisión de rasgos, merece la menina un retratista del siglo diecisiete; cuántas idas a la Funeraria Ehret, cuántas idas a Puerto Rico Memorial y a Buxeda Funeral Home[487], cuánto pésame dado con el rostro tormentado: trance pungente éste que padecemos pero aliviado el mismo por la certeza de que en paz descansará, samaritano como fue y otras etcéteras transidas; cada apretón de manos un voto computado, golpecitos en la espalda a un idiota importante, hambre de verlo tenía a un talentudo oficial, su verticalidad es faro rutilante en el mar proceloso de la vida a un magistrado a quien se le llena el tanque de adulación y arranca divinamente, perito del botón que estimula

---

[486] *Toño Bicicleta:* fue durante los años setenta un prófugo infructuosamente perseguido por la policía. Logró captar la simpatía de muchos. Adquirió, además, fama de don Juan. Finalmente murió en 1995 a manos de la policía. Sánchez ha escrito varios textos sobre el personaje. Véase «Vidas, pasiones y muertes del bandido Toño Bicicleta» en su libro *No llores por nosotros, Puerto Rico* (1997).

[487] *Funeraria Ehret, Puerto Rico Memorial y Buxeda Funeral Home:* funerarias de San Juan.

esta debilidad, cirujano del halago imperceptible. Sí, sí, sí: en campaña permanente: sácala la brújula al viéntolo y sábela dóndela sóplala.

EL SENADOR VICENTE Reinosa —Vicente es decente y su meollo es esplendente— mira a los reinos de los cielos, después versicula: la campaña me costó un cojón completo y la mitad del otro: a duras penas levanté un capitalito, capitalito tambaleante levantado a través del calvario petitorio: cuál político honesto no tiene andado el Getsemaní: rifas de automóviles, banquetes de a cien dólares cabeza, maratones televisados, premiere insular de la alentadora película *The green berets* protagonizada por las balas canonizadas de John Wayne: suspirosa su alma buena. Descartada mi persona, la única que no importa, importa el cúmulo de voluntades: Damas. Por La Reelección de Vicente Reinosa, Jóvenes con Vicente, Amigos de Vicente Reinosa: olas de cruzados, olas de membretes adheridos a olas de automóviles, olas de membretes con olas de cuñas, con olas de leyendas alusivas a mi talento y bonhomía: Vicente es decente y buena gente, Vicente es decente y su conciencia transparente, Vicente es decente y de la bondad paciente, Vicente es decente y con el pobre es condoliente, Vicente es decente y su talento es eminente, Vicente es decente y su idea es consecuente, Vicente es decente y nunca miente, Vicente es decente y no ha tenido un accidente, Vicente es decente y su carácter envolvente, Vicente es decente y su verbo es contundente, Vicente es decente y su honor iridiscente, Vicente es decente y su hacer es eficiente, Vicente es decente y su estampa es absorbente, Vicente es decente y su mente omnipotente, Vicente es decente y nació inteligente, Vicente es decente y respeta al disidente, Vicente es decente y su entraña fluorescente, Vicente es decente y su razón es excelente, Vicente es decente y su meollo es esplendente: olas de cuñas publicitarias ensartadas por la admiración de una inteligencia admiradora de la mía. Falso, cuñas de su única invención y único aprecio aunque mintiera la autoría y el recoleto anonimato con mirada santurrona y túnica floreada de pudores y recatos.

MENOS MAL QUE la estudiante, pongamos que se llama Lola, se colocará en el carril exterior de la vía derecha, lo que supone o hace suponer que en la luz próxima doblará a la derecha. Si el Senador Vicente Reinosa —Vicente es decente y su dignidad creciente— sigue y persigue a la estudiante pongamos que se llama Lola, bordeará la zona portuaria, observará las maniobras marítimas de la nova armada invencible, contaminará su almario de granadas pestilencias, cruzará el cruce de Bayamón a Cataño, llegará en volandas a Punta Salinas[488], por un callejón arenoso entrará, en algún cubujón[489] estarán el carro y la estudiante, pongamos que se llama Lola, como un fauno bellaco esperará, esperará verla emerger como Venus de la espuma, esperará que los muslos de la estudiante se le escapen como peces sorprendidos: mala cosa si le da a la intemperie la gripe lorquiana, toserá completo el *Romancero gitano*[490]. Visión dantesca consumirá, visión merecedora de un Canto de Maldoror, una vida imaginaria de Marcel Schwob, un nuevo informe de Brodie[491]: la peluca de la estudiante, pongamos que se llama Lola, colgará de un uvero, las tetas del burlesco *Mother of eight* colgarán de un arbusto de hicacos. ¡Extraordinario, colosal, asombroso!: Lola no es Lola, Lola no es Lolo, Lola es Lole: un mariconazo hormónico y depilado. Cámara rápida, movimiento adulterado por la rapidez funambulesca, chaplinesca, tatiesca, totoesca, cantinflesca, agrelotesca[492], correrá y correrá y correrá.

---

[488] *Punta Salinas:* en la costa norte de la isla, en Toa Baja.

[489] *cubujón:* un espacio muy reducido, una covacha.

[490] *Romancero gitano* (1928): conocido libro de romances del poeta español Federico García Lorca (1898-1936).

[491] *Canto de Maldoror [...] informe de Brodie:* alusión a los *Cantos* de Lautréamont, a *Las vidas imaginarias* de Schwob y a *El informe de Brodie* de Jorge Luis Borges.

[492] *rapidez... chaplinesca, tatiesca, totoesca, cantinflesca, agrelotesca:* alude a la tradición cómica de Chaplin, Jacques Tati, Toto, Cantinflas y el puertorriqueño José Miguel Agrelot.

TAN MACHOTE QUE asusta, mira que te mira a la estudiante, agresivo el pecho que saca adelante para que la barriga se meta para atrás, mira que te mira que te mira, olvidado del relajo ensordecedor, olvidado del delirio de relajos, olvidado del guaracheo que atesta los viales de parejas: el genterío se ha bajado de los carros, el genterío ha declarado este miércoles como día nacional de la guaracha, el genterío se remenea cuando corea *la vida es una cosa fenomenal*. Oficial, oficial el diagnóstico: la peste de la guaracha ha tomado el país de punta a punta: nadie escapará a la peste de la guaracha del Macho Camacho. Oficial: la guaracha del Macho Camacho es epidemia. Mira que te mira que te mira el reló, considera que te considera que te considera si le da tiempo a seguir y perseguir a la estudiante y añadir otra presa a su animal insomne. El Senador Vicente Reinosa —Vicente es decente y su moral es persistente— tras pensarlo y pensarlo.

Y SEÑORAS Y señores amigas y amigos, el son sabrosón y dulzón me acribilla como los va a acribillar a ustedes, se me van los pies, se me van los pliegues del torso, se me engoza el sudor porque la guaracha del Macho Camacho vino para quedarse, vívelelo Mamita el baile, vívelo como me abajo y me asubo.

SE ESCUPE DE maneras mil: Graciela Alcántara y López de Montefrío desconoce el catálogo del escupir puertorriqueño ordenado por un escupirólogo importado de la Universidad de Harvard con el fin de catalogar el escupir puertorriqueño: gargajo o salivazo imperial que despoja la garganta de flemas, ruidosa la emisión; saliva espontánea que se escupe de golpe, emisión mediotónica; salivita de hechura acuosa que se dispara por entre los dientes, emisión de regadera. Graciela: el pobre y el rico, el hombre y la mujer, a todas horas, en la ocasión inesperada, en la galería refrigerada de la Plaza Las Américas lo ve, en el café parasolado Las Nereidas lo ve: escupir, costumbre desclasada de país desclasado: Isabel y Fernando nunca debieron. Los ojos examinan, con dedicación de moscas, el Rodón[493] heroico que abarrota una pared: niña o mujer con mirada de dulzura antigua y enigmática, niña o mujer con atavío de lazo grande y verde: yo quisiera llenar unos espacios sobrantes con cosas de aquí, también los del patio son hijos de Dios: democrática, bien maquillada, objetiva, algo de ese Homar, algo de esa Myrna Báez, algo de ese Martorell[494]: pero son tan trágicos que si los coloco en el comedor quitan las ganas de comer, que si los coloco en los dormitorios quitan las ganas de dormir, que si los coloco en la sala quitan las ganas de charlar. Desde luego, quedan siempre los pasillos. Pero en los pasillos cuelgan los tapices traídos de Amalfi. Des-

---

[493] *Rodón:* Francisco Rodón, conocido pintor puertorriqueño.

[494] *Homar, Myrna Báez, Martorell:* prominentes artistas puertorriqueños, destacados en la pintura y en las artes gráficas: Lorenzo Homar, maestro de varias generaciones, da a conocer su obra desde los años cincuenta. Myrna Báez y Antonio Martorell ocupan un lugar central a partir de los años sesenta.

de luego, queda siempre el gran foyer. Pero en el gran foyer he colocado los aparadores que albergan la colección numismática de mi esposo. El Rodón heroico: niña o mujer con crenchas difuminadas en melao. Llenar los espacios sobrantes con viñetas en porcelana de Sevres.

COMO HELLO EN la distancia a nuestra luna de miel en Guajataca. Como homenaje a la eternidad de nuestro amor acunado en la luna de miel en Guajataca. Aclaro, cuando a Guajataca iba la crema y el riesgo de encontrarse con una costurerita o espécimen de mesura parecida era imposible. Como hello en la distancia, *eso se* realiza para nuestro aniversario o en día en que, por motivo de alguna festividad, mi esposo se permite el exceso licorero que promueve tales desmanes: de algún senador americano a quien el Comisionado Residente en Washington nos ha encarecido agasajar, algún manufacturero de Georgia que quiere aprovechar nuestra exención de impuestos, algún publicista de Wall Street: datos, cabos sueltos, hints, la exposición íntima la intimida, comedora de cigarrillos es. La intimida pese a que el doctor Severo Severino vaselina las consultas con el charme propio del salón de Madame de Recamier: debut en el American Ballet de Alicia Alonso, los desnudos que Gabriel Suau nunca enseñó, los escándalos de Norman Mailer, el Tamayo que Rafi Rodríguez compró, la plástica que se hizo Consuelo Crespi, el montaje de Visconti para la Scala, los escritores de Fire Island, las esculturas metálicas de Edgar Negret[495], los pretty people de Judy Gordon[496], el Buñuel último, la mamá de Borges. La intimida pese a que el doctor Severo Severino vive su profesión siquiátrica con una deportividad de chulo de la neurosis,

---

[495] *Alicia Alonso... Negret:* nombres de artistas o escritores de fama, desde la bailarina cubana Alicia Alonso, el fotógrafo catalán residente en Puerto Rico, Gabriel Suau, el escultor colombiano Negret, y el profesor y crítico puertorriqueño Rafael Rodríguez.

[496] *Judy Gordon:* cronista del mundo social, destacada en la televisión. Norteamericana residente en Puerto Rico.

cosido y remendado con carretes de dulzura, cosido y remendado con carretes de tolerancia, untado con mantequilla de comprensión. El doctor Severo Severino ve, descubre, sorprende un gesto, un rictus, un ataquito de cólera en la boca de Graciela Alcántara y López de Montefrío cuando, por entre el mohíllo invisible de las bisagras, se asoma, zigzagueante, la guaracha del Macho Camacho: guaracha que mi servicio ha convertido en himno, orillero, repulsivo, populachero.

LUNES, MARCÓ EL día lunes en el calendario porque el Gran Hierofonte Walter Mercado predijo disgusto familiar para los Virgos. Lunes era y estaba en la espera desesperada de que el mediodía estrangulara la mañana y la tarde estrangulara el mediodía y la noche estrangulara la tarde y la noche se cerrara sobre su cansancio que no era cansancio pero sí hastío y aburrimiento. Lunes era y mecía pena y alma en el sillón de Viena, mecía su amorío por Chopin cuando la guaracha del Macho Camacho *La vida es una cosa fenomenal* se metió en su casa con la fuerza de un río desbordado. Violenta, indignada, irritada, llamó al servicio por sus nombres, Chucha, Jacinta y Josefa y puso la guaracha del Macho Camacho *La vida es una cosa fenomenal* en cuarentena: himno orillero, himno repulsivo, himno populachero. Escojan: la guaracha o yo. Llegado el esposo, el esposo se molestó por lo que consideró juicios precipitados, carentes del estudio somero a que se somete todo juicio valorativo: de eso yo sé, miembro de treintitrés comisiones asesoras de lo legislativo y veinte comités asesores de lo ejecutivo. En dramático olor de procerato le recordó que ese pueblo orillero, repulsivo, populachero, le dio el pupitre en el Senado. Porque su zona de acumulación electoral se constituía con las barriadas orilleras, repulsivas, populacheras, las mismas que ella debería visitar en labor cívica de rescate social y amor prójimo, acompañada de Pipo Grajales, Edi Crespo o José García, fotógrafos del *San Juan Star*. Graciela lloró. Lloró como una Magdalena. Lloró como una criatura desconsolada. Lloró como una huerfanita. Graciela dijo que el servicio valía más que la señora de tantos años. Graciela dijo que si la viuda de su madre viviera se iba de la casa. Graciela dijo que ella no se refinó en Suiza nevada y pura para volver a la isla a recibir mal trato. Graciela dijo que qué se había creído él. Graciela se encerró en la alcoba matrimonial, echó pestillo y lloró como una Magdalena, lloró como una criatura desconsolada, lloró como una huerfanita.

Chucha, cocinera integrante de la comparsa orillera, repulsiva, populachera, llamó a la puerta de la alcoba matrimonial: Doña Graciela, que perdone que la moleste pero que los macarrones rellenos de pasas y guisados con salsa de setas que se comen con berenjenas rellenas de ciruelas pasadas por huevo batido se van a enfriar. Entre lagrimones, entre halones de pelo, Graciela contestó: a mí qué me importa que los macarrones rellenos de pasas y guisados con salsa de setas que se comen con berenjenas rellenas de ciruelas pasadas por huevo batido se enfríen: el registro vocal altísimo. Mi esposo durmió en el sofá tras ordenar a Chucha que dispusiera a su antojo de los macarrones rellenos de pasas y guisados con salsa de setas que se comen con berenjenas rellenas de ciruelas pasadas por huevo batido. La mañana siguiente, el esposo magullado, angulado porque el sofá doblaba en una esquina y no podía contener un cuerpo recto, llamó a la alcoba matrimonial: para pedirme perdón, para regalarme el permiso para comprar doscientos dólares en perfumes.

GRACIELA LLAMÓ A Alice y le preguntó si el Vogue Souvenir era de Jean Patou o de Guerlain. Alice le contestó que no sabía pero que Jean Patou y Guerlain destilaban unos aromas más destilados, en cambio Coco Chanel. Pero no terminó porque tengo que volar a desocupar el teléfono porque la nena debuta mañana en el Villa Caparra[497] y ha llorado como una huerfanita porque no tiene parejo y el único parejo *available*[498]

---

[497] *Villa Caparra:* una de las zonas residenciales ricas, muy cerca de San Juan. En esa zona está situado el exclusivo *Caparra Country Club*, centro de rituales de la clase alta, como la noche de debutantes quinceañeras.
[498] *available:* del inglés, disponible.

es un muchacho feón, feón y con la cara dañada, feón y con la cara dañada y las uñas comidas le dicen Ico el Feo y la Nena está aterrada de que la bauticen con el nombre de Ica la Fea. Y colgó. Graciela llamó a Susan, Susan llamó a Maureen: el Vogue Souvenir no era ni de Jean Patou ni de Guerlain ni de Coco Chanel: Maureen no sabía de quién era pero sí sabía de quién no era. Graciela llamó a la Mamá de Sheila. La Mamá de Sheila preguntó por qué no el Bellodgia de Caron o el Ecusson de Jean D'Albert. Graciela llamó a Joanne. Joanne sugirió un estuche de Shalimar, un estuche de Chamade, un frasco de Narciso Negro. Graciela se fue a la Perfumería del Monte Mall[499] y se enteró por la boca autorizada de una perfumista cubana de que la pobre María Antonieta fue a su cita con Monsieur Guillotin empapada en fragancias de Houbigant: fue regia hasta lo último para dar lección de higiene seductora a los apestosos de Robespierre, Danton y Marat: en La Habana, cuando iba al Contri y se rumoraba que Fulgencio iba yo me ponía Shalimar en las piernas, Narciso Negro en la combinación, Christmas in July en el busto y Madame Rochas en la cara.

PERFUMES HOY Y fraccionado el hoy: perfumes hoy por la mañana; vestidos ayer sólo: la boutique de Marysol, la colección invernal de Fernando Pena, la boa en marabú de Rafaela Santos; joyas mañana: un ópalo montado en el vacío, una ajorca en ojos de tigre, el pendantif en lapislázuli. Enseguida: derrota de los entusiasmos, derrotados los entusiasmos por el anhelo permanente de no hacer nada: tenderse en la cama, tenderse boca arriba, ceremonia el abandono de las piernas, ceremonia el abandono de los brazos, ingrávida torcaza, tendida y reducida a cintura que descansa. Hacer nada: regresar a la cama por una rendija que apenas si es rendija: mínima

---

[499] *Perfumería del Monte Mall: El Monte* fue uno de los primeros *condominios* que se construyeron en San Juan, en 1963. Localizado en los terrenos del antiguo barrio popular El Monte, en Hato Rey. El *Mall,* pronunciado «mol», ha pasado a designar los nuevos *shopping centers*. Véase nota 15.

abertura, sonambular, reparar en el volumen de la infelicidad, amamantar la infelicidad, cantarle una sentencia: el dolor de nacer mujer. Posesiona la oración como si fuera un cuerpo. Fuma, fuma otra vez, fuma muchas veces. El Doctor Severo Severino mira el humo, remira el humo, la desaparición del humo empuja su sensibilidad a ordenar asteriscos reflexivos sobre el humo: somos humo, somos humo, somos humo: repetido, repetido. ¿Intentó burlar el tedium vitae mediante su incorporación a clubes cívicos?: la mirada contratada por la huella del humo. Graciela Alcántara y López de Montefrío desguarnece la sonrisa: sí. Y en el último fue miembro integrante del Comité Para El Diseño del Traje Típico Puertorriqueño: abandonó el Club enojada porque su diseño fue rechazado, diseño que exoneraba el traje típico del lastre de volantes y camándulas. Porque era un diseño de gran vestir: traje sastre de cuello cerrado en piel de becerro manchado: triunfo del gusto cosmopolitano sobre el lelolai[500]: mueran las gardenias, mueran las amapolas, mueran las faldas de campana. Mrs. Cuca White, Mrs. Pitusa Green, Mrs. Minga Brown, Mrs. Fela Florshein, cuarteto cimero de la delicadeza, reconocieron las ventajas del traje sastre de cuello cerrado en piel de becerro manchado pero, con pesares engarzados en besuqueos, objetaron el material de confección: el sol cumple aquí una vendetta impía, la transpiracion excesiva podría reforzar la tesis de la sangre nuestra mezclada con leucocitos, hematíes y plaquetas de intolerable africanía. No, no urdió excusa o razonilla para darse de baja, para salir en estampida como una Scarlett O'Hara. Pero, salió de la Casa Club herida de muerte: lloré como una Magdalena, lloré como una criatura desamparada, lloré como una huerfanita. Pobre pobrecita exclamado con pena penita por el Doctor Severo Severino. ¿Cultivo la asistencia y el patrocinio de actividades renovadoras como los conciertos anuales del Festival Casals?: la música nos muda a las esferas celestiales donde mora la Diosa Pu-

---

[500] *lelolai:* la tradición autóctona. La frase *le-lo-lai,* y sus variaciones, la emplean los trovadores para iniciar su canto mientras van improvisando la letra de sus décimas. El *lelolai* ha pasado a significar la cultura campesina y nacional.

reza. Además, las noches del Festival Casals[501] son noches de cielo caído: ¿quién olvidará la osadía deslumbrante de Camile Carrión[502] y su escote abismado hasta el rosal inferior de la espalda por un vestíbulo en el que reinaban, con igual prestancia, una Cobián, una Valdés, una Rocafort[503]?: entusiasta, entusiasmado, entusiástico.

FESTIVAL CASALS CULTIVADO, pasatiempo Trivia cultivado, pasatiempo Boticelli cultivado. Pidiendo el autógrafo a Pablo Casals, Pablo Casals mansionado y lamido por el gobernante de turno: gritando alegre con el recuerdo de la última película de la Garbo, o la primera película de la Bergman para Rosellini, o el actor principal del *Ángel azul* original; oyendo chillar el otro nombre de *Las lanzas* de Velázquez, oyendo preguntar por *Las señoritas de Aviñón,* oyendo preguntar por el Duchamp en el Museo de Chicago. Todo, todo, todo, crisis, crisis, crisis: llamada del esposo: *Dear*[504], llegaré tarde, redacto la resolución de apoyo a nuestra presencia gloriosa en Vietnam, ella chilló como una ratita a la que le pisan la colita: estas paredes se me caen encima, me mudaste a estas montañas para volverme loca, ahora entiendo tu satánico plan, suburbios ni suburbios, yo quiero volver a Punta Las Marías[505], yo quiero volver a Garden Hills[506], yo quiero volver al Paseo de Don Juan, nunca usamos la piscina, nunca ofrecemos un pool party, nunca usamos la terraza que abre a la plantación de orquídeas negras, nunca usamos el gran comedor de gala,

---

[501] *Festival Casals:* festival de música celebrado en Puerto Rico desde 1957, primero bajo la dirección del famoso cellista catalán Pablo Casals (1876-1973), quien se radicó en la isla en 1956.
[502] *Camille Carrión:* actriz puertorriqueña, y figura de la alta sociedad.
[503] *Cobián, Valdés, Rocafort:* apellidos de familias de la burguesía comercial e industrial puertorriqueña.
[504] *Dear:* querida o querido, forma de tratamiento.
[505] *Punta Las Marías:* en la costa norte, en los límites del municipio de San Juan, muy cerca de Isla Verde.
[506] *Garden Hills:* urbanización de clase alta, en el municipio de Guaynabo, cerca de San Juan.

nunca nos deleitamos con la contemplación de tu colección numismática, nunca comemos sobre los manteles tejidos en Bruselas, los manteles de Bruselas se marean en los arcones, nunca vamos a ningún sitio, cuándo se nos ha cronicado en la columna de Judy Gordon, cuándo Judy Gordon ha dicho que somos *pretty people,* o que somos *very adorable people,* sólo veo la cara de la planchadora, sólo veo la cara de la cocinera, sólo veo la cara del jardinero, sólo veo la cara de la sirvienta, Pat y Raymond están en Europa y tienen audiencia con el Papa, Lily y Ken están en Haití y tienen audiencia con Baby Doc[507]: gritos, gritos, gritos. El esposo le pidió que fuera a ver un siquiatra: reconozco que el *stress* de la vida moderna crea este sedimento de recelo. *Honey, I dont blame you. The whole damn thing is your nerves*[508]. Y aquí estoy. Y estoy aquí. Como barco a la deriva, como barco que zarpa sin rumbo, como: se calló. Callada, Graciela Alcántara y López de Montefrío, se sacude con nervios y otros manejos, el traje malva diseñado por Ted Lapidus. Graciela Alcántara y López de Montefrío necesita cuarenta y cinco años —los cuarenta y cinco años de su vida, minuto a minuto— para llegar a este instante. Graciela Alcántara y López de Montefrío se siente pura, explícita, invencible, en el momento de preguntar: Doctor, ¿le gusta a usted la guaracha del Macho Camacho? El Doctor Severo Severino deja que la vista deambule por una estantería, deja que la vista trepe el lomo de un manualito hedonista titulado *Oh la leche por ti derramada.* El Doctor Severo Severino, modal de Rossano Brazzi, modal de Raf Vallone, modal de Omar Sharif, enarca una ceja, enarca otra ceja, pone los dedos pulgares a frotarse. El Doctor Severo Severino, halcón maltés, lanza la cabeza para atrás, se acaricia con los dedos anulares la barbilla ruda. El Doctor Severo Severino lleva el dedo índice izquierdo a una muela inferior. El Doctor Severo Severino contesta: llegado el caso sí. Entonces.

---

[507] *Baby Doc:* Jean Claude Duvalier, hijo del dictador haitiano François Duvalier (1907-1971), a quien llamaban *Papa Doc.*

[508] *Honey, I don't blame you..:* Mi amor, no te culpo.

Y SEÑORAS Y señores, amigas y amigos, que les suelto la atángana, que los convido a que se amarren los cinturones porque cogemos vuelo, que no es lo mismo llamar la guaracha que verla venir.

NINGÚN HOMBRE PODRÁ parir nunca —dijo Doña Chon, bombástica en la formulación del histórico aserto, gratia plena. A los machos, con todo y ser machos y ser los dueños del mandar, les falta el importante tornillito de la pujadera que es un tornillito importante que la mujer trae desde que nace en su parte de mujer —dijo Doña Chon: ginecóloga, anciana de la tribu. El día que un hombre quiera saber lo que es parir que trate de cagar una calabaza —dijo La Madre: eufórica, un kindergarten en los ovarios, fanfarria con las trompas de Falopio. Oye esta niña, óyeme bien de una vez y que esa vez sea para todas las veces —dijo Doña Chon, interrumpida en su digesión, pateada en su moral julepeada en la castidad querida para sus oídos. No seas tan franca de palabra —dijo Doña Chon: gesto transmisor de un por qué esta niña será tan franca de palabra. Es que se me sale sin querer —dijo La Madre, haciendo pucheritos, castigándose la boca, con mohín culpable de qué cosa que se me salga sin querer. Pues que no se te salga sin querer —dijo Doña Chon, intolerante, odiadora de la palabra indecorosa. *Excuse me* —dijo La Madre, en su inglés de a dos chavos. Cuando Tutú nació yo estuve tres días con sus tres noches en el parto —dijo Doña Chon grandiosa, bajado el sudor de hoy con el recuerdo del sudor de ayer, bombástica en la formulación del histórico aserto. Ave María —grito La Madre, deslumbrada ante el histórico aserto. Ave María —regritó La Madre y el grito impuso un abrazo fuertísimo que les dolió y se soltaron. Tres días —reafirmó Doña Chon, tres días con sus tres noches que no son ni dos días con sus dos noches ni un día con una noche: doblaba el mandil, guardaba el mandil en la gaveta única de la mesa de picar, hablaba con un sosiego trémulo: emoción arrendada para la narración de los acontecimientos horripilantes: lutos partos de tres días con sus tres noches, inundaciones y puñaladas.

CHORREADOS TIENE LOS OJOS, quebrantada su paz mansa e idiota, chorreados para angostar la cadencia de las sombras que construyen una cárcel de grito. Los hombros disponen la protección del armazón gelatinoso y caminan el uno hacia el otro. Chorreados tiene los ojos. Atrapado: en la oscura red de sus tres años desmoronados e inútiles. Atrapado: por la piedad anémica de los niños que se rifan la oportunidad jubilosa de escupirlo: yo primero que tengo catarro, este primero que tiene moco y tiene gargajo.

LA COMADRONA DOÑA Particular García me avisó, después de inspeccionarme las madres: Chon, resignación y reza conmigo lo que te digo: bien ven mal si solo vienes. Chon, resignación para oír lo que te digo: la criatura viene al revés y al revés pasará por esta vida —dijo Doña Chon. Doña Chon cortaba el papel de estraza en que envolvía las frituras. Doña Chon vendía cuatro alcapurrias[509] a una preñada antojada. Doña Chon regañaba a una preñada antojada por no estar metida en la cama. Doña Chon regañaba a una preñada antojada por no estar metida en la cama y arropada de pies a cabeza. Ahí mismo supe yo lo que era el dolor de nacer mujer —dijo Doña Chon, exhaló con fuerza grande que no apagó una vela porque no había una vela. Chon, aquí te traigo a tu marido para que te vea llorar dijo la comadrona Doña Particular García —dijo Doña Chon. La comadrona Doña Particular García exigía que el marido de la parturienta estuviera presente en el trajín del parto para que aprendiera bien aprendido que no es lo mismo llamar al diablo que verlo venir —dijo

---

[509] *alcapurrias:* fritura que se hace con yautía rayada o plátano molido y carne de cerdo (AM, pág. 83).

Doña Chon. Que no es lo mismo maniobrar que obrar maní —dijo La Madre: dibujaba unos pasos, la guaracha del Macho Camacho huía de la vellonera[510] del bar *El pecado de estar vivo*. La comadrona Doña Particular García exigía que en casa de la parturienta estuvieran presentes cinco vecinas para que ayudaran a pujar a la parturienta —dijo Doña Chon. Me acuerdo siempre bien acordada de que entre las pujadoras que vinieron a pujar vinieron las Polacas —dijo Doña Chon. Las Polacas se llamaban Las Polacas porque eran hijas de Don Polo —dijo Doña Chon. Las Polacas pujaron tanto y tanto en la ayuda que me hicieron que a una de las Polacas se le reventó un vasito de sangre de tanto pujar —dijo Doña Chon. Vecinas chéveres Las Polacas —dijo La Madre, en danzado desenfreno porque la guaracha del Macho Camacho solicitaba mediante soplido trompetero un danzado desenfreno.

DESDE EL CORAZÓN de la tierra hasta el cielo que esta allá arriba, como del sueño al insomnio o del hambre a la comida: cualquiera inmensa distancia. Desde la lejanía apuntada en sus ojos: una geografía entreverada de sombras. Lejos, detrás de la lejanía, desde un malezal de sombras por allí levantado, en acecho reposado del lagarto. El Nene: compuesto y asilado en un islote de baba. El Nene: en acecho reposado del lagarto. El lagarto: resecado, achicado, cascarado, avejentado. El lagarto: calculador e hipnótico en la caza de una mosca tarambana, terso arabesco del rabo y pendular amenaza. Lagarto y mosca tarambana sorprendidos in fraganti y tragados de un bocado, ingeridos y maromas del galillo y torrente de saliva que apisona y empuja. Tres lagartos por día y una libra de moscas.

---

[510] *vellonera:* tocadiscos automático que funciona echándole una moneda (RR, pág. 81). En otras partes: *rockola* o *sinfonola*. Está formada sobre el antiguo *vellón*, que en Puerto Rico es «moneda de cinco centavos de dólar» (MV, pág. 152). En los años sesenta funcionaban en la isla más de 10.000 velloneras (Malavet, pág. 343). En *La importancia de llamarse Daniel Santos* (1988) Sánchez explora el mundo sentimental generado en torno a las velloneras.

Y NACIÓ AL revés y al revés va pasando por la vida: dolida Doña Chon, inconforme y pesarosa y conforme. ¿Cuántos años le echaron a Tutú? —dijo La Madre, despaciando el vaivén de la guaracha, como quien ritma el luto, negada al remeneo procedente: solo de tumbadora. Protestando, reconviniendo, contestando, Doña Chon —todos los días te lo digo, siete y le faltan seis, sobando el lomo del gato Mimoso, mirando las arqueadas del Nene, invadiendo el islote de baba, alongando el callejón, ignorando la garata[511] velloneril entre los bares *El pecado de ser pobre* y *El pecado de estar vivo*.

¿Cuál vellonea más veces la guaracha del Macho Camacho? Seis no es cachipa de coco[512] —dijo La Madre, palmeando, culidando, sudando ayes descompuestos por la devoción guarachera, coreando la guaracha, tirando besos al Nene. Seis no es cachipa de coco ni guarapo de caña[513] —dijo Doña Chon, desempolvando la Oración de San Juan de la Conquista, desempolvando la Oración de la Santa Camisa, desempolvando la Oración del Ángel de los Sin Ángel, persiguiendo un batallón de moscas que saciaban la sed en la boca del Nene. Mucho que echan ahora a los que se meten mafafá[514] —dijo La Madre: sacudón de perro recién bañado, sacudón de gallina echada, sacudón sacudísimo. Besando un Crucifijo, besando un Corazón de Jesús, besando una Palma de Domingo de Ramos, Doña Chon dijo —a los ricos si te vi ya no me acuerdo. Los ricos vendiendo la yerba en la cara del gobierno, ofreciendo la manteca a Villega y to el que llega. Conectando con mafafá, conectando con buen pasto[515] —dijo

---

[511] *garata:* pelea, alboroto (MV, pág. 144). Para *velloneril,* véase nota anterior.

[512] *cachipa de coco:* la *cachipa* es «lo que queda del coco o de cualquier fruto rallado». En Puerto Rico ha dado lugar a la expresión: *No ser cachipa de coco =* «no ser poca cosa» (MV, pág. 137).

[513] *guarapo:* bebida que se prepara con el jugo de la caña de azúcar (MAN, pág. 278).

[514] *mafafá:* palabra africana procedente del Congo Norte, que se refiere a comida hecha a base de plátano propia de la época de la esclavitud. Aquí con el significado de «droga», marihuana (MV, pág. 147).

[515] *buen pasto:* marihuana de cierta calidad.

La Madre conectando con el Macho Camacho. A los pobres siete años en la sombra —dijo Doña Chon: muecando, resintiendo, odiando. Doña Chon —dijo La Madre, tumbando el cuerpo hasta el suelo, golpeando el suelo con los hombros, bailando— si me recoge El Nene esta tarde le paso la luz a la noche y esa luz y otra poquita la ayuda a pagar el abogado de Tutú. Mucho que le echan a un mariguano pesetero[516], los mariguanos de Villa Caparra y de Garden Hills son felices como lombrices. Doña Chon dice —de buscarlo lo busco, sea todo por Tutú, aunque si no fuera por...

EL PECOSO, ENCARGADO de auspiciar la aventura de la amistad, lo ata con un cordelito, lo tironea, dueño y señor sentido, la sonrisa prepotente. Cuando llegan los otros, cual bandadas de palomas, El Pecoso se jacta, El Pecoso se orgullece: me regalaron el Bobo. El asombro se derrama como maví[517] espumoso, como cerveza espumosa, el asombro se encampana hasta las nubes, asombro de todos. Todos, uno no faltó, se apresuraron, se lanzaron, se avalancharon: a pedirlo prestado, a suplicarlo prestado, a rogarlo prestado, saltos como perros contentos, como perros acezantes, la envidia retoñando, la maldad retoñando, prestado para caballito, prestado para poni, prestado para oso, prestado para puente, prestado para columpio, prestado para subibaja, prestado para banco de sentarse, préstamos efectuados en ley buena. Las acacias, mecidas las acacias, primorosas las acacias, incapaces las acacias. Préstamelo —clama uno, clamado con coño de apellido, sosteniendo un pedazo de espejo, espejo empuñado como arma, espejo del que retollan los reflejos, espejo que se inunda de caras, caras que entran y salen del pedazo de espejo, espejo en que se agazapa una profecía.

---

[516] *mariguano pesetero*: fumador de marihuana barata. Véase nota 145.

[517] *maví*: bebida fermentada hecha de un árbol pequeño de corteza de sabor amargo (MV, pág. 148).

AUNQUE SI NO fuera por Tutú, si no fuera por la deuda con el abogado de Tutú, si no fuera por este lío de ropa sucia que es la vida —dijo Doña Chon, no te ayudaba con la recogida de la criaturita, a otro perro con ese hueso: los baños de sol. Acalorada. Renegada. Descreída. El sol sirve para todo como la cebolla que hasta para la polla —dijo La Madre, rejuntaba los hombros en divertido abanico, abría los hombros para que los senos brincaran y saltaran divertidos. Necesito los pesos, los pesos, los pesos —dijo La Madre, dijo jurando, dijo jurando por ese Padre Que Está En Los Cielos, dijo repicando, dijo bailando la guaracha del Macho Camacho: a dos ritmos, a dos tiempos, a dos discos: disco del bar *El pecado de ser pobre*, disco del bar *El pecado de estar vivo*. Por los chavos baila el mono —dijo Doña Chon, mirándola retorcerse, mirándola deshacerse, mirándola contorsionarse, mirándola restregarse, mirándola desbaratarse. La Madre dijo —¿Doña Chon, qué usted quiere decir?, dijo retorcida, dijo deshecha, dijo contorsionada, dijo restregada, dijo desbaratada.

PUÑADO DE MANOS, puñado de voluntades, tropelío, algazara de dedos, el espejo elevado como un cáliz, el pedazo de espejo elevado como una forma sagrada. Hasta que la cara del Nene se vacía en el pedazo de espejo, incontenida. Levantada, erguida, sostenida la gran cabeza por diez manos. El Nene, despertando al horror de su propio horror se arranca de la garganta un tañido protestante envuelto en llanto. Entonces, todo el dolor del mundo se le espeta en el corazón y el cielo se aparda como un piso de madera sin lavar: vetoso y ruin. Pájaro que bate espuelas, cerco roto, la fuga no acabará nunca, los brazos deshuesados, los brazos botados hacia atrás: hacia la libertad de la baba: sin proponérselo, sin razonarlo: propuesto por el horror y la fealdad. Correr es grato y libre, lo descubre sin descubrirlo, correr, desaparecer como un punto, inalcanzable por los gritos que gritan a las cinco de la tarde, tarde de miércoles hoy.

Y SEÑORAS Y señores, amigas y amigos, aquí está la guaracha del Tarzán de la cultura, el Supermán de la cultura, el James Bond de la cultura, aquí está y está aquí la ecuménica guaracha del Macho Camacho *La vida es una cosa fenomenal.*

NO BIEN BONNY se encaramó en los muslos de jamónica contundencia y un pie fue a quedar anclado en la popa del barco naufragando entre dos olas: el tatuaje, no bien Bonny posó sus labios fríos e indiferentes en la boca fingidora y exigente de La Metafísica, no bien Bonny insinuó unos culeos tensos, Benny irrumpió en la zona de carga y descarga[518] o habitación de La Metafísica y gritó un *apéate* terrorista que mudó y demudó a Bonny. Bonny, mudo y demudado, se puso a salvo de un salto cangúrico, salvado y sentado en el ombligo de La Metafísica: contado días después entre risas tantas que empequeñecían los ojos: le pusieron a La Metafísica, en el pozo del pecado, una barra de estrellas de las que alegran y despiden y alumbran el año viejo, barra de estrellas que convirtió a La Metafísica en puta iluminada. La Metafísica, luchadora japonesa, no pudo luchar con justeza, el instrumento de trabajo chamuscado. La Metafísica pataleó, rabió, maldijo, dijo que llevaría su caso a los tribunales: amiga de la judicatura, desvirgadora oficial de la oficialidad gobernante, formada en los talleres de Isabel La Negra[519], mejorada en los burdeles de Carmen Gallo y Juana Ladillas, leading lady del prestigioso chichin place[520] *Rasgos educativos*. La Metafísica permitió que sapos y culebras le llenaran la boca y pidió agua:

---

[518] *zona de carga y descarga:* posible alusión al nombre de la revista literaria puertorriqueña, *Zona de carga y descarga* (1972-1975), dirigida por las escritoras Rosario Ferré y Olga Nolla. Un fragmento inédito de *La guaracha* apareció en esa revista.

[519] *Isabel La Negra:* Isabel Luberza Oppenheimer era dueña de un notorio burdel en el sur de la isla.

[520] *chichin place:* expresión humorística o eufemística, para referirse al lugar donde se tienen relaciones sexuales. De *chichar*. Véase notas 242 y 365.

agua que se me quema la, curioso que no nombrara la innombrable: supersticiosa. A los tres días, sin reponerse, pidió justicia e indemnización, anduvo la ceca y la meca, tronó, rodó por todas las dependencias del Seguro Social, gestionó pensión en la Autoridad de Compensación por Accidentes del Trabajo, elevó querella al Departamento de Servicios al Consumidor. Nada: La Metafísica fue desoída por funcionarios desoidores: no hay caso, el caso es de cuantía menor, cuando el caso alcance el turno de consideración el efecto del atentado habrá desaparecido. Total que gajes del oficio, aunque ella juró: tarde o temprano sabrán de mí.

BENNY, BONNY, WILLY y Billy, en lo adelante, para evitar contratiempos, para evitar tempestades, para aguardar a que bajara la marea de la desconfianza, se separaron, recesaron en su amistad: consejo del concejo de padres reunidos para examinar, con gravedad adulta, la gravedad del acontecimiento: reunión celebrada en la ala derecha del molto bello jardín de Mami de Benny, sillería de mimbre blanco, descorche de seis botellas de Dom Perignon y pasada de bandejitas de platería bruñida en las que reposaban las ostras ahumadas y los rollitos de pulpo vinolado. Que los chamacos se separen, que los chamacos pausen unos meses el fragor de su hermosa amistad: bromas así tienen lugar en el pasaje embromado de todas las épocas: negar no he de que me apena la muerte repentina del sentido del humor, humor que más que humor eres la sal de la vida: palabras elevadas de Papito Papitate, la copa Baccarat elevada, el rostro elevado en el reclamo de las ideas nobles y elevadas.

BENNY LE CONFIESA al Ferrari: sólo tú me comprendes, sólo tú me: pero no concluye. Benny se suma a una protesta que toma la forma de nube claxónica a las cinco en punto de la tarde. Benny, hastiado de los trotes de San Juan a Caguas y de Caguas a San Juan, trotó esta tarde hasta la Playa de Isla

Verde hasta Boca de Cangrejos[521]. La carretera libre de tránsi-to mayor permitía una trillita de sesenta millas por hora aun-que había que meter el freno pronto para no ir a parar en los arenales de Piñones[522]. Total: para luego regresar a este tapón miserable, cruzar Villa Palmeras, bajar por la Morell Campos, entrar en la Avenida Boringuen y atrechar por la barriada Cantera[523]. Atrechar nonines, el tapón era parejo, quedarse trampado en una de estas callejas donde la Diosa Mita tiene su emporio de fe: colmados, mueblerías, financieras, restau-rantes. Molesto, Benny no mira la mirada de las dos mucha-chas que lo miran desde el Toyota, muchachas que lo miran y se ríen, que se ríen y le coquetean. Curioso, Benny desistió de las chicas cuando empezó a hacer su fototeca excepcional con portadas desgarradas de *Playboy*, de *Oui*, de *The penthouse*, de *Serew*, portadas con las que compartía sus urgencias, poster de Sofía Loren con el pezón transparentado por la lluvia, poster de Raquel Welch con sus dos trenzas como única prenda, poster de Ivonne Coll con un traje que pregonaba la dulzura de sus pechos. Después vino el Ferrari y ya se sabe. Antes del Ferrari y la fototeca vino el noviazgo con Sheila. El affaire Sheila lo capó por un tiempo, capado con seis letras, tiempo en que no se contentó ni con la mano, capado por Sheila o, brillada la justicia: capado por la mamá de Sheila:

PUES RESULTA QUE Sheila, lírica, refinada, blancusina, no metía mano ni soltaba prenda. Curioso, porque la Mamá de Sheila sí metía mano y sí soltaba prenda. La Mamá de Sheila metía mano y soltaba prenda con el encanto discreto de la

---

[521] *Playa de Isla Verde... Boca de Cangrejos:* en el litoral del norte, cerca de San Juan.

[522] *Piñones:* cerca de San Juan, una zona en la que se asentó una comuni-dad de esclavos libertos y otros refugiados, y que ha mantenido una cultura semi-rural y semi-urbana. Tiene hermosas playas.

[523] *Villa Palmeras, la Morell Campos, Avenida Borinquen, y atrechar por... La Cantera:* barrios y calles populares en San Juan. *Atrechar* significa acortar una distancia. El sustantivo *atrecho* en lugar de atajo tiene larga historia en el habla puertorriqueña (TNT, pág. 174).

burguesía[524] pero todo acaba por saberse: súpose, o todo el mundo llegó a suponer que la Mamá de Sheila era una ninfómana y que en las paredes del conducto membranoso y fibroso que en las hembras de los mamíferos se extiende desde la válvula hasta la matriz tenía una trampa llamada sifón que era del más grave peligro para cualquier varón. Benny no se enteró del sifón. Benny sí se enteró durante la ocasión única en la que fornicó con la Mamá de Sheila que la Mamá de Sheila era expansiva en la alcoba y se permitía unos cacareos innecesarios: nada, que en la penetración, a la Mamá de Sheila le dio un ataque de risa que se convirtió en ataque de llanto que se convirtió en ataque de risa que se convirtió en ataque de llanto. Mal acaba lo que mal empieza: Benny llegó a buscar a Sheila a destiempo, mitad de la tarde. Sheila no estaba: en la biblioteca está Sheila informó la Mamá de Sheila, vestida con salto de cama de promisorias gasas y debajo, claro está, sostén y pantaletas: la Mamá de Sheila no es un putón de la casa di tolerancia de Carmen la Invencible ni hizo el internado formativo en un cabaré donde toda cafrería[525] tiene su habitación. No. La Mamá de Sheila es una metedora casera. Casera y con un secreteo de a muerte porque el Papá de Sheila es un cornudo con unos pelotones de aúpa de los que le parte el vivir a cualquiera. El día que el Papá de Sheila se entere de que la Mamá de Sheila le pone los cuernos le va a atacar el síndrome de Juan Charrasqueado[526] y la Mamá de Sheila y quien con ella se refocile van a acabar con más rotos que un metro de tela metálica. En la biblioteca está Sheila dijo la Mama de Sheila y la Mamá de Sheila dejó que un golpe de aire le avivara el salto de cama: Benny gagueó las gracias cuando la Mamá Sheila le sirvió una cerveza y lo invitó a subir a la alcoba: en la alcoba, con seducciones propias de una cortesanía faraónica la Mamá de Sheila desnudó a

---

[524] *el encanto discreto de la burguesía:* cita del título de la película de Luis Buñuel (1900-1983), *El discreto encanto de la burguesía* (1972).

[525] *cafrería:* de *cafre,* en el sentido de vulgar, de mal gusto, zafio. De connotaciones racistas. No es un afronegrismo, pero fue adoptado del árabe por algunos pueblos de África (FO, pág. 85). La frase recuerda a Cervantes.

[526] *Juan Charrasqueado:* personaje de un corrido mexicano, *valiente y arriesgado en el amor,* y fue *borracho, parrandero y jugador.* Según el corrido, fue asesinado por sus enemigos.

Benny sin pedirle permiso, el salto de cama quedó acostado en una silla reclinable. Benny quería empezar para acabar: pero la Mamá de Sheila era de coito conversador y diálogo socrático: diálogo y ataque de risa y ataque de llanto y poséeme y no me poseas y poséeme para sentirme poseída y júrame que aunque pase mucho tiempo no olvidarás el momento en que yo te conocí[527] y voces en el pasillo y voces en la escalera y voces furiosas del Papá de Sheila que llegaba sin avisar y la Mamá de Sheila inventó una hemicránea, una postración, un déjame tranquila una vez en la vida: Benny tumbado en el closet, tumbado en el closet a la espera del tiro. Capado para buen rato.

FINALMENTE, O SEA que finalmente rasgo el camino y doy un corte de pastelillo[528]. Por esta calle y asusto el blablá de aquellas mujeres y meto el paletazo por toda la calle París y veo que el Ferrari sonríe de dicha, freno y entro rápido a esa calle y me como esa recta bien comida y caigo en sesenta: ay Ferrari no te rajes: qué locura rica, qué rica locura. Caído en sesenta y levantado en setenta: Ferrari papasote. Ferrari guasote: Ferrari machote: en un delirio. Y colada en el delirio la cofia de la guaracha: serpiente que latiga con sabor, Benny latigado de sabor. Saludando las ochenta por las calles estrechas hasta que. Yo no tuve la culpa a unas mujeres que gritan horrorizadas. Yo no tuve la culpa a unos niños que dan vuelta por la esquina. Yo no tuve la culpa a una vieja que se ataca y se persigna y dice se me hizo tarde en la paganía del abogado. Yo no tuve la culpa a unos sesos reventados en la puerta del Ferrari y a unos ojos estrellados por la cuneta como huevos mal fritos. Benny no oye asombros. Benny no oye lamentos. Benny no siente la tarde respirar con dificultad. Benny no ve el crepúsculo armar la guerrilla contra el imperio de azules. Benny pregunta enmohecido, por prisas apresurado: o sea que ¿cuándo podré lavar mi Ferrari?: la voz chillada y es rencor dañándolo: me cago en la abuela de Dios.

[527] *júrame... conocí:* cita del bolero *Júrame* de María Jiménez (1885-1941), hecho famoso por el cantante mexicano José Mojica (1896-1974). (JRS, págs. 352-353).
[528] *corte de pastelillo:* se refiere a un cambio abrupto de dirección de un automóvil en la carretera, cruzársele a alguien.

TEXTO ÍNTEGRO DE LA GUARACHA
DEL MACHO CAMACHO

LA VIDA ES UNA COSA FENOMENAL

La vida es una cosa fenomenal
lo mismo pal de alante que pal de atrás.
Pero la vida también es una calle cheverona,
arrecuérdate que desayunas café con pan.
Ay sí, la vida es una nena bien guasona
que se mima en un fabuloso Cadillac.
La trompeta a romper su guasimilla,
las maracas que no cejen pa trás,
y los cueros que suenen a la milla,
que la cosa no puede reposar,
que la negra quiere sudar,
que la negra se va a alborotar.

Condominio Green Village, Río Piedras, Puerto Rico
Hotel Luxor, Playa de Copacabana, Río de Janeiro

Colección Letras Hispánicas